VIE DE SAINT BERNARD,
ABBÉ DE CLAIRVAUX

SOURCES CHRÉTIENNES

N° 620

GEOFFROY D'AUXERRE

VIE DE SAINT BERNARD, ABBÉ DE CLAIRVAUX
Vita Prima

TOME 2

(Livres III-V)

Texte latin du CCCM 89 B (P. Verdeyen)

Introduction, traduction,

apparats, notes et index

Fr. Raffaele Fassetta, o.c.s.o.
Moine de l'Abbaye Notre-Dame de Tamié

Ouvrage publié avec le concours du Centre National du Livre

Les Éditions du Cerf, 24 rue des Tanneries, Paris 13ᵉ
2022

*La publication de cet ouvrage a été préparée
par l'équipe des Sources Chrétiennes
(CNRS, UMR 5189-HiSoMA)
https://sourceschretiennes.org*

La révision en a été assurée par Laurence MELLERIN.

Imprimé en France

© *Les Éditions du Cerf,* 2022
http://www.editionsducerf.fr/
ISBN : 978-2-204-14316-5
ISSN : 0750-1978

INTRODUCTION

Pour une Introduction complète au texte ici présenté, nous renvoyons au volume *SC* 619 qui contient les Livres I-II de la *Vita prima*. Nous ne redonnons ici que les éléments spécifiques aux Livres III-V indispensables à la lecture de ce tome pris séparément.

LE TEXTE LATIN DES LIVRES III-V

Avec l'aimable autorisation des éditions Brepols, que nous tenons à remercier vivement ici, nous avons repris dans ce volume le texte de l'édition critique établie par P. VERDEYEN, *Vita prima sancti Bernardi Claraevallis abbatis*, *CCCM* 89B, Turnhout 2011. Nous avons cependant remplacé la lettre *u* par la lettre *v* dans les mots qui sont couramment prononcés ainsi (*volo, voluntas, vis, virtus, novellus, gravis, Claraevallis* etc.), et nous avons rétabli la diphtongue *oe* à la place de *e* dans la conjugaison du verbe *coepi*. En plus de ces corrections purement orthographiques, nous nous sommes écartés de l'édition du *CCCM* en certains endroits, dont nous donnons la liste ci-après.

CORRECTIONS DU TEXTE LATIN DE LA *VITA PRIMA*, *CCCM* 89B

Voici l'ensemble des corrections que nous avons introduites dans le texte de l'édition Verdeyen. La plupart d'entre elles concernent la ponctuation ; les corrections plus significatives ont été justifiées en note, à leur lieu respectif.

p., l. du CCCM	au lieu de	livre, §	leçon proposée
134, 35	admittentis,	III, 1	admittentis ;
135, 80	spiritu	III, 2	Spiritu
136, 114	miratur	III, 4	miratus
140, 249	auctorem. Nimirum	III, 9	auctorem ; nimirum
141, 283	ait puer, «Video	III, 10	ait puer. « Video
141, 285	videre	III, 10	viderent
142, 313	implens	III, 12	implere
143, 365	spiritui	III, 14	Spiritui
144, 396	Bernardus. Primo	III, 15	Bernardus : primo
144, 397	eliciens,	III, 15	eliciens ;
152, 686	Sapientia	III, 26	sapientia
154, 747	expresisse	III, 29	expressisse
154, 749	spiritu	III, 29	Spiritu
155, 805	amplicaverunt	III, 31	amplificaverunt
155, 811	ecclesiam	III, 31	ecclesia
159, 11	ad oriendum	IV, 1	adoriendum

167, 283	suspecti. Lingonensis	IV,12	suspecti, Lingonensis
167, 299	congrega-tis. Cum	IV, 13	congregatis, cum
177, 638	Bernardum.	IV, 27	Bernardum !
177, 647	recordatus.	IV, 27	recordatus. »
179, 726	confirmante, sequentibus signis	IV, 30	confirmante sequentibus signis,
184, 900	Henricus <quidam>	IV, 37	Henricus quidam,
190, 1117	spiritu suggerente	IV, 44	Spiritu suggerente
191, 1145	vicum, (Dicebat	IV, 45	vicum (dicebat
191, 1169	Sura	IV, 47	Sirca
197, 4	in ipsum	V, 1	in ipso
198, 36	pertransi-bat. Cum	V, 2	pertransi-bat, cum
198, 55	videretur quem	V, 2	videretur, quem
200, 127	impedirent. Donec	V, 4	impedirent ; donec
204, 268	hominem ut	V, 10	hominem, ut
207, 367	utrumque	V, 13	utcumque
210, 492	Carnotensem. Humbertum	V, 18	Carnotensem ; Humbertum
211, 501	Dicebat	V, 18	Dicebant

BIBLIOGRAPHIE

Pour une bibliographie plus complète, nous renvoyons au volume *SC* 619. Ne figurent ici que les explicitations d'abréviations et de références bibliographiques utilisées dans les notes de ce volume.

ABRÉVIATIONS

Revues, collections, dictionnaires

AB *Analecta Bollandiana*, Bruxelles.

ACist *Analecta Cisterciensia*, Rome, continuation d'*ASOC*.

ASOC *Analecta Sacri Ordinis Cisterciensis*, Rome.

BLAISE, *Lexicon*

A. BLAISE, *Lexicon latinitatis medii aevi*, Turnhout 1975.

Cath *Catholicisme*, Paris.

CCCM *Corpus Christianorum, Continuatio Mediaevalis*, Turnhout.

CCSL *Corpus Christianorum, Series Latina*, Turnhout.

CistC *Cistercienser-Chronik*, Mehrerau.

Cîteaux *Cîteaux in de Nederlanden*, Achel, continué par *Cîteaux, Commentarii Cistercienses*, Cîteaux.

COCR   *Collectanea Ordinis Cisterciensium Reformatorum*, Scourmont, continués sous le titre suivant.

CollCist   *Collectanea Cisterciensia*, Mont-des-Cats puis Scourmont.

CUF   *Les Belles Lettres*, Collection des Universités de France, Paris.

DACL   *Dictionnaire d'Archéologie Chrétienne et de Liturgie*, Paris.

DHGE   *Dictionnaire d'Histoire et de Géographie Ecclésiastiques*, Paris.

DHP   *Dictionnaire Historique de la Papauté*, dir. P. LEVILLAIN, Paris 1994.

DSp   *Dictionnaire de Spiritualité*, Paris.

MGH   *Monumenta Germaniae Historica*, Berlin puis Munich.

PL   *Patrologie Latine*, Migne.

SC   *Sources Chrétiennes*, Paris.

Œuvres de Bernard de Clairvaux

Apo   *Apologie à l'abbé Guillaume*, SBO III, p. 61-108.

Conv   *La Conversion*, éd. J. MIETHKE, SC 457, 2000, p. 286-461.

Csi   *La Considération*, SBO III, p. 379-493.

Div   *Sermons divers*, éd. F. CALLEROT – P.-Y. ÉMERY, SC 496, 518 et 545, 2006, 2007 et 2012.

Ep   *Lettres,* t. I (1-41) et t. II (42-91), éd. M. DUCHET-SUCHAUX – H.-M. ROCHAIS, SC 425 et 458, 1997 et 2001 ; *Lettres,* t. III (92-163), éd. M. et G. DUCHET-SUCHAUX, SC 556, 2012 ; *Lettres 164-180,* SBO VII (p. 241-402) ; *Lettres 181-547, SBO* VIII (p. 1-514).

MalV   *Vie de saint Malachie*, éd. P.-Y. EMERY, *SC* 367, 1990, p. 135-377.

Opere di san Bernardo

      SAN BERNARDO, *Opere*, dir. F. GASTALDELLI (*Scriptorium Claravallense*), Milan ; t. 1, *Trattati*, 1984 ; t. 2, *Sentenze e altri testi*, 1990 ; t. 4, *Sermoni diversi e vari*, 2000 ; t. 5/1 et 5/2, *Sermoni sul Cantico*, 2006-2008 ; t. 6/1 et 6/2, *Lettere*, 1986-1987.

SBO   *Sancti Bernardi Opera*, 9 tomes, éd. J. LECLERCQ – H.-M. ROCHAIS – C. H. TALBOT, Rome 1957-1998.

SCt   *Sermons sur le Cantique*, éd. R. FASSETTA – P. VERDEYEN, *SC* 414, 431, 452, 472 et 511, 1996, 1998, 2000, 2003 et 2007.

Autres abréviations

BdC   *Bernard de Clairvaux : histoire, mentalités, spiritualité. Colloque de Lyon-Cîteaux-Dijon*, *SC* 380, 1992.

Hm   *Historia miraculorum in itinere Germanico patratorum*, *PL* 185, 369-410.

LECLERCQ, *Recueil*

      J. LECLERCQ, *Recueil d'études sur saint Bernard et ses écrits*, 5 tomes, Rome 1962-1992.

LMH   *Liturgie Monastique des Heures*, Clervaux 1981.

RB   *Benedicti Regula*, éd. D. P. SCHMITZ, Maredsous 1962[3].

Vp   *Vita prima sancti Bernardi Claraevallis abbatis*, éd. P. VERDEYEN, Turnhout 2011.

ÉDITIONS

Vita prima

Vita prima sancti Bernardi Claraevallis abbatis, éd. P. VERDEYEN, *CCCM* 89 B, 2011, p. 11-233.

Fragmenta Gaufridi, éd. C. VANDE VEIRE, *CCCM* 89 B, 2011, p. 235-307.

Autres sources

Benedicti Regula, éd. D. P. SCHMITZ, Maredsous 1962³ (= *RB*).

CÉSAIRE DE HEISTERBACH, *Dialogus miraculorum*, éd. J. STRANGE, 2 tomes, Cologne, Bonn et Bruxelles 1851, plus un volume d'*Index*, Coblence 1857.

CONRAD D'EBERBACH, *Le Grand Exorde de Cîteaux ou Récit des débuts de l'ordre cistercien*, dir. J. BERLIOZ, Turnhout 1998 ; texte latin : *Exordium magnum Cisterciense sive narratio de initio Cisterciensis ordinis, auctore Conrado, cura et studio* B. GRIESSER, *CCCM* 138, 1997.

GEOFFROY D'AUXERRE, *Notes sur la vie et les miracles de saint Bernard*, éd. R. FASSETTA, *SC* 548, 2011.

GRÉGOIRE LE GRAND, *Dialogues*, éd. A. DE VOGÜÉ – P. ANTIN, t. II et t. III, *SC* 260 et 265, 1979 et 1980.

—, *Règle pastorale*, t. I, éd. B. JUDIC – F. ROMMEL – C. MOREL, *SC* 381, 1992.

HERBERT DE TORRES, *Liber visionum et miraculorum Clarevallensium*, *cura et studio* G. ZICHI, G. FOIS et S. MULA, *CCCM* 277, Turnhout 2017.

Liturgie Monastique des Heures, Abbaye de Clervaux, Luxembourg, 1981 (= *LMH*).

Narrative and legislative texts from early Cîteaux, éd. C. WADDELL, Cîteaux 1999.

PIERRE LE VÉNÉRABLE, *The Letters of Peter the Venerable*, 2 tomes, éd. G. CONSTABLE, Cambridge (MA) 1967.

OUVRAGES COLLECTIFS

Bernard de Clairvaux, Commission d'histoire de l'ordre de Cîteaux, Paris 1953.

Bernard de Clairvaux : histoire, mentalités, spiritualité. Colloque de Lyon-Cîteaux-Dijon, SC 380, 1992 (= *BdC*).

Clairvaux. L'aventure cistercienne, dir. A. BAUDIN – N. DOHRMAN – L. VEYSSIÈRE, Paris 2015.

Mélanges Saint Bernard. XXIVᵉ Congrès de l'Association bourguignonne des Sociétés savantes (8ᵉ Centenaire de la mort de saint Bernard), Dijon 1953 ; Association des Amis de saint Bernard, Dijon 1954.

Saint Bernard et son temps, Association bourguignonne des Sociétés Savantes, Congrès de 1927, 2 vol., Dijon 1928-1929.

ÉTUDES

AUBÉ, P., *Saint Bernard de Clairvaux*, Paris 2003.

BREDERO, A.H., *Études sur la Vita prima de saint Bernard,* Rome 1960. Nous suivons la pagination des articles parus dans *ASOC* 17.1-2, 1961, p. 3-72 ; 17.3-4, 1961, p. 215-260 ; 18.1-2, 1962, p. 3-59.

DEBUISSON, M., « La provenance des premiers cisterciens d'après les lettres et les *vitae* de Bernard de Clairvaux », *Cîteaux* 43, 1992, p. 5-118.

DE WARREN, H.-B., « Bernard et l'épiscopat », dans *Bernard de Clairvaux*, 1953, p. 627-647.

DIMIER, A., *Saint Bernard « pêcheur de Dieu »*, Paris 1953.

—, « Mourir à Clairvaux ! », *COCR* 17/4, 1955, p. 272-285.

—, « Les fondations manquées de saint Bernard », *Cîteaux* 20, 1969, p. 5-13.

GASTALDELLI, F., « Le più antiche testimonianze biografiche su san Bernardo. Studio storico-critico sui *Fragmenta Gaufridi* », *ACist* 45, 1989, p. 3-80.

LECLERCQ, J., *Recueil d'études sur saint Bernard et ses écrits*, 5 tomes, Rome 1962-1992.

PASSERAT, G., « La venue de saint Bernard à Toulouse et les débuts de l'abbaye de Grandselve », dans *Saint Bernard et la recherche de Dieu*, *BLE* 93.1, 1992, p. 27-37.

VACANDARD, E., *Vie de saint Bernard, abbé de Clairvaux*, 2 tomes, Paris 1895.

VEYS IÈRE, L., « Le personnel de l'abbaye de Clairvaux au XI siècle », *Cîteaux* 51.1-2, 2000, p. 17-90.

TEXTE ET TRADUCTION

ᴵLIBER TERTIUS AUCTORE GAUFRIDO AUTISSIODORENSI

133   ᴵ**1.** Innumeris quidem signis atque miraculis, ut orbis comperit universus, fidelem famulum Bernardum Claraevallensem Deus glorificavit abbatem, sicut *gloriosus semper in sanctis suis*[a] et in sua mirabilis est maiestate.

5   Ceterum, sicut Malachiam sanctum idem ipse commendat, primum maximumque miraculum quod exhibuit, ipse fuit. Serenus vultu, modestus habitu, circumspectus in verbis, in opere timoratus, in sacra meditatione assiduus,

---

1. a. Ps 67, 36 ≠

1. Dans la recension B, Geoffroy a ajouté ici un prologue *(prologus)*, d'une élégante facture littéraire, (voir notre traduction dans l'Annexe 1, *infra*, p. 317-319) où il revendique sa qualité de témoin oculaire de la plupart des faits rapportés et où il expose les critères qui l'ont guidé dans la composition des trois derniers livres de la *Vita prima*. En particulier, il affirme avoir rassemblé les faits selon un ordre thématique dans les livres III et IV, sans se préoccuper de la chronologie, et avoir en revanche suivi l'ordre chronologique dans le livre V (voir Introduction, *SC* 619, p. 117). Voir le texte de ce prologue dans Bʀᴇᴅᴇʀᴏ, *Études*, *ASOC* 17, 1-2, 1961, p. 44 (et aussi dans *PL* 185, 301C – 303A). Un seul manuscrit de *Vp*, intermédiaire entre la recension A et la recension B, qui fut copié au scriptorium de l'abbaye bénédictine d'Anchin par le moine Siger en 1165 et se trouve actuellement à la Bibliothèque Municipale de Douai (ms. 372,

LIVRE TROISIÈME
PAR GEOFFROY D'AUXERRE[1]

Portrait de Bernard **1.** Dieu, *toujours glorieux dans ses saints*[a] et admirable dans sa majesté[2], a glorifié son fidèle serviteur Bernard, abbé de Clairvaux, par des prodiges et des miracles sans nombre, comme l'univers entier le sait. D'ailleurs, ainsi que lui-même le dit en faisant l'éloge de saint Malachie, le premier et le plus grand miracle qu'on vit en lui, ce fut lui-même[3]. D'un visage serein, il était modeste dans sa tenue, avisé dans ses paroles, craignant Dieu dans ses actions, assidu à la sainte méditation, fervent dans

---

vol. II, f. 147ʳ⁻190ᵛ), présente ici, à la place du prologue de Geoffroy, un « Prologue de plusieurs abbés et évêques » (texte dans BREDERO, *Études, ASOC* 17/1-2, 1961, p. 43), soi-disant rédigé par un groupe d'abbés cisterciens et d'évêques issus de cet ordre, qui avaient bien connu Bernard. Sur ce sujet, voir Introduction, *SC* 619, p. 28-29.

2. Cf. le graduel de la messe du Commun de plusieurs martyrs hors du temps pascal, *Graduale Cisterciense*, Westmalle 1960, p. 22*.

3. Cf. *MalV* XIX, 43 (*SC* 367, p. 286, l. 1-2). Sur saint Malachie O'Morgair, cf. *Vp* II, 49 (*SC* 619, p. 510-511, n. 3) ; IV, 21 (*infra*, p. 164-167 et les notes) ; V, 23-24 (*infra*, p. 308-313). La meilleure étude biographique sur ce saint est encore celle de A. GWYNN, « St Malachy of Armagh », *Irish Ecclesiastical Record* 70, 1948, p. 961-978 ; 71, 1949, p. 134-148 ; 317-331. Cf. aussi le *Dictionnaire historique des saints*, sous la direction de J. COULSON, Paris 1964, p. 253-254.

in oratione devotus, et (sicut alios ipse monebat, crebra
10 siquidem experientia persuasus) de omni re magis fidens
orationi quam industriae propriae vel labori. Magnanimus
in fide, longanimis in spe, perfectus in caritate, summus
in humilitate, praecipuus in pietate. In consiliis providus,
in negotiis efficax, numquam tamen minus quam in otio
15 otiosus. Iucundus inter opprobria, inter obsequia verecundus. Suavis moribus, meritis sanctus, miraculis gloriosus ;
plenus denique *sapientia* et virtute *et gratia apud Deum
et homines*[b].

Cuius sanctae animae *adiutorium simile sibi fecerat Deus*[c]
20 et speciali *praeventum benedictione*[d] corpus aptaverat.
Apparebat in carne eius gratia quaedam, spiritualis tamen
potius quam carnalis. In vultu claritas praefulgebat, non
terrena utique sed caelestis. In oculis angelica quaedam
puritas et columbina simplicitas[e] radiabat. Tanta erat inte-
25 rioris eius hominis pulchritudo ut evidentibus quibusdam
indiciis foras erumperet, et de cumulo internae puritatis
et gratiae copiose perfusus homo quoque exterior videretur. Corpus omne tenuissimum et sine carnibus erat ;
ipsa etiam subtilissima cutis, in genis modice rubens. Illo
30 nimirum quidquid caloris inerat naturalis, assidua medita-
tio et studium compunctionis attraxerat. Caesaries ex flavo

b. Lc 2, 52 ≠   c. Gn 2, 18 ≠   d. Ps 20, 4 ≠   e. Cf. Mt 10, 16

1. Cf. *Csi* IV, IV, 12 : *De omni re orationi plus fidant quam suae industriae
vel labori* (*SBO* III, p. 458, l. 11-12), « En toute chose ils feront davantage
confiance à la prière qu'à leur habileté ou à leur travail ».
2. Cf. le très beau passage de *SCt* 85, 11 (*SC* 511, p. 392-395), où Bernard
décrit le rayonnement de l'âme sur le corps chez l'homme spirituel. Alors,

la prière et – comme lui-même l'enseignait aux autres, car instruit par une fréquente expérience – plus confiant en toute chose dans la prière que dans sa propre habileté ou son travail[1]. Sa foi était magnanime, son espérance patiente, sa charité parfaite, son humilité très profonde, sa piété sans pareille. Sage dans les conseils, efficace dans les affaires, il n'était pourtant jamais moins oisif que dans le loisir. Joyeux parmi les injures, réservé au milieu des hommages. Doux par ses mœurs, saint par ses mérites, glorieux par ses miracles ; bref, rempli *de sagesse*, de vertu *et de grâce devant Dieu et devant les hommes*[b].

Dieu avait fait à sa sainte âme *une aide semblable à lui*[c], et lui avait assorti un corps *prévenu d'une bénédiction*[d] spéciale. Dans sa chair paraissait une grâce particulière, plus spirituelle cependant que charnelle. Sur son visage resplendissait une lumière, non terrestre assurément, mais céleste. Ses yeux rayonnaient d'une pureté d'ange et d'une simplicité de colombe[e]. Si grande était en lui la beauté de l'homme intérieur qu'elle éclatait au dehors par certains signes évidents ; le trop-plein de la pureté et de la grâce intérieures paraissait se répandre généreusement même sur l'homme extérieur[2]. Tout son corps était très mince et décharné ; la peau, elle aussi très fine, se teignait sur les joues d'un léger incarnat. Oui, toute la chaleur naturelle qui était en lui avait été absorbée par la méditation assidue et l'application à la contrition. Le blanc

---

la beauté de l'âme (*decoris huius claritas*, « l'éclat de cette beauté ») rejaillit sur le corps, se répand par les membres et par les sens, jusqu'à ce que tout en devienne lumineux : l'action, la parole, le regard, la démarche, le rire. L'ascèse imposée à la chair n'a d'autre but que de réaliser progressivement en l'homme cette icône pascale, prémices de la transfiguration future.

colorabatur et candido. Barba subrufa, circa finem vitae eius
respersa canis. Statura mediocritatis honestae, longitudini
tamen vicinior apparebat. Alias autem *thesaurus iste in*
35 *vase fictili erat*[f], contrito penitus et undique conquassato.
Laborabat siquidem caro eius multiplicibus *infirmitatum*
134 incommoˡdis, ut *in eis virtus* animi *perficeretur*[g]. Quarum
periculosior quidem in meatu arctissimi gutturis, nil penitus siccum, vix solidum aliquid admittentis ; molestior erat
40 defectus stomachi viscerumque corruptio. Hae continuae illi,
praeter alias saepius incidentes.

Summum eius studium fugere admirationem et tamquam
unum sese agere ceterorum. At persequebatur gloria fugitantem, sicut e regione captantes sese alios fugere consuevit.
45 Proverbium illud in ore ei frequenter, semper in corde : « Qui
hoc facit quod nemo, mirantur omnes. » Quo nimirum
intuitu vitam regulamque communem amplius aemulabatur,
nil in suis actibus praeferens observantiae singularis. Ob hoc
denique et cilicium, quod pluribus annis occulte gestaverat,
50 ponere maluit quam ut ferre sciretur ; minus illum latere
velle contestans, qui cum ceteris eiusdem professionis sibi

---

f. 2 Co 4, 7 ≠   g. 2 Co 12, 9 ≠

1. En cela, Bernard ressemblait à son père Tescelin qui, comme Raynaud
de Foigny l'écrit dans *Fr* II, 1 (*SC* 548, p. 73), était « surnommé le Saure,
nom dont nous avons coutume d'appeler en langue vernaculaire les hommes
roussâtres et presque blonds ».

2. Cf. *Vp* I, 39 (*SC* 619, p. 284-285 et n. 2).

3. Bernard cite ce proverbe dans *Csi* I, ıx, 12 (*SBO* III, p. 407, l. 13-14).

4. Cf. *RB* 7, 147-149 : « Le huitième degré de l'humilité demande
qu'un moine ne fasse rien que ce qui est prescrit par la règle commune du

se mêlait au blond dans sa chevelure. La barbe tirait au roux[1], et vers la fin de sa vie elle était parsemée de poils blancs. Sa taille, convenablement moyenne, semblait cependant plutôt haute. Par ailleurs, *ce trésor était contenu dans un vase d'argile*[f], complètement brisé et fêlé de toutes parts. Car sa chair souffrait d'une foule de fâcheuses *infirmités*, afin que *par elles la vertu* de l'âme *fût menée à sa perfection*[g]. La plus dangereuse d'entre elles consistait dans le conduit très étroit de son gosier, qui ne laissait passer rien de complètement sec, et à peine quelque chose de solide ; la plus gênante était la faiblesse de son estomac et l'altération de ses intestins. Ces infirmités étaient permanentes, sans compter plusieurs autres qui survenaient bien souvent[2].

Son souci principal était de fuir l'admiration et de se conduire comme un parmi tant d'autres. Mais la gloire poursuivait celui qui la fuyait, de même que, au contraire, elle a coutume de fuir les autres qui cherchent à la saisir. Il avait souvent à sa bouche, et toujours dans son cœur, le proverbe bien connu : « Celui qui fait ce que personne ne fait, tout le monde l'admire[3]. » En considération de cela, sans doute, il tâchait d'observer davantage la vie et la règle communes, sans afficher aucune pratique singulière dans ses actions[4]. Aussi préféra-t-il finalement quitter le cilice, qu'il avait porté en secret pendant plusieurs années, plutôt qu'on sache qu'il en était revêtu ; il affirmait que celui-là ne veut pas vraiment rester ignoré, qui ne suit pas la manière

---

monastère ou conseillé par les exemples des anciens (p. 57). » Dans son traité sur *Les degrés de l'humilité et de l'orgueil* XIV, 42 (*SBO* III, p. 48-49), Bernard, avec beaucoup d'humour et de verve, brosse le portrait du moine qui cherche toujours à se distinguer des autres par ses exploits ascétiques, tout en négligeant les observances communautaires prescrites par la Règle.

communia non sectatur. In ipsis tamen communibus erat illi singularis puritas et devotio non communis. Nihil negligens et minima quaeque cum studio et intentione

55 tractabat. Ex propria siquidem experientia definire solitus sapientem, cui quaeque res sapiunt prout sunt.

2. A primis fere annis sic evasit illecebras gulae, ut ipsam quoque saporum discretionem ex magna parte perdiderit. Quoties pia sibi ministrantium fraude deceptus, liquores pro aliis alios sumpsit ? Nam et oleum sibi per errorem aliquando

5 propinatum bibit et penitus ignoravit. Nec prius id cognitum quam superveniens quidam labia eius miraretur inuncta. Cibus eius buccella panis, in aqua calida penitus emolliti, cum exiguis sorbitiunculis erat. Modicus ille quidem, sed non modicam eius partem crudam reiciebat stomachus, ne qua

10 illi foret in cibo voluptas, quem sumere periculum, sumptum tenere dolor, reicere miseria. Sic nimirum *fideli servo*[a], *iuxta desiderium cordis sui*[b], dispensatio superna providerat, ut nec fructus ei deesset abstinentiae singularis, et odiosam semper admirationem declinaret sub umbra necessitatis.

---

2. a. Mt 24, 45 ≠   b. Ps 20, 3 ≠ ; Os 10, 10 ≠

1. Cette phrase, telle quelle ou à peine modifiée, revient au moins quatre fois dans l'œuvre de Bernard : *Div* 15, 4 (*SC* 496, p. 288, l. 11-12) et 18, 1 (p. 336, l. 27-28) ; *SCt* 50, 6. 8 (*SC* 452, p. 356, l. 2-3 et p. 360, l. 13-14).

2. Cf. *Vp* I, 33 (*SC* 619, p. 268-271).

de vivre commune aux autres hommes de même condition que lui. Toutefois, dans ces pratiques communes, il faisait preuve d'une pureté singulière et d'une ferveur non commune. Ne négligeant rien, il s'acquittait même des moindres devoirs avec zèle et attention. Car il avait coutume de dire, d'après sa propre expérience, que le sage est celui pour qui les choses ont le goût de ce qu'elles sont réellement[1].

2. Dès ses plus jeunes années, ou presque, il échappa si bien à l'appât de la gourmandise, qu'il perdit aussi en grande partie le discernement même des saveurs. Combien de fois, trompé par la pieuse ruse de ceux qui le servaient, ne prit-t-il pas un liquide pour un autre? En effet, un jour, il but même de l'huile qui lui avait été présentée par erreur et il ne s'en aperçut point[2]. Et il ne s'en rendit pas compte avant que quelqu'un, survenant, n'eût remarqué avec stupeur ses lèvres toutes grasses. Sa nourriture consistait en un morceau de pain, entièrement détrempé dans de l'eau chaude, avec de légers bouillons. Encore n'en prenait-il qu'avec mesure, mais son estomac en rejetait la plus grande partie sans l'avoir digérée[3]; pour qu'il ne trouvât quelque plaisir dans la nourriture, il y avait pour lui danger à la prendre, douleur à la garder après l'avoir prise, peine à la rejeter. Ainsi, certes, la Providence divine en avait-elle décidé pour *son fidèle serviteur*[a], *selon le désir de son cœur*[b], afin qu'il ne fût pas privé du fruit d'une abstinence extraordinaire, et qu'il pût, sous le couvert de la nécessité, détourner l'admiration, qui lui était toujours odieuse.

Sobriété de Bernard. Son amour de la méditation

---

3. Cf. *Vp* I, 22 (*SC* 619, p. 234-235 et n. 2) ; *Vp* I, 39 (*ibid.*, p. 284-285).

15 De vino quidem aliquando nobis ipse dicebat decere
monachum, quando sumere oporteret, sic gustare illud ne
exinanisse calicem notaretur. Quod sic ipse servabat, quoties sibi vinum patiebatur apponi, ut non modo post unum
135 potum sed ⏐ post totum qualecumque prandium, suum
20 vasculum, in quo ei propinabatur, vix aliquando videretur
minus plenum a mensa reportari.

Minus quidem stare poterat sed erat sedens pene iugiter et
rarissime movebatur. Quoties subtrahere se negotiis poterat,
aut orans, aut legens, aut scribens, aut insistens doctrinae et
25 fratrum aedificationi, aut in sacra meditatione persistens. In
quo nimirum studio spirituali obtinuerat gratiam singularem, ut non taedium in illo, non difficultatem aliquando
sustineret, libere secum habitans et deambulans in latitudine
cordis sui et ibidem exhibens Christo (ut monere alios ipse
30 solebat) *caenaculum grande stratum*[c]. Omnis ei ad medi-
tandum hora brevis, locus omnis congruus erat. Frequenter
tamen, licet sic affectus, divino urgente metu, immo regente
Spiritu, studium hoc lucris uberioribus postponebat, doctus

c. Mc 14, 15

1. Cf. *Vp* I, 39 (*SC* 619, p. 284-285 et n. 2).
2. Cf. *Vp* I, 3 (*SC* 619, p. 180-181 et n. 1).

Quant au vin, il nous disait parfois lui-même qu'il convenait au moine, quand il lui fallait en prendre, de le goûter en
montrant qu'il ne vidait pas son verre. Lui-même, toutes les
fois qu'il permettait qu'on lui versât du vin, observait si bien
ce précepte que, non seulement après une gorgée, mais après
le repas entier, quel qu'il fût, le bol où on lui versait le vin
semblait à peine moins plein lorsqu'on desservait la table[1].

Il ne pouvait guère tenir longtemps debout, mais il était
presque constamment assis et bougeait très rarement. Toutes
les fois qu'il pouvait se soustraire aux affaires, il priait, ou
lisait, ou écrivait, ou s'adonnait à l'enseignement et à l'édification des frères, ou persévérait dans la méditation sainte.
Dans cette dernière occupation spirituelle, il avait certes
reçu une grâce singulière, si bien qu'il ne souffrait jamais
en cela aucun ennui, aucune difficulté, habitant librement
avec lui-même[2] et se promenant au large dans son cœur ;
là, il montrait au Christ *une vaste pièce garnie de coussins*[c],
comme d'habitude il recommandait aux autres de le faire.
Le temps lui paraissait toujours bref pour la méditation ;
tout lieu lui semblait propice pour s'y adonner. Souvent
néanmoins, tout en étant ainsi disposé, pressé par la crainte
de Dieu, ou plutôt conduit par l'Esprit[3], il sacrifiait cette
agréable occupation à des activités plus fructueuses, instruit

3. Nous pensons qu'il s'agit de l'Esprit Saint ; aussi avons-nous mis la
majuscule au mot *spiritu* de l'édition critique.

quaerere non quod sibi erat utile, sed quod multis[d]. Alioquin
35   in quolibet coetu hominum vel tumultu, nisi eius inten-
tionem causa deposceret, tota facilitate animum colligens,
interiori quadam, quam ubique ipse sibi circumferebat,
solitudine fruebatur, nihil prorsus attendens quod sonaret
vel appareret exterius.

3. Cum iam *Dei famulus*[a] annos aliquot in Claravalle
peregisset, subiit animum eius ut sanctum Hugonem
Gratianopolitanum episcopum et Cartusienses fratres
devotionis gratia visitaret. Quem praedictus episcopus tam
5   gratanter et tam reverenter suscepit, divinam intelligens
in eiusdem hospitis visitatione praesentiam, ut prostratus
solotenus adoraret. Videns autem *servus Christi*[b] episcopum
aetate grandaevum, celebrem opinione, sanctitate conspi-
cuum, coram se procidentem, *vehementer expavit*[c], et ipse
10   quoque pariter corruens ante eum, ita demum susceptus
est in osculo pacis. Humilitatem suam tanti viri veneratione confusam non sine gravi gemitu causabatur. In cuius

---

d. 1 Co 10, 33 ≠
3. a. 2 Ch 1, 3 ≠   b. Rm 1, 1 ; Col 4, 12   c. 1 M 16, 22

---

1. Cf. *SCt* 52, 7 (*SC* 472, p. 75-77), où Bernard se plaint des moines
indiscrets qui, pour des raisons futiles, viennent l'importuner dans ses
rares moments de loisir, alors qu'il voudrait vaquer à la contemplation.
Mais la pensée affectueuse des âmes confiées à ses soins le pousse tout de
suite à se rétracter, et il s'écrie, dans un élan de généreux dévouement :
« Ils m'épargneront en ne m'épargnant pas, et je trouverai plutôt mon
repos en ce qu'ils ne craindront pas de me déranger pour leurs besoins. Je
ferai ce qu'ils désirent autant que je pourrai, et c'est en eux que je servirai
mon Dieu [...] Je ne chercherai pas mon avantage personnel, ni ce qui m'est
profitable, mais ce qui l'est au plus grand nombre (*ibid.*, p. 76, l. 16-21). »
La mystique de Bernard est une mystique du service. Voir la belle étude de

à chercher ce qui était utile, non à lui, mais au plus grand nombre[d1]. Autrement, dans quelque assemblée ou quelque tumulte qu'il se trouvât, si le sujet en question n'exigeait pas son application, il recueillait son esprit avec la plus grande aisance, et il jouissait d'une certaine solitude intérieure, qu'il emmenait avec lui partout, sans prêter la moindre attention à tout ce qui se faisait entendre ou voir autour de lui[2].

Visite de Bernard à Hugues, évêque de Grenoble

3. *Le serviteur de Dieu*[a3] avait déjà passé plusieurs années à Clairvaux, lorsqu'il lui vint à l'esprit, pour aviver sa ferveur, de rendre visite à Hugues, le saint évêque de Grenoble[4], et aux frères de la Chartreuse. Ledit évêque, reconnaissant dans la visite de cet hôte la présence divine, le reçut avec tant de gratitude et de respect qu'il se prosterna jusqu'au sol, comme pour l'adorer. Or, *le serviteur du Christ*[b], voyant tomber à ses pieds un évêque avancé en âge, célèbre par sa réputation, remarquable par sa sainteté, *fut vivement troublé*[c] et, se jetant lui aussi de la même manière aux pieds du prélat, fut ainsi accueilli par un baiser de paix. Il se plaignait, non sans de profonds gémissements, de voir son humilité couverte de confusion

---

L. van Hecke : « Une mystique du service. La vie contemplative selon S. Bernard », *CollCist* 66/3, 2004, p. 162-173.

2. Voir *Vp* I, 24 (*SC* 619, p. 238-241) ; I, 35 (*SC* 619, p. 276-277).

3. Sur cette expression récurrente pour désigner Bernard, voir *SC* 619, p. 166, n. 2.

4. Hugues de Châteauneuf, évêque de Grenoble de 1080 jusqu'à sa mort en 1132, canonisé par le pape Innocent II le 22 avril 1134. Prélat réformateur, très attiré par la vie monastique, en 1084 il accueillit dans son diocèse saint Bruno et ses six compagnons à la recherche d'un ermitage et les conduisit lui-même à la Grande Chartreuse. Guigues Ier, prieur de Chartreuse, écrivit sa vie. Voir la notice « Hugues de Grenoble » par P. Hamon, *DHGE* 25, 1995, col. 234-235.

pectore singularem obtinuit ex eo tempore locum, ut fierent deinceps duo illi filii splendoris *cor unum et anima una*[d], et
15 se invicem fruerentur in Christo. Sicut enim regina Saba
136 de Salomone testatur, uterque ǀ sese in altero longe amplius quam fama vulgasset, invenisse gratulabatur[e].

4. Cartusiae quoque a viro reverendissimo Guigone priore et a ceteris fratribus eodem affectu et eadem veneratione susceptus est *servus Christi*[a], exsultantibus illis in gaudio, quia qualem eum per epistolam prius noverant, talem inve-
5 nerunt et praesentem.

Ceterum cum in reliquis omnibus aedificarentur, unum fuit quod praedictum priorem Cartusiensem aliquatenus movit, stertura videlicet animalis, cui idem vir venerabilis insidebat, minus neglecta, minus praeferens paupertatem.
10 Nec silentio pressit aemulator virtutis quod mente concepit, sed locutus uni e fratribus, aliquatenus super hoc moveri sese confessus est et mirari. Cumque ille ad patrem sanctum quod

d. Ac 4, 32 ≠   e. Cf. 1 R 10, 7
4. a. Rm 1, 1 ; Col 4, 12

1. Guigues Ier (1083-1136), cinquième prieur de la Grande Chartreuse, où il entra en 1106 et dont il devint prieur en 1109. Sept autres chartreuses furent fondées sous son priorat. En 1132, son monastère fut détruit par une avalanche et Guigues le reconstruisit plus bas, à l'endroit où il se trouve actuellement. Il est l'auteur des *Méditations*, l'un des textes mystiques les plus suggestifs du XIIe siècle (*SC* 308), et des *Coutumes de Chartreuse* (*SC* 313). Bernard lui adressa les *Lettres* 11 et 12. Sur Guigues, voir les notices qui lui sont consacrées dans *DSp* VI, 1967, col. 1169-1175, par M. LAPORTE, et dans *DHGE* 22, 1988, col. 818 (non signée).

par les marques de vénération d'un si grand homme. À partir de ce moment, il obtint une place spéciale dans le cœur de cet évêque, si bien que ces deux enfants de la gloire ne firent plus *qu'un cœur et qu'une âme*[d], et jouirent l'un de l'autre dans le Christ. Car, comme la reine de Saba l'atteste de Salomon, chacun d'eux se félicitait d'avoir trouvé dans l'autre beaucoup plus que la renommée n'en avait publié[e].

Visite de Bernard à la Grande Chartreuse. Son indifférence à l'égard des réalités extérieures

4. *Le serviteur du Christ*[a] fut aussi accueilli avec la même affection et la même déférence par Guigues, prieur de la Chartreuse[1], homme digne de la plus profonde vénération, et par les autres frères; ils exultaient et se réjouissaient de le trouver en leur présence tel qu'ils l'avaient connu d'abord par sa lettre[2].

Mais, tandis qu'ils étaient édifiés par tout le reste, il y eut un seul point qui troubla quelque peu ledit prieur de la Chartreuse : la housse[3] de la bête sur laquelle l'homme vénérable était assis n'était pas si négligée que cela, n'avait pas une pauvre apparence. L'émule de Bernard en vertu ne passa pas sous silence la pensée qu'il avait formée en son esprit, mais en parla à l'un des frères; il avoua qu'il était quelque peu troublé et étonné de cela. Comme le frère rapporta au père saint ce

---

2. Il s'agit de la *Lettre* 11, *Aux chartreux et au prieur Guigues, sur la charité* (*SC* 425, p. 214-243). Elle sera incorporée plus tard dans le traité *Sur l'amour de Dieu* (*SC* 393, 1993).

3. À la place du mot *stertura*, attesté nulle part ailleurs, les manuscrits de la recension B portent *stratura* et, quelques lignes plus bas, *stramentum*. Nous avons cependant gardé la *lectio difficilior* de la recension A.

audierat retulisset, non minus ipse miratus qualis illa esset
stertura quaerebat, quod ita scilicet a Claravalle Cartusiam
15 usque venisset, ut numquam eam vidisset, numquam
considerasset et usque in horam illam qualis esset omnino
nesciret. Neque enim suum erat animal illud, sed a quodam monacho Cluniacensi avunculo suo, et in sua vicinia
demoranti fuerat commodatum, et erat sicut sibi sternere
20 ille solebat. Quod verbum saepe dictus prior audiens, in
eo potissimum mirabatur, quod sic ille *Dei famulus*[b] foris
oculos circumcidisset, intus animum occupasset, ut quod
ipse primo offenderat visu, hoc ille tanti itineris spatio
non vidisset, nec considerasset omnino. Iuxta lacum etiam
25 Lausanensem totius diei itinere pergens, penitus eum non
vidit, aut se videre non vidit. Cum enim vespere facto de
eodem lacu inter se socii colloquerentur, interrogabat eos
ubi ille lacus esset, et mirati sunt universi.

---

b. 2 Ch 1, 3 ≠

1. Nous adoptons la variante *miratus* des manuscrits *B* et *D* à la place de
miratur (cf. *CCCM* 89B, p. 136, l. 114 et l'apparat critique) qui ne donne
aucun sens. Les manuscrits de la recension B, eux aussi, portent *miratus*.

2. Ce frère d'Aleth, moine clunisien, ne nous est pas connu par ailleurs.

3. D. van den Eynde, dans son étude « Les premiers écrits de
saint Bernard » (voir Leclercq, *Recueil*, t. III, 1969, p. 343-422, ici
p. 388), s'appuie sur cette phrase pour situer la visite de Bernard à l'évêque
Hugues et à la Grande Chartreuse avant l'an 1125. Car Bernard avait
dû emprunter un cheval à son oncle pour s'y rendre, ce qui montre que
la situation économique de Clairvaux était encore assez précaire en ce
temps-là. Or, elle s'améliora rapidement à partir de 1125.

4. L'indifférence de Bernard à l'égard des réalités extérieures a été
soulignée aussi par Guillaume de Saint-Thierry : cf. *Vp* I, 20 (*SC* 619,
p. 228-231). Cette recherche d'intériorité, mise en relief par les deux
biographes du saint, n'est pas un cliché hagiographique, mais un trait

qu'il avait entendu, celui-ci, non moins étonné[1], demandait quelle était cette housse, car il était venu de Clairvaux jusqu'à la Chartreuse sans l'avoir jamais vue, sans l'avoir jamais remarquée, et jusqu'à cette heure il ignorait tout à fait comment elle était. En effet, cet animal n'était pas à lui, mais il avait été emprunté à un certain moine clunisien, son oncle maternel[2], résidant dans son voisinage, et il était tel que ce moine avait coutume de le harnacher pour lui-même[3]. Le prieur déjà maintes fois mentionné, en entendant ces paroles, s'étonnait surtout que ce *serviteur de Dieu*[b] eût si bien fermé ses yeux aux choses du dehors, et occupé son esprit au-dedans, qu'il n'eût vu ni point remarqué pendant un si long voyage ce qui l'avait frappé, lui, au premier regard[4]. De même, marchant une journée entière le long du lac de Lausanne[5], il ne le vit pas du tout, ou il ne s'aperçut pas qu'il le voyait. En effet, le soir venu, lorsque ses compagnon parlaient entre eux dudit lac, il leur demandait où était ce lac, et tous en furent stupéfaits.

---

bien réel de sa personnalité, qui s'exprime avec éclat dans *Apo* XII, 28-30 (*SBO* III, p. 104-107), où Bernard s'en prend violemment à la décoration somptueuse des églises et aux sculptures fantaisistes des cloîtres monastiques, qui distraient les moines de la lecture et de la méditation. On sait qu'une école historique récente a vu dans cette page de l'*Apologie*, en particulier au § 29, non une critique de Cluny, mais une attaque voilée contre l'exubérance des enluminures peintes dans les manuscrits de Cîteaux, que nous pouvons encore admirer aujourd'hui à la Bibliothèque Municipale de Dijon. Cf. C. RUDOLF, *The « Things of Greater Importance ». Bernard of Clairvaux's Apologia and the Medieval Attitude Towards Art*, Philadelphie 1990.

5. Il s'agit du lac Léman. Cf. *Vp* IV, 30 (*infra*, p. 189, n. 4).

5. Desideraverat tamen ab initio omnimodis subtrahere se negotiis, et nusquam egredi sed in monasterio residere. Quod et postmodum ex defectu corporis occasionem invenisse se reputans opportunam, aliquando statuit et aliquamdiu tenuit, donec illum exire coegit necessitas Ecclesiae Dei et summi pontificis, atque omnium abbatum sui ordinis iussio, quibus per omnia tamquam patribus deferebat ipse omnium pater. Ex quorum |etiam mandato praeter cucullam et tunicam, laneo panno in modum chlamydis decurtatae et pilleo simili utebatur, inter tantos languores corporis et labores nullis unquam uti pellibus acquiescens. In vestibus ei paupertas semper placuit, sordes numquam. Nimirum animi fore indices aiebat, aut negligentis, aut inaniter apud se gloriantis, aut gloriam foris affectantis humanam.

Incessus eius et habitus omnis modestus et disciplinatus, praeferens humilitatem, redolens pietatem, exhibens gratiam, exigens reverentiam, solo visu laetificans et aedificans

---

1. Dans la recension B, Geoffroy a précisé *gravis necessitas*, sûrement pour répondre aux critiques que les fréquentes sorties de Bernard avaient suscitées chez plusieurs de ses contemporains.

2. La recension B porte ici : *novissimis quidem annis*, « dans les dernières années de sa vie ». En ajoutant cette précision, Geoffroy a voulu atténuer cet adoucissement de la Règle accordé, ou plutôt imposé, à Bernard.

3. Le *Petit Exorde* (XV, 2, *Narrative and legislative texts*, p. 434) rapporte que les premiers moines de Cîteaux et leur abbé Albéric rejetèrent tout ce qui s'opposait à la *Règle* de saint Benoît, « c'est-à-dire : frocs et pelisses *(froccos videlicet et pellicias)*, etc. »

4. Dans son quatrième sermon *À la louange de la Vierge Mère* 10 (*SC* 390, 1993, p. 232-235, l. 25-27), Bernard se plaint des moines qui prennent un soin exagéré de leur tenue vestimentaire : « J'ai honte de le dire : les faibles femmes sont vaincues dans leur coquetterie par des moines sensibles au luxe de leurs vêtements. » Cf. aussi, dans l'*Apologie à l'abbé Guillaume*,

Geoffroy justifie les nombreuses sorties de Bernard. Sa tenue pauvre, mais toujours très propre, sa réserve

5. Pourtant, dès le début, il avait désiré se soustraire par tous les moyens possibles aux affaires, et ne sortir nulle part, mais demeurer au monastère. Par la suite, croyant avoir trouvé dans la défaillance de son corps un prétexte opportun, il tint quelque temps la résolution qu'il avait prise jadis, jusqu'à ce que la nécessité[1] de l'Église de Dieu et du souverain pontife ne l'eût forcé de sortir, ainsi que l'injonction de tous les abbés de son ordre, auxquels il se soumettait en toutes choses comme à des pères, lui, le père de tous. Ce fut aussi suivant leur prescription que[2], en plus de la coule et de la tunique, il utilisait une pièce de drap en forme de manteau court et un bonnet de même tissu, mais il ne consentit jamais à utiliser des fourrures d'aucune sorte[3], malgré tant d'infirmités physiques et de fatigues qu'il eut à supporter. Il aima toujours la pauvreté dans les vêtements[4], la saleté jamais[5]. Car il déclarait que celle-ci était assurément l'indice d'un esprit négligé, ou qui se glorifiait sottement en soi-même, ou qui cherchait au-dehors la gloire qui vient des hommes.

Sa démarche et tout son maintien, modeste et bien réglé, était empreint d'humilité, avait le parfum de la piété, respirait la grâce, commandait le respect, réjouissait et édifiait

---

manifeste du nouveau monachisme cistercien, ou mieux claravallien, le chap. X, 24-26, *De vestitu superfluo vel superbo*, (*SBO* III, p. 101-102), où Bernard se moque des moines bénédictins qui se soucient « de la qualité, de la couleur, de l'élégance des vêtements » (p. 101, l. 21-22).

5. À ce propos, Aubé, *Saint Bernard* (p. 77) commente avec finesse : « Il demeure quand même, chez ce jeune homme d'un excellent milieu, quelques vestiges d'une éducation raffinée. »

intuentes. De risu dicimus quod ex ore eius frequenter
audivimus, dum cachinnos religiosorum hominum mirare-
20   tur : « Non meminisse se a primis annis suae conversionis
aliquando sic risisse, ut non potius ad ridendum quam ad
reprimendum sibi vim facere oporteret ; et risui suo stimu-
lum magis adhibere quam frenum ».

6. Vocem illi in invalido corpore validam satis intelligi-
bilemque contulerat, qui *in opus* praedicationis *segregaverat
illum*[a] *ex utero matris suae*[b]. Sermo ei, quoties opportuna
inveniebatur occasio, ad quascumque personas de aedifica-
5   tione animarum, prout tamen singulorum intelligentiam,
mores et studia noverat, quibusque congruens auditoribus
habebatur. Sic rusticanis plebibus loquebatur ac si semper in
rure nutritus, sic ceteris quibusque generibus hominum, velut
si omnem investigandis eorum operibus operam impendis-
10   set. Litteratus apud eruditos, apud simplices simplex, apud
spirituales viros perfectionis et sapientiae affluens docu-
mentis : omnibus se coaptabat, omnes cupiens lucrifacere
Christo[c]. Cautus erat artificiosissime observare quod ad
papam Eugenium scribens de sui cordis plenitudine eruc-
15   tavit[d]. « Nugae si incidant interdum », inquit, « ferendae
fortassis, referendae numquam. Interveniendum caute et

---

6. a. Ac 13, 2 ≠   b. Lc 1, 15 ; Ac 3, 2 ; 14, 7   c. Cf. 1 Co 9, 19-22
d. Cf. Ps 44, 2

---

1. Cf. *RB* 4, 64 (p. 35) : « Ne point aimer le rire trop fréquent ou aux
éclats *(excussum)* » ; *RB* 7, 156-157 (p. 57) : « Le dixième degré d'humilité
veut qu'on ne soit ni enclin ni prompt à rire. » Cf. aussi l'admonestation de
Bernard au pape Eugène, dans *Csi* II, xiii, 22 (*SBO* III, p. 430, l. 5 ; notre

rien que par sa vue ceux qui le regardaient. Quant au rire, nous rapportons ce que nous avons souvent entendu de sa bouche, pendant qu'il s'étonnait du rire aux éclats de certains religieux[1] : « Il ne se souvenait pas de s'être jamais, depuis les premières années de sa vie monastique, abandonné au rire de telle façon qu'il ne lui fallût pas plus d'efforts pour le laisser éclater que pour le retenir ; quant à son propre rire, il devait plutôt employer l'aiguillon que le frein. »

6. Celui qui *l'avait mis à part pour l'œuvre*[a] de la prédication *dès le ventre de sa mère*[b][2] lui avait donné, dans un corps débile, une voix forte et bien intelligible. Chaque fois qu'une occasion opportune se présentait, il parlait à toutes sortes de personnes de ce qui pouvait édifier les âmes, dans la mesure cependant où il connaissait l'intelligence, les mœurs et les occupations de chacun, et sa parole était à la portée de tous ses auditeurs. C'est ainsi qu'il parlait aux paysans comme s'il avait toujours été élevé à la campagne, et de même à toutes les autres catégories d'hommes comme s'il s'était exclusivement adonné aux mêmes travaux que les leurs. Lettré avec les savants, simple avec les simples, abondant en enseignements pleins d'une sagesse consommée avec les spirituels : il s'adaptait à tous, désirant les gagner tous au Christ[c]. Il prenait garde d'observer avec le plus grand soin ce qu'en écrivant au pape Eugène il avait déclaré de l'abondance du cœur[d] : « S'il arrive quelquefois que des frivolités surviennent dans la conversation, peut-être doivent-elles être tolérées ; répercutées, jamais. Il faudrait interrompre ce

Talent d'orateur de Bernard

---

traduction) : « Il serait hideux de te voir rire aux éclats *(ad cachinnos)* ; plus hideux encore de te voir provoquer ce rire chez les autres. »

2. Voir *Vp* I, 2 (*SC* 619, p. 174-179).

prudenter nugacitati. Prorumpendum sane in serium quid, quod non modo utiliter sed et libenter audiant, ut supersedeant otiosis ».

7. Quam vero placabilem et persuasibilem, quamque *eruditam linguam dederit ei Deus, ut sciret*[a] quem et quando deberet proferre sermonem, quibus videlicet consolatio vel obsecratio, quibus exhortatio congrueret vel increpatio, nosse
5 poterunt aliquatenus qui ipsius legerint scripta, etsi longe
138 minus ab eis qui verba | oris eius saepius audierunt. Siquidem *diffusa erat gratia in labiis eius*[b], et *ignitum eloquium eiusdem vehementer*[c], ut non posset ne ipsius quidem stilus, licet eximius, totam illam dulcedinem, totum retinere fervorem.
10 *Mel et lac sub lingua eius*[d] ; et nihilominus in ore eius ignea lex, iuxta illud *Cantici canticorum* : *Sicut vitta coccinea labia tua, et eloquium tuum dulce*[e].

Inde erat quod Germanicis etiam populis loquens miro audiebatur affectu, et ex sermone eius quem intelligere,
15 utpote alterius linguae homines, non valebant, magis quam ex peritissimi cuiuslibet post eum loquentis interpretis intellecta locutione, aedificari illorum devotio videbatur, et verborum eius magis sentire virtutem. Cuius rei certa probatio tunsio pectorum erat et effusio lacrimarum.

---

7. a. Is 50, 4 ≠   b. Ps 44, 3 ≠   c. Ps 118, 140 ≠   d. Ct 4, 11 ≠
e. Ct 4, 3

---

1. *Csi* II, XIII, 22 (*SBO* III, p. 429, l. 21 – p. 430, l. 1). La citation de Geoffroy présente quelques différences, minimes, par rapport au texte de l'édition critique.

discours frivole avec adresse et prudence. Oui, il faudrait infléchir l'entretien vers quelques propos sérieux, que les gens puissent entendre non seulement avec profit, mais aussi avec plaisir, afin qu'ils fassent trêve à leurs futilités[1]. »

Éloquence enflammée et persuasive de Bernard. Sa familiarité avec les Écritures

7. Combien *Dieu lui avait donné un langage* capable d'apaiser et de persuader, et aussi *plein de sagesse, pour qu'il sût*[a] quand et comment il devait parler, c'est-à-dire à quelles personnes il convenait d'adresser une consolation ou une supplication, une exhortation ou un reproche, c'est ce que pourront savoir, jusqu'à un certain point, ceux qui liront ses écrits ; mais ils le sauront beaucoup moins que ceux qui ont bien souvent entendu les paroles de sa propre bouche. En effet, *une telle grâce était répandue sur ses lèvres*[b], et *son langage de feu était si véhément*[c], que sa plume même, bien qu'excellente, ne pouvait garder toute cette douceur, toute cette ferveur. *Le miel*[2] *et le lait étaient sous sa langue*[d] ; et pourtant, une loi de feu était dans sa bouche, selon cette parole du *Cantique des Cantiques* : *Tes lèvres sont comme un ruban d'écarlate, et ton langage est doux*[e].

De là vient que, quand il parlait même aux peuples de l'Allemagne, il était écouté avec une attention extraordinaire ; leur ferveur semblait s'édifier de son discours, et ressentir la force de ses paroles – qu'ils ne pouvaient guère comprendre, puisqu'ils parlaient une autre langue – plus que s'ils les avaient entendues traduites par le plus habile interprète que ce fût, parlant après lui. La preuve certaine en était qu'ils se frappaient la poitrine et répandaient d'abondantes larmes.

2. Cf. *Vp* II, 51 (*SC* 619, p. 516, n. 1).

20　　Utebatur sane Scripturis tam libere commodeque, ut non tam sequi illas quam praecedere crederetur, et ducere ipse quo vellet, auctorem earum ducem Spiritum sequens. Quem nimirum ut *in medio Ecclesiae aperiret os eius*, sic *impleverat* Deus *spiritu sapientiae et intellectus*[f], ut secundum quod in
25　*libro Iob* legitur, *profunda fluviorum scrutaretur et abscondita proferret in lucem*[g]. Nam et confessus est aliquotiens, sibi meditanti vel oranti sacram omnem, velut sub se positam et expositam, apparuisse Scripturam.

8. Ceterum quam gratis evangelizaverit, quis digne praedicet ? Quis digne miretur ? Minus fore credidit nullas sibi ab auditoribus transitorias petere facultates, nisi oblatas saepius refutaret ecclesiasticas dignitates. Parum illi fuit
5　nulla quaerere stipendia militantem, ne insignia quidem recipere acquievit. Denique velut alter David, processurus ad bellum, bellica arma sibi graviora causatus est[a], utpote quibus multos suo praesertim tempore cerneret praegravari, et in simplicitate sua gloriosius triumphabat. Tantam
10　enim gratiam virtus ei divina contulerat, ut *licet abiectus esse elegisset in domo Dei*[b], uberius tamen fructificaret in ea,

f. Si 15, 5 ≠　　g. Jb 28, 11 ≠
8. a. Cf. 1 S 17, 38-39　　b. Ps 83, 11 ≠

1. Cf. *Vp* I, 24 (*SC* 619, p. 240-241).
2. Cf. *Vp* II, 26 (*SC* 619, p. 442, n. 1).
3. Probable allusion à une lettre adressée par Bernard au pape Innocent II, où il compare Abélard à Goliath : *Ep* 189, 3 (*SBO* VIII, p. 14, l. 1-2).

Il se servait des Écritures avec une telle liberté et une telle aisance qu'on aurait cru qu'il les devançait plus qu'il ne les suivait, et qu'il les menait où il voulait, en prenant pour guide l'Esprit, leur auteur. Oui, pour qu'il *ouvrît sa bouche au milieu de l'Église*, Dieu *l'avait rempli d'un esprit de sagesse et d'intelligence*[f], à un tel point que, comme on peut le lire dans le *Livre de Job, il scrutait les profondeurs des fleuves et amenait au jour les réalités cachées*[g]. En effet, il a avoué que parfois, pendant qu'il méditait ou priait, toute la Sainte Écriture lui était apparue comme posée à ses pieds et dévoilée à son regard[1].

Rayonnement de Bernard dans l'Église. Son refus des dignités ecclésiastiques

8. Par ailleurs, qui pourra dignement proclamer avec quel désintéressement il a annoncé l'Évangile ? Qui pourra l'admirer comme il le mérite ? Il crut que ce ne serait pas assez de ne point demander pour soi à ses auditeurs des richesses éphémères, s'il ne refusait aussi les dignités ecclésiastiques qui lui furent bien souvent offertes[2]. Ce fut trop peu à ses yeux de combattre sans demander sa solde ; il ne consentit non plus à recevoir des décorations. Bref, tel un autre David, sur le point de marcher au combat, il se plaignit de ce que les armes de guerre étaient trop lourdes pour lui[a], car il voyait que bien des gens en étaient accablés, surtout à son époque, et il triompha plus glorieusement dans sa tenue toute simple[3]. En effet, la puissance divine lui avait départi une telle grâce que[4], *bien qu'il eût choisi d'être méprisé dans la maison de Dieu*[b], il portait néanmoins en elle des fruits plus abondants que d'autres, quels qu'ils

4. Cf. l'Office de saint Benoît, deuxième antienne du deuxième nocturne des vigiles (*LMH*, p. 1441). En appliquant cette antienne à Bernard, Geoffroy souligne qu'il est un nouveau Benoît.

quam alii quilibet in sublime porrecti ; ampliusque *luceret* et illustraret Ecclesiam velut de *sub modio* humilitatis suae, quam ceteri *super candelabra*[c] constituti. Nimirum quo

15 humilior, eo semper utilior fuit populo Dei in omni doc-

139 trina salutari, in quo | tamen numquam voluit locum tenere doctoris. Beatus plane qui sicut ipse de quodam sanctorum ait : « Legem dilexit et cathedram non affectavit. » Quam felicius siquidem in virtutum cathedra sedere meruit, dum

20 noluit praesidere in cathedris dignitatum. Denique sicut ius-tus et fortis in praedicatione evangelica laboravit, sic prudens et temperans cavit sibi semper ab ecclesiastica praelatione. Nec enim contumaciter unquam renuit, sed frequenter et ad maximos electus honores, prudenter egit, divina sibi

25 cooperante gratia, ne aliquando cogeretur.

Moyses quidem sanctus cessit Aaron fratri suo pontifi-cium[d], sed *linguae erat impeditioris*[e]. Bernardum nostrum non *ab opere evangelistae*[f] necessitas aliqua, sed ab honore solo sola humilitas revocavit. Merito proinde *apud Deum*

30 *et homines* obtinuit *gratiam*[g] singularem, qui non modo

---

c. Mt 5, 15 ≠   d. Cf. Ex 28, 1   e. Ex 4, 10 ≠   f. 2 Tm 4, 5 ≠ g. Lc 2, 52 ≠

1. Cf. BERNARD DE CLAIRVAUX, *Office de saint Victor*, Vigiles, Nocturne I, Ant. 1 (éd. C. MAÎTRE *et al.*, *SC* 527, 2009, p. 142, l. 1-2). Saint Victor d'Arcis fut prêtre et ermite au VIᵉ siècle en Champagne (cf. *ibid.*, p. 76).

2. Sans nier les raisons ici alléguées par Geoffroy, BREDERO observe avec une finesse quelque peu malicieuse : « [Bernard] était conscient qu'en qualité d'évêque, il aurait bien moins de latitude de se mêler des affaires ecclésiastiques qui n'étaient pas de son ressort, tandis qu'en restant moine, il pouvait continuer d'élever à leur propos des protestations prophétiques, en raison de la position officieuse qu'il occupait dans l'Église (*Bernard de Clairvaux*, p. 193). » Cf., dans la même veine, le commentaire de

fussent, élevés aux plus hautes dignités ; *de dessous*, pour ainsi dire, *le boisseau* de son humilité, *il brillait* et illuminait l'Église bien plus que d'autres, placés *sur les lampadaires*[c]. Oui, plus il fut humble, plus il fut toujours utile au peuple de Dieu par toutes sortes d'enseignements salutaires ; en cela cependant il ne voulut jamais tenir le rang de docteur. Bienheureux assurément celui qui, comme lui-même le dit à propos d'un saint, « a aimé la loi et n'a pas convoité la chaire[1]. » Combien plus heureusement, en effet, il a mérité de s'asseoir dans la chaire des vertus, tandis qu'il n'a pas voulu pontifier dans la chaire des dignités ! Bref, de même qu'il travailla en homme juste et fort dans la prédication de l'Évangile, ainsi il se défendit toujours, en homme prudent et désintéressé, de toute prélature ecclésiastique[2]. Car il ne refusa jamais avec un orgueil méprisant, mais, élu souvent aux honneurs les plus élevés, il fit sagement en sorte, avec l'aide de la grâce divine, de n'être jamais contraint à les accepter[3].

Moïse, quoique saint, céda à son frère Aaron le sacerdoce suprême[d], mais *il avait la langue embarrassée*[e]. Quant à notre Bernard, ce ne fut pas une quelconque nécessité qui le détourna *du travail d'annoncer l'évangile*[f], mais il n'en a fui que les seuls honneurs, et seulement par humilité. À juste titre donc il obtint *une faveur* exceptionnelle *auprès de Dieu et des hommes*[g], lui qui *exposa l'évangile* non seulement

---

GASTALDELLI à la *Lettre* 449 de Bernard, *Opere di san Bernardo*, t. 6/2, p. 611-613, n. 2.

3. Cf. *Vp* I, 69 (*SC* 619, p. 352-355 et p. 354, n. 3), où Guillaume de Saint-Thierry justifie les refus de Bernard presque avec les mêmes mots.

sine sumptu, verum etiam sine gradu dignitatis, non autem sine fructu fraternae salutis *evangelium posuit*[h] et populo Dei semper prodesse studuit, numquam praeesse sustinuit.

Raro tamen, nec nisi ad loca proxima, ut praedicaret exivit.
35 Sed quoties eum necessitas aliqua traheret, *seminabat super omnes aquas*[i], publice et privatim annuntians verbum Dei. Quod tamen ipsum ex mandato summi pontificis actitabat, ad nutum quoque praesulum ceterorum, ubicumque eorum aliquem contigisset adesse, similiter faciebat. Nimirum
40 quanto magnus erat, humilians se in omnibus, eo magis sacerdotibus omnibus deferebat, quo plenius intellexerat quae ministris Christi reverentia deberetur.

9. Nec tacendum quod ex praedicatione itineris Ierosolymitani grave contra eum quorumdam hominum vel simplicitas vel malignitas scandalum sumpsit, cum tristior sequeretur effectus. Quod tamen verbum dicere
5 possumus ab eo quidem initium non sumpsisse. Cum enim multorum iam animos permovisset audita necessitas, a rege Francorum semel et iterum propter hoc expetitus, apostolicis etiam litteris monitus, nec sic acquievit super hoc loqui vel consilium dare, donec per ipsius tandem summi pontificis

---

h. 1 Co 9, 18 ≠   i. Is 32, 20 ≠

1. Cf. *RB* 64, 23 (p. 187).
2. Tout en essayant de minimiser le penchant de Bernard à s'immiscer dans des affaires extérieures à son monastère, Geoffroy est bien obligé de le reconnaître.

sans vouloir d'argent[h], mais aussi sans être élevé à aucune dignité, non cependant sans fruit de salut pour ses frères ; toujours il s'efforça d'être utile au peuple de Dieu, jamais il ne supporta de le dominer[1].

Rarement toutefois, et encore, seulement dans des lieux tout proches, il sortit du monastère pour prêcher[2]. Mais, chaque fois que quelque nécessité l'entraînait, *il semait sur toutes les eaux*[i], annonçant la parole de Dieu en public et en privé. Pourtant, ce qu'il accomplissait sur ordre du souverain pontife, il le faisait pareillement pour répondre au désir des autres prélats, partout où il arrivait que l'un d'entre eux fût présent. Oui, il était d'autant plus grand qu'il s'humiliait en toutes choses, et il montrait d'autant plus de déférence à tous les prêtres qu'il avait plus parfaitement compris quel respect était dû aux ministres du Christ.

9. Il ne faut pas passer sous silence la naïveté ou la malignité de certains hommes qui crièrent au scandale contre lui à cause de sa prédication pour l'expédition à Jérusalem, vu l'issue bien malencontreuse de celle-ci[3]. Nous pouvons cependant affirmer que ce ne fut pas lui à prendre l'initiative de cette action. En effet, alors que la nouvelle de la situation critique où se trouvait Jérusalem avait déjà remué les esprits d'un grand nombre, Bernard, sollicité maintes fois par le roi de France pour cette affaire, exhorté aussi par des lettres apostoliques, ne consentit pas, même ainsi, à parler sur ce sujet ou à donner ne serait-ce qu'un avis, tant que le souverain pontife lui-même

Geoffroy justifie la prédication de la croisade, malgré l'échec final de celle-ci

---

3. Il s'agit de la deuxième croisade, qui se solda par un cuisant échec en 1149.

10 generalem epistolam iussus ab eo est tamquam Romanae
Ecclesiae lingua exponere populis atque principibus. Cuius
epistolae tenor fuit, ut in paenitentiam et remissionem peccatorum iter arriperent, aut liberaturi fratres aut *suas pro
illis animas posituri*[a].

140 15 Haec et huiusmodi super hoc poterant veraciter dici, |
sed dicendum potius id quod potius fuit. Evidenter enim
verbum hoc *praedicavit, Domino cooperante et sermonem
confirmante sequentibus signis*[b]. Sed quantis et quam multiplicibus signis ? Quanta vel numerare, necdum narrare
20 difficile foret. Nam et eodem tempore scribi coeperant, sed
ipsa demum scriptorem numerositas scribendorum, et mate-
ria superavit auctorem ; nimirum cum aliquando una die
viginti, seu etiam plures ab incommodis variis sanarentur,
nec facile ab huiusmodi dies ulla vacaret. Denique plures eo
25 tempore Christus, per servi sui tactum et orationem, ex ipsis
etiam matrum uteris caecos videre, claudos ambulare, aridos

---

9. a. J ɪ 15, 13 ≠   b. Mc 16, 20 ≠

1. Le 26 décembre 1144, les Turcs s'étaient emparés de la ville fortifiée d'Édesse et menaçaient les principautés franques d'Antioche et
de Jérusalem, qui demandèrent des secours au pape et aux souverains
d'Occident. Eugène III réagit en publiant, le 1ᵉʳ décembre 1145, la bulle
Quantum praedecessores, à l'intention du roi de France Louis VII (*PL* 180,
1064-1066) : le pape incitait les chevaliers de France à la croisade, et
octroyait à tous les participants à l'entreprise la rémission et l'absolution
de leurs péchés. Louis VII était favorable à la croisade, mais les grands du
royaume montrèrent peu d'enthousiasme pour l'expédition. Dès lors,
le roi fit appel à Bernard qui refusa de s'engager dans cette aventure, à
moins d'une injonction formelle du pape. Averti par Louis VII, Eugène III
promulgua, le 1ᵉʳ mars 1146, la bulle *Universis fidelibus Dei*, refonte de la

ne lui eut enfin ordonné, par une lettre publique, d'exposer aux peuples et aux princes la nécessité de l'entreprise, comme s'il était la langue de l'Église romaine. La teneur de cette lettre était qu'ils devaient entreprendre l'expédition, pour faire pénitence de leurs péchés et en obtenir le pardon, dans l'intention de délivrer leurs frères ou *de donner leurs vies pour eux*[a1].

Ces choses et d'autres semblables pourraient se dire avec véracité sur ce sujet, mais il vaut mieux dire ce qui arriva de mieux. Car, à l'évidence, *il prêcha* cette action, *le Seigneur agissant avec lui et confirmant sa parole par les signes qui l'accompagnaient*[b]. Mais quels furent le nombre et la variété de ces signes ? Ils furent si nombreux qu'il serait difficile, je ne dis pas de les raconter, mais même de les énumérer. En effet, on avait commencé alors de les consigner, mais la multitude même des faits à consigner surpassa finalement le chroniqueur, et la matière surpassa l'auteur ; car parfois, sans aucun doute, une vingtaine de personnes en un seul jour, ou même davantage, étaient guéries de diverses maladies, et il n'y eut presque aucun jour sans de tels miracles. Bref, en ce temps-là, le Christ, par le toucher et par la prière de son serviteur, guérit plusieurs infirmes qui étaient tels dès le sein de leur mère : il rendit la vue à des aveugles, *fit* marcher des

---

précédente, avec cet ajout : puisque les désordres romains l'empêchaient de prêcher lui-même le pèlerinage armé à Jérusalem, il donnait à Bernard l'ordre de se substituer à lui dans cette mission (voir E. Caspar, « Die Kreuzzugsbullen Eugens III », *Neues Archiv* 45, 1924, p. 285-305). On sait que Bernard s'inclina et que le 31 mars 1146, jour de Pâques, à Vézelay, lorsque Louis VII annonça officiellement à ses barons et au peuple l'expédition en Terre Sainte, Bernard était là, à côté du roi, et qu'il emporta l'adhésion générale.

convalescere, *surdos fecit audire et mutos loqui*[c] ; mirabilius restituente gratia quod minus praestitum fuerat a natura.

10. Nec tamen ex illa profectione orientalis Ecclesia liberari, sed caelestis meruit impleri et laetari. Quod si placuit Deo tali occasione plurimorum quidem eripere, si non Orientalium corpora a paganis, Occidentalium animas a peccatis, quis
5 audeat dicere illi : *Quid fecisti sic*[a] ? Aut quis recte sapiens, illorum sortem magis non doleat qui ad priora vel peiora forte prioribus scelera redierunt, quam eorum mortem, qui in fructibus paenitentiae purgatas variis tribulationibus Christo animas reddiderunt ? Alioquin, quamlibet *dicant Aegyptii*,
10 dicant filii tenebrarum, qui veritatem nec videre valeant nec proferre : *Callide eduxit eos ut interficeret in deserto*[b], patienter tolerat Christus salvator opprobrium, quod tantarum animarum salute compensat. Meminit huius verbi ipse quoque venerabilis pater, inter cetera dicens : « Si necesse sit unum

c. Mc 7, 37 ≠
10. a. Rm 9, 20 ≠   b. Ex 32, 12 ≠

1. Après la proclamation de l'expédition en Terre Sainte, Bernard entreprit un long voyage à travers le nord de la France, les Flandres et l'Allemagne pour prêcher la croisade. Le 27 décembre 1146, lors d'une messe solennelle qu'il célébra dans la cathédrale de Spire devant la cour impériale, il parvint à obtenir l'adhésion de l'empereur Conrad III, d'abord très réticent. Bernard ne rentra à Clairvaux que le 6 février 1147. En mars de cette même année, il entreprit un deuxième voyage en Allemagne pour se rendre à la diète de Francfort, convoquée par Conrad III en vue d'organiser une croisade contre les Wendes, peuplades slaves encore païennes qui habitaient au-delà de l'Elbe (cf. la *Lettre* 457 de saint Bernard avec le commentaire de GASTALDELLI, *Opere di san Bernardo*, t. 6/2, p. 622-626). Beaucoup de miracles jalonnèrent ces deux voyages (voir *Vp* IV, 30-34 ; 47-48, *infra*, p. 188-203 ; 236-241). Ils furent mis par écrit par plusieurs auteurs (dont Geoffroy d'Auxerre), qui accompagnèrent Bernard dans son itinéraire,

boiteux, circuler la vie dans des membres desséchés, *entendre des sourds et parler des muets*[c] ; la grâce rétablissait de façon plus admirable ce que la nature avait laissé d'inachevé[1].

Justification théologique de la croisade, un miracle à l'appui

10. L'Église d'Orient n'obtint pas, il est vrai, d'être délivrée par cette expédition, mais l'Église du ciel mérita de se remplir et de se réjouir. Car, s'il plut à Dieu en cette circonstance d'arracher, sinon les corps d'un grand nombre d'Orientaux aux païens, du moins les âmes d'un grand nombre d'Occidentaux aux péchés, qui osera lui dire : *Pourquoi en as-tu agi ainsi*[a] ? Ou bien qui, doué de bon sens, ne plaindra le sort de ceux qui sont revenus à leurs anciens crimes – peut-être mêmes à des crimes pires que les précédents – plus que la mort de ceux qui ont rendu au Christ leurs âmes parées des fruits de la pénitence et purifiées par diverses tribulations ? D'ailleurs, *que les Égyptiens*, que les fils des ténèbres, qui ne sont capables ni de voir, ni de proclamer la vérité, *disent* tant qu'ils voudront : *C'est par malice qu'il les a fait sortir, pour les faire périr dans le désert*[b] ; le Christ sauveur supporte patiemment cet outrage, qu'il compense par le salut d'un si grand nombre d'âmes. Le vénérable père lui-même se souvient de cette parole, lorsqu'il dit, entre autres : « S'il est nécessaire que l'une de ces deux choses

---

et rassemblés dans un recueil en trois parties, *Historia miraculorum in itinere Germanico patratorum*. Geoffroy se chargea de réviser après coup ce compte rendu et c'est lui qui en rédigea personnellement la troisième partie. Ce recueil fut copié dans presque tous les manuscrits à la suite de la *Vita prima*, et fut édité comme son sixième livre par Horstius, Mabillon et Migne (voir Introduction, *SC* 619, p. 15-18). Nous avons systématiquement signalé en note les passages de l'*Historia miraculorum* qui ont été repris et remaniés par Geoffroy dans *Vp* IV.

15 fieri e duobus, malo in nos murmur hominum quam in Deum
esse. Bonum mihi, si dignetur me uti pro clypeo. Libens
excipio in me *detrahentium linguas*[c] maledicas et venenata
spicula blasphemorum, ut non ad ipsum perveniant. Non
recuso inglorius fieri, ut non irruatur in Dei gloriam. » Haec
20 quidem ille in libro *de Consideratione* secundo.

Accidit autem ubi primum de eiusdem exercitus dissi-
patione lamentabilis intra Gallias insonuerat rumor, ut
141 illuminandum *Dei* | *famulo*[d] filium caecum offerens pater,
multis precibus vinceret excusantem. Et imponens sanctus
25 puero manum, orabat ad Dominum, quatenus, si ab eo
verbum praedicationis illius exierat, si praedicanti Spiritus
adfuerat, in illius illuminatione ostendere dignaretur.
Dum vero post orationem orationis praestolaretur effectum : « Quid facturus sum ? », ait puer. « Video enim. »
30 Attollitur illico clamor astantium. Plures enim non modo
e fratribus, verum etiam e saecularibus aderant, qui ut
puerum viderent videntem, multipliciter consolati, Deo
gratias referebant.

---

c. Pr 25, 23 ≠   d. 2 Ch 1, 3 ≠

1. *Csi* II, I, 4 (*SBO* III, p. 413, l. 18-23).

arrive, je préfère que les hommes murmurent contre moi plutôt que contre Dieu. C'est un bien pour moi s'il daigne se servir de moi comme d'un bouclier. Volontiers je prends sur moi *les langues* médisantes *des détracteurs*[c] et les traits empoisonnés des blasphémateurs, afin qu'ils ne parviennent pas jusqu'à lui. Je ne refuse pas d'être dénué de gloire, pourvu qu'on ne porte pas atteinte à la gloire de Dieu. » Ce sont les propres termes dont il se sert dans le second livre de *La Considération*[1].

Or, dès que le triste bruit de la débâcle de l'armée chrétienne eut retenti dans les Gaules, il arriva qu'un père, qui présentait son fils aveugle *au serviteur de Dieu*[d] pour qu'il lui rendît la vue, réussit à force de prières à vaincre ses refus. Le saint, imposant les mains à l'enfant, pria le Seigneur de bien vouloir montrer, en rendant la lumière à cet aveugle, que l'entreprise de cette prédication était bien venue de Lui, et que l'Esprit avait assisté le prédicateur. Or, tandis que, après la prière, il en attendait le résultat : « Que vais-je faire ? », s'écria l'enfant. « Car je vois. » Aussitôt, la clameur des présents s'élève. En effet, bien des gens étaient là, non seulement des frères, mais aussi des laïcs, qui, voyant[2] que l'enfant voyait, grandement consolés, rendaient grâce à Dieu.

2. Nous avons corrigé *videre* (*CCCM* 89B, p. 141, l. 285), qui ne donne aucun sens, par *viderent*.

11. Illud etiam iucunde satis credimus considerasse nonnullos, quod eadem hebdomada qua felicissima anima eius carne soluta est, Ecclesia Ierosolymitana magnifice satis divino fuerit munere consolata, sicut saepius illum noverant
5 promisisse. Siquidem capta est Ascalon illa munitissima, paucis a sancta civitate miliariis distans et periculose instans calcaneo eius. Adversus hanc quinquaginta annis et amplius nihil profecerant Christiani laborantes. Nam et tunc non humana virtute capta est, sed divina. Nec incongruum
10 nunc ipsius interserere verba, quae eodem scripserat anno ad virum optimum Andream militem templi, tunc ministrum, nunc iam et magistrum militiae templi, qui ipsius secundum carnem avunculus erat : « Vae principibus nostris », ait. « In terra Domini nihil boni fecerunt ; in suis, ad quas
15 velociter redierunt, incredibilem exercent malitiam et *non compatiuntur super contritione Ioseph*[a]. Confidimus autem *quia non repellet Dominus plebem suam et hereditatem suam non derelinquet*[b]. Porro *dextera Domini faciet virtutem*[c] et *brachium suum auxiliabitur ei*[d], ut cognoscant omnes quia
20 *bonum est sperare in Domino quam sperare in principibus*[e]. » Et de his hactenus.

---

11. a. Am 6, 6 ≠   b. Ps 93, 14   c. Ps 117, 16 ≠   d. Is 63, 5 ≠
e. Ps 117, 9

---

1. Geoffroy a supprimé *Vp* III, 11 dans la recension B. Il a probablement estimé que la coïncidence ici alléguée pour défendre Bernard était un peu trop tirée par les cheveux.

2. Ascalon (l'actuelle Ashkelon, dans l'État d'Israël) fut prise le 17 août 1153 par Baudouin III, roi de Jérusalem. Bernard mourut le 20 août de cette même année.

3. André, frère d'Aleth de Montbard, entra dans l'ordre des Templiers vers 1129 et en devint le grand maître en 1153 (cf. *Vp* I, 1, *SC* 619, p. 172-173, n. 3). Il mourut le 17 janvier 1156. Puisque Geoffroy d'Auxerre parle

Autre preuve que la prédication de la croisade était voulue par Dieu[1] **11.** Au surplus, plusieurs personnes ont remarqué, non sans bonheur à notre avis, que dans la même semaine où sa bienheureuse âme fut déliée de la chair, l'Église de Jérusalem fut magnifiquement consolée par un don divin, comme Bernard l'avait, à leur connaissance, bien souvent promis. Car Ascalon fut prise[2], ville puissamment fortifiée, à peu de milles de distance de la cité sainte, et dangereuse menace pour celle-ci. Les efforts des chrétiens contre cette ville n'avaient obtenu aucun succès pendant cinquante ans et plus. Et de fait, à ce moment, elle ne fut pas prise par la force humaine, mais divine. Il ne sera pas hors de propos de citer ici les paroles mêmes de Bernard, qu'il avait écrites cette année-là à André, homme excellent, chevalier du Temple, alors frère, aujourd'hui grand maître de l'ordre du Temple, qui était son oncle maternel selon la chair[3] : « Malheur à nos princes », déclare-t-il. « Dans la terre du Seigneur ils n'ont rien fait de bon ; dans les leurs, où ils se sont empressés de revenir, ils font preuve d'une méchanceté incroyable et *ne ressentent aucune compassion pour la ruine de Joseph*[a]. Mais nous espérons *que le Seigneur ne rejettera pas son peuple et ne délaissera pas son héritage*[b]. Oui, *la droite du Seigneur fera prouesse*[c] et *son bras lui portera secours*[d], pour que tous connaissent qu'*espérer dans le Seigneur vaut mieux qu'espérer dans les princes*[e][4]. » En voilà assez sur ce point.

---

ici de lui comme d'un vivant, nous pouvons en conclure que la recension A de la *Vita prima* était achevée avant que la nouvelle de sa mort fût connue en Occident (voir Introduction, *SC* 619, p. 27-28). Sur lui, voir P. Cousin, « Les débuts de l'ordre des templiers et saint Bernard », *Mélanges Saint Bernard*, p. 41-52 (ici p. 49-52).

4. *Ep* 288, 1 (*SBO* VIII, p. 203, l. 8-14). Geoffroy cite un autre passage de cette lettre dans *Vp* V, 1 (*infra*, p. 254, l. 26-27).

12. Nam et illud propter posteros memorandum, quam multipliciter Ecclesiae sanctae viri sancti doctrina profuerit in catholicorum moribus corrigendis, in scismaticorum furoribus comprimendis, in haereticorum erroribus confu-
5 tandis. Siquidem praeter eos quos docuit *sobrie et iuste et*
142 *pie vivere in saeculo*[a], quantos etiam | perfectius valedicere saeculo persuasit, vel ex hoc liquet quod non cessavit, quamdiu vixit, deserta saeculi saeculi desertoribus implere. Cuius ministerio videtur propheticum illud etiam corporaliter
10 exhiberi : *Posuit desertum in stagna aquarum, et terram sine aqua in exitus aquarum. Et collocavit illic esurientes, et constituerunt civitatem habitationis. Et seminaverunt agros et plantaverunt vineas et fecerunt fructum nativitatis. Et benedixit eis et multiplicati sunt nimis et iumenta eorum*
15 *non minoravit*[b].

Sane in diebus scismatis generalis, quam fideliter *servus Domini*[c] *stetit in confractione in conspectu eius, ut averteret iram eius*[d] ; quam efficaciter *stetit et placavit et cessavit quassatio*[e] ; quam denique evidenter *in tempore irae factus est*
20 *reconciliatio*[f], non modo latius prosequendum. Sufficere interim potest, si ipsius super hoc scribentis ad eum Innocentii papae verba ponamus : « Quam firma », ait, « perseverantique constantia causam beati Petri et sanctae matris tuae Romanae Ecclesiae, incandescente Petri Leonis scismate,

---

12. a. Tt 2, 12 ≠   b. Ps 106, 35-38   c. Dt 34, 5 et //   d. Ps 105, 23 ≠
e. Ps 105, 30 ≠   f. Si 44, 17 ≠

---

1. Nous adoptons la leçon *implere*, qui est celle donnée par les manuscrits de la recension B, à la place de *implens* (*CCCM* 89B, p. 142, l. 313).

Services que Bernard a rendus à l'Église

12. Car il faut aussi faire mémoire de ceci pour la postérité : de quelles multiples manières l'enseignement du saint a été utile à la sainte Église pour corriger les mœurs des catholiques, réprimer la rage des schismatiques, réfuter les erreurs des hérétiques. En effet, sans compter ceux à qui il apprit *à vivre dans le monde avec sobriété, justice et piété*[a], à combien ne persuada-t-il pas de dire adieu au monde pour une vie encore plus parfaite ! Cela ressort avec évidence de ce qu'il ne cessa, tant qu'il vécut, de remplir[1] les déserts du monde de ceux qui désertaient le monde. Il semble que par son ministère a été même visiblement accomplie cette parole du prophète : *Il changea le désert en nappes d'eau et la terre sans eau en sources d'eau. Là il établit les affamés, et ils fondèrent une ville habitée. Ils ensemencèrent des champs, plantèrent des vignes et firent du fruit à récolter. Il les bénit, ils se multiplièrent beaucoup et il ne laissa pas leur bétail s'amoindrir*[b][2].

Aux jours du schisme général[3], avec quelle constance *le serviteur du Seigneur*[c] *se tint sur la brèche en sa présence pour détourner sa colère*[d] ; avec quelle efficacité *il se tint là et l'apaisa, et la tempête cessa*[e] ; enfin, avec quel éclat *au temps de la colère il devint l'instrument de la réconciliation*[f], il n'est pas nécessaire de l'exposer plus au long maintenant. Il peut suffire pour le moment de citer les paroles du pape Innocent lui-même, qui lui écrivit à ce propos : « Avec quelle ferme et persévérante constance, dit-il, la ferveur de ta foi et de ton discernement a entrepris de défendre la cause de saint Pierre et de la sainte Église romaine, ta mère, tandis que sévissait le

2. Geoffroy applique cette parole du psaume 106 à la multiplication des monastères cisterciens pendant l'abbatiat de Bernard.

3. Le schisme d'Anaclet II.

25 fervor tuae religionis et discretionis susceperit defendendam,
et se murum inexpugnabilem pro domo Dei apponens, animos regum ac principum et aliarum tam ecclesiasticarum
quam saecularium personarum, ad catholicae Ecclesiae uni-
tatem et beati Petri ac nostram oboedientiam frequentibus
30 argumentis et ratione munitis reducere laboraverit, magna,
quae Ecclesiae Dei et nobis provenit, utilitas manifestat ».
In quibus autem pro fide quam magnifice egerit *servus fidelis
et prudens*[g], breviter adnectendum.

13. Fuit in diebus illis Petrus Abaelardus magister
insignis et celeberrimus in opinione scientiae, sed de fide
perfide dogmatizans. Cuius cum blasphemiis plena gravis-
simis volitare undique scripta coepissent, profanas novitates
5 vocum et sensuum viri exsecrati, eruditi atque fideles ad *Dei
hominem*[a] retulerunt.

g. N : 24, 45 ≠
13.   Cf. Dt 33, 1 et //

---

1. C l'office du samedi avant le quatrième dimanche de novembre,
antienne du *Magnificat* : *Muro tuo inexpugnabili circumcinge nos, Domine*,
dans *Breviarium cisterciense*, *pars autumnalis*, Westmalle 1878, p. 227.
L'image du rempart inexpugnable, empruntée à Ez 13, 5, est devenue un
lieu commun hagiographique grâce à l'exégèse qu'en a donnée GRÉGOIRE
LE GRAND, *Règle pastorale* II, 4 (p. 188, l. 12-21).

2. *Innocentii II papae privilegium sancto Bernardo concessum*, *Inter
bernardinas epistolas* 352 (*PL* 182, 554D-555A). La citation de Geoffroy
présente quelques différences, minimes, par rapport au texte édité par
Migne. Ce privilège est daté du 17-19 février 1132. Il a été édité aussi par
J. WAQUET, *Recueil des chartes de l'abbaye de Clairvaux*, fasc. I, Troyes
1950, p. 5-7, n° IV. Remarquons que Geoffroy sort le passage cité ici de
son contexte originel, le schisme d'Anaclet, et s'en sert pour justifier les

schisme de Pierre de Léon ! Se plaçant comme un rempart inexpugnable[1] devant la maison de Dieu, cette ferveur s'est donnée de la peine pour ramener les esprits des rois et des autres personnes, aussi bien ecclésiastiques que séculières, à l'unité de l'Église catholique et à l'obéissance envers saint Pierre et envers nous-mêmes, par des arguments nombreux et fondés en raison. Tout cela, le grand profit qui s'en est suivi pour l'Église de Dieu et pour nous le manifeste[2]. » Mais il faut brièvement ajouter en quoi *le serviteur fidèle et avisé*[g] a si magnifiquement déployé son action pour défendre la foi[3].

La controverse avec Pierre Abélard

13. En ces jours-là vécut Pierre Abélard, maître remarquable et très célèbre par la réputation de sa science, mais qui enseignait des doctrines dangereuses au sujet de la foi. Lorsque ses écrits, pleins de blasphèmes très graves, commencèrent à circuler partout, des personnes savantes et fidèles[4] rapportèrent à *l'homme de Dieu*[a5] les nouveautés impies qui pullulaient tant dans les expressions que dans les idées de cet homme exécrable.

---

attaques très critiquées que Bernard avait lancées contre Abélard (1140 ou 1141) et Gilbert de la Porrée (1148) : cf. les chapitres suivants.

3. Les chapitres 13-17 abordent certains aspects plus discutables, et discutés, de la vie de Bernard : ses interventions contre le philosophe Pierre Abélard, le théologien Gilbert de la Porrée et le prédicateur itinérant hérétique Henri de Lausanne. En les disposant ainsi à la suite l'un de l'autre, Geoffroy suggère que ces trois personnages appartiennent tous, plus ou moins, à la même engeance. Dans toutes ces affaires, Geoffroy appuie sans réserve l'action de Bernard.

4. Entre autres, Guillaume de Saint-Thierry dans une lettre à Bernard éditée par P. VERDEYEN, *Epistola Willelmi*, *CCCM* 89A, 2007, p. 13-15.

5. Sur cette expression récurrente pour désigner Bernard, voir *SC* 619, p. 166, n. 2.

Qui nimirum solita bonitate et benignitate desiderans errorem corrigi, non hominem confundi, secreta illum admonitione convenit. Cum quo etiam tam modeste
10 tamque rationabiliter egit, ut ille quoque compunctus ad ipsius arbitrium correcturum se promitteret universa. Ceterum cum recessisset ab eo, Petrus idem consiliis stimulatus iniquis, et ingenii sui viribus plurimoque exercitio
143 disputandi infeliciter fidens, resiliit a proposito saniori. |
15 Expetens denique Senonensem metropolitanum, quod in eius Ecclesia celebrandum foret in proximo grande concilium, Claraevallensem causatur abbatem suis in occulto detrahere libris. Addit paratum se esse in publico sua defendere scripta, rogans ut praedictus abbas dicturus, si quid
20 haberet, ad concilium vocaretur. Factum est ut postulavit. Sed vocatus abbas venire penitus recusavit, suum hoc non esse renuntians. Postea tamen magnorum virorum monitis flexus, ne videlicet ex ipsius absentia et scandalum populo, et cornua crescerent adversario, demum pergere acquievit,
25 tristis quidem nec sine lacrimis annuens, sicut in epistola ad papam Innocentium ipse testatur, ubi plenius lucidiusque negotium omne prosequitur.

---

1. Henri de Boisrogues, dit « le Sanglier », archevêque de Sens de 1122 à 1142. Vers 1127-1128, Bernard lui adressa la célèbre *Lettre* 42, copiée ou éditée parfois comme un traité à part sous le titre de *Sur les mœurs et les devoirs des évêques (De moribus et officio episcoporum)*. Voir *SC* 458, p. 44-45, n. 1 par M. DUCHET-SUCHAUX ; *Opere di San Bernardo*, t. 6/1, p. 190-191, n. 1 par F. GASTALDELLI.

Bernard qui, avec sa bonté et sa bienveillance coutumières, désirait corriger l'erreur sans couvrir de confusion la personne, alla le voir pour l'avertir en secret. Il se comporta à son égard avec tant de modestie et de raison que l'autre, touché lui aussi de regret, promit qu'il corrigerait au gré de Bernard toutes ses erreurs. Mais, quand celui-ci se fut éloigné de lui, ledit Pierre, excité par d'iniques conseils, et confiant par malheur dans les forces de son intelligence et dans sa longue pratique de la dispute, répudia son plus sage propos. Bref, adressant une requête au métropolite de Sens[1], parce qu'un grand concile devait bientôt se tenir dans son Église, il accuse l'abbé de Clairvaux de dénigrer ses livres en secret. Il ajoute qu'il est prêt à défendre publiquement ses écrits, et demande que ledit abbé soit convoqué au concile pour dire ce qu'il aurait à lui reprocher. Mais l'abbé, convoqué, refusa absolument de venir, déclarant que cette affaire ne le regardait pas. Plus tard néanmoins, cédant aux avis d'hommes éminents, sans doute de peur que, du fait de son absence, le scandale ne croisse parmi le peuple et les forces de son adversaire ne s'affermissent, il consentit enfin à s'y rendre, acquiesçant avec tristesse et non sans larmes, comme il l'atteste lui-même dans une lettre au pape Innocent, où il expose toute l'affaire de la façon la plus exhaustive et la plus lucide[2].

---

2. *Ep* 190 (*SBO* VIII, p. 17-40) ; voir *Opere di San Bernardo*, t. 6/1, p. 788-837 et le commentaire à la fois approfondi et équilibré de F. GASTALDELLI. Le jugement de P. AUBÉ sur cette lettre est bien différent de celui de Geoffroy : « texte bâclé d'un homme pressé qui n'a qu'une connaissance de seconde main d'une pensée difficile (*Saint Bernard*, p. 413). »

14. Adfuit dies et ecclesia copiosa convenit, ubi a *Dei famulo*[a] Petri illius in medium scripta prolata sunt et erroris capitula designata. Demum illi optio data est, aut sua esse negandi, aut errorem humiliter corrigendi, aut respondendi,
5 si posset, obiciendis sibi rationibus pariter et sanctorum testimoniis Patrum. At ille nec volens resipiscere nec valens *resistere sapientiae et Spiritui qui loquebatur*[b], *ut tempus redimeret*[c], sedem apostolicam appellavit. Sed et postea ab egregio illo catholicae fidei advocato monitus, ut vel iam sciens in perso-
10 nam suam nihil agendum, responderet tam libere quam secure, audiendus tantum et ferendus in omni patientia, non sententia aliqua feriendus, hoc quoque omnimodis recusavit. Nam et confessus est postea suis, ut aiunt, quod ea hora, maxima quidem ex parte memoria eius turbata fuerit, ratio caligaverit
15 et interior fugerit sensus. Nihilominus tamen ecclesia quae convenerat, dimisit hominem, mulctavit abominationem, a persona abstinens sed dogmata prava condemnans.

14. a. 2 Ch 1, 3 ≠   b. Ac 6, 10 ≠   c. Ep 5, 16 ≠

1. On sait avec certitude que le concile de Sens eut lieu pendant l'octave de Pentecôte, mais les historiens sont divisés au sujet de l'année : 1140 ou 1141 ? J. MIETHKE, dans son édition du sermon de Bernard sur *La Conversion* (*SC* 457, p. 307-308), soutient la date du 3 juin 1140, suivant l'opinion de VACANDARD (*Vie*, t. II, p. 145, n. 1). P. AUBÉ conserve cette datation mais renvoie aux études récentes qui optent pour 1141 (*Saint Bernard*, p. 416-417). Aussi bien F. GASTALDELLI, qui soutient la date du 25 mai (« Le più antiche », p. 60-61), P. ZERBI (« Les différends doctrinaux », *BdC*, p. 423-458, en particulier p. 430-435) que C. J. MEWS, « The Council of Sens (1141): Abelard, Bernard, and the Fear of Social Upheaval », *Speculum* 77/2, 2002, p. 342-382, ici 345-354, se fondent sur un argument décisif de R. Volpini qui n'a fait l'objet d'aucune publication, malgré les références que l'on trouve à deux articles fantômes dans *Lateranum* 55, 1989 et *Aevum* 66, 1992 (voir *BdC*, p. 433, n. 11 et *SC* 457, p. 308, n. 2).

Concile de Sens et condamnation d'Abélard

14. Le jour arriva et une assemblée nombreuse se réunit[1]. *Le serviteur de Dieu*[a] produisit aux yeux de tout le monde les écrits de ce Pierre et désigna les passages erronés.

Bref, on laissa à celui-ci le choix, ou de nier qu'ils étaient de lui, ou de corriger humblement son erreur, ou de répondre, s'il le pouvait, aux arguments ainsi qu'aux témoignages des saints Pères qu'on lui objecterait. Mais lui, ne voulant pas se rétracter et ne pouvant pas non plus *résister à la sagesse et à l'Esprit*[2] *qui parlait contre lui*[b], *pour gagner du temps*[c], en appela au Siège apostolique. À la suite de quoi, l'éminent défenseur de la foi catholique l'avertit qu'il pouvait répondre en toute liberté et en toute sécurité, sachant que rien désormais ne serait entrepris contre sa personne[3] ; il serait simplement écouté et supporté avec la plus grande patience, et ne serait frappé d'aucune sentence. Mais cela aussi, il le refusa catégoriquement. Car il avoua plus tard aux siens, dit-on, qu'à cette heure sa mémoire s'était presque entièrement brouillée, sa raison s'était obscurcie et sa présence d'esprit l'avait déserté[4]. L'assemblée qui s'était réunie, tout en laissant partir l'homme, n'en condamna pas moins ses erreurs abominables, ne touchant pas à sa personne mais sanctionnant ses doctrines perverses.

2. Nous pensons qu'il s'agit de l'Esprit Saint, comme dans le texte d'Ac 6, 10 cité ici (cf. les traductions de la *Bible de Jérusalem* et de la *Traduction Œcuménique de la Bible*) ; aussi avons-nous mis la majuscule au mot *spiritui* de l'édition critique.

3. Puisque Abélard avait interjeté appel au pape, aucune action ne pouvait plus être entreprise contre lui.

4. Cette soudaine défaillance physique d'Abélard au concile de Sens a été diagnostiquée avec précision comme une manifestation de la maladie de Hodgkin par le docteur J. JEANNIN dans son étude : « La dernière maladie d'Abélard : une alliée imprévue de saint Bernard », *Mélanges Saint Bernard*, p. 109-115.

Quando vero Petrus ille refugium inveniret in sede Petri,
20 tam longe dissidens a fide Petri ? Et ipsum ergo auctorem
eadem sententia cum erroribus suis apostolicus praesul
involvens haereticumque denuntians, scripta incendio,
scriptorem silentio condemnavit.

15. Fuit item Gillebertus, quem cognominavere
Porretanum, Pictavorum episcopus, in sacris litteris plurimum exercitatus, sed sublimiora se etiam ipse scrutatus *ad*
144 *insipientiam sibi*[a]. Siquidem | de sanctae Trinitatis unitate
5   et divinitatis simplicitate non simpliciter sentiens, nec fideliter scribens, discipulis suis *panes* proponebat *absconditos,*
furtivas propinabat *aquas*[b], nec facile quid saperet, immo
quantum desiperet, personis authenticis fatebatur. Timebat
enim quod apud Senonas Petrum ei dixisse ferunt : « Tua
10 res agitur, paries cum proximus ardet. »

---

15. a. Ps 21, 3 ≠   b. Pr 9, 17 ≠

1 Il n'est pas sans intérêt d'observer que Geoffroy a supprimé les mots
haereticumque denuntians dans la recension B. Serait-ce parce qu'Abélard
se soumit promptement à la condamnation pontificale (cf. n. suivante) ?
Ou bien, parce qu'Abélard avait des soutiens influents au sein de la curie
romaine ? Entre autres, ses anciens élèves, Guy de Città di Castello, cardi-
nal-prêtre de Saint-Marc et futur pape Célestin II, et Hyacinthe Bobone,
cardinal-diacre de Sainte-Marie *in Cosmedin* et futur pape Célestin III.

2. Par la bulle *Testante apostolo*, datée du 16 juillet 1141, le pape
Innocent II confirma les délibérations du concile de Sens et condamna
Abélard, considéré comme hérétique, au silence perpétuel : *Eique tamquam*
haeretico perpetuum silentium imposuimus (cette bulle a été publiée parmi
les *Lettres* de Bernard : *Ep* 194 (*SBO* VIII, p. 46-48) ; voir *ibid.*, 3 (p. 48,
l. 9-10). On sait qu'Abélard s'inclina et qu'il termina ses jours à Cluny,
accueilli très charitablement par l'abbé Pierre le Vénérable, qui intervint
en sa faveur auprès du pape par une lettre (*Ep* 98, *Letters* I, p. 258-259 ; voir
Vp IV, 19 (*infra*, p. 162-163, n. 2). Au reçu de cette lettre, Innocent II leva la

En vérité, comment ce Pierre, qui s'écartait tant de la foi de Pierre, aurait-il pu trouver un refuge auprès de la chaire de Pierre ? Ainsi le pontife apostolique, enveloppant dans la même sentence ces erreurs aussi bien que leur auteur, et dénonçant l'hérétique[1], condamna ses écrits au feu et l'écrivain au silence[2].

Concile de Reims et condamnation de Gilbert de la Porrée

15. De même Gilbert, surnommé de la Porrée, évêque de Poitiers[3], fut très versé dans les lettres sacrées, mais osa lui aussi scruter, *à sa propre confusion*[a], des mystères trop sublimes pour lui. Car, n'entendant pas d'un cœur simple l'unité de la sainte Trinité et la simplicité de la divinité, et n'en écrivant point selon la foi, il offrait à ses disciples *des pains clandestins*, leur donnait à boire *des eaux dérobées*[b], et n'avouait pas facilement ses sentiments, ou plutôt ses égarements, aux personnes d'autorité reconnue. Il craignait en effet les paroles que Pierre lui avait adressées, dit-on, à Sens : « Il y va de tes biens, quand la maison du voisin brûle[4]. »

sentence d'excommunication. Abélard mourut peu après, le 21 avril 1142, âgé de soixante-trois ans. Sur le séjour d'Abélard à Cluny et sur cette dernière période de sa vie, cf. P. ZERBI, « *In Cluniaco vestra sibi perpetuam mansionem elegit*. Un momento decisivo nella vita di Abelardo dopo il concilio di Sens », dans ID., *Tra Milano e Cluny*, Rome 1978, p. 373-395.

3. Gilbert de la Porrée, évêque de Poitiers de 1142 à 1154, fut un métaphysicien de grande envergure (« le plus puissant esprit spéculatif du XIIᵉ siècle », d'après É. GILSON, cité par AUBÉ, *Saint Bernard*, p. 560), précurseur de la scolastique par ses commentaires des opuscules théologiques de Boèce. Bibliographie détaillée dans *DHGE* 20, 1984, col. 1331-1332.

4. HORACE, *Epistulae* I, XVIII, 79. Antoine le Maistre traduit, en vers alexandrins d'une élégance consommée (voir ANTOINE LE MAISTRE, *La vie de S. Bernard, premier abbé de Clairvaux et Père de l'Église*, Paris 1656³, p. 222) :

Le mur de ton voisin que dévore la flâme,
Par ton propre peril doit émouvoir ton ame.

Novissime tamen cum iam fidelium super hoc invalesce-
ret scandalum, cresceret murmur, vocatus ad medium est
et librum tradere iussus, in quo blasphemias evomuerat,
graves quidem, sed verborum quodam involucro circum-
15 septas. Igitur in concilio, quod in urbe Remorum papa
venerabilis Eugenius celebravit, egit cominus adversus hunc
Gillebertum Ecclesiae sanctae suo tempore singularis ath-
leta Bernardus : primo quidem totum quod ille verborum
cavillationibus occultare nitebatur eliciens ; deinde vero
20 tam suis ratiociniis quam sanctorum testimoniis biduana
disputatione redarguens. Considerans sane nonnullos ex
his qui praesidebant, iam quidem animadvertentes blas-
phemiam in doctrina, adhuc tamen avertentes iniuriam
a persona, accensus est zelo et domesticam sibi Ecclesiam
25 seorsum convocat Gallicanam. Communi denique consilio,
a patribus decem provinciarum, aliis autem episcopis et
abbatibus plurimis, dictante *viro Dei*[c], novis dogmatibus
opponitur symbolum novum. Cui etiam subscribuntur
nomina singulorum, ut eorum videlicet omnium sicut
30 irreprehensibilis fides, sic irreprehensibilis zelus ceteris
innotescat. Ita demum apostolico iudicio et auctoritate
universalis Ecclesiae error ille damnatur.

c. Cf. 1 S 9, 6 et //

1. Il s'agit sans doute de ses commentaires sur les opuscules théologiques
(*Opuscula sacra*) de Boèce : voir N. M. Häring, *The Commentaries on
Boethius by Gilbert of Poitiers*, Toronto 1966.

2. Cf. *Vp* II, 50 (*SC* 619, p. 512-513 et n. 4).

3. Les écrits des Pères de l'Église.

4. Sur cette expression qui assimile Bernard à un prophète, voir *SC* 619,
p. 166, n. 2.

5. La présentation des événements par Geoffroy d'Auxerre – témoin
oculaire pourtant – est très orientée et ouvertement hostile à Gilbert. Les

À la fin cependant, comme le scandale des fidèles à son sujet s'augmentait, et que les murmures allaient croissant, il fut sommé de comparaître et on lui enjoignit de livrer l'ouvrage[1] où il avait vomi des blasphèmes, certes graves, mais voilés, pour ainsi dire, par le clinquant des mots. Ainsi, dans le concile que le vénérable pape Eugène tint dans la ville de Reims[2], Bernard, l'athlète le plus remarquable de la sainte Église à son époque, attaqua sans détour ce Gilbert. D'abord, il mit en lumière tout ce que l'autre s'efforçait de cacher sous des subtilités verbales ; puis il le réfuta pendant deux jours de discussion tant par ses raisonnements que par les témoignages des saints[3]. Remarquant clairement que plusieurs de ceux qui étaient assis aux premiers rangs se rendaient compte maintenant des blasphèmes cachés dans la doctrine de Gilbert, mais cherchaient encore à détourner toute rigueur de sa personne, il s'enflamma de zèle et convoqua séparément l'Église gallicane, qui lui était plus familière. Bref, d'un commun avis, un nouveau symbole, dicté *par l'homme de Dieu*[c4], fut opposé aux nouvelles doctrines par les Pères de dix provinces, ainsi que par d'autres évêques et par un grand nombre d'abbés. Chacun d'eux le souscrivit aussi de son nom, afin que, sans l'ombre d'un doute, leur zèle à tous, non moins irréprochable que leur foi, fût connu des autres. C'est ainsi que cette erreur fut enfin condamnée par le jugement apostolique et par l'autorité de l'Église universelle[5].

---

historiens modernes lui préfèrent les comptes rendus, plus équilibrés et sereins, d'Otton évêque de Freising, qui fut d'abord abbé cistercien de Morimond (voir *Gesta Friderici imperatoris*, I, 56-61, éd G. Waitz et B. Simson, *Scriptores rerum Germanicarum, MGH* 46, Hanovre 1912, p. 80-88), et de Jean de Salisbury, lui aussi témoin oculaire (voir *Historia pontificalis*, 8-12, éd M. Chibnall, Oxford 1986, p. 15-27). On peut dès lors proposer la reconstruction suivante du déroulement des faits. À Reims,

Episcopus Gillebertus an eidem damnationi consentiat interrogatur. Consentiens et publice refutans quae prius scripserat et affirmaverat, indulgentiam ipse consequitur, maxime quod ab initio cautus fuisset ea lege eamdem ingredi disceptationem, ut promitteret sine ulla sese obstinatione, pro Ecclesiae sanctae arbitrio, correcturum libere suam opinionem.

---

après la clôture officielle du concile (9 avril 1148), Bernard prend l'initiative de convoquer, dans la cathédrale Notre-Dame, un *consistorium* (assemblée restreinte) de prélats et de savants, présidé par le pape Eugène III. Celui-ci est accompagné par bon nombre de cardinaux de la curie romaine, en grande majorité favorables à Gilbert. Après deux jours de débats, Bernard soumet à Gilbert un symbole (profession de foi) en quatre articles (texte dans *Historia pontificalis*, 11, *ed. cit.*, p. 24), rédigé par lui-même et signé par tous les Français présents, évêques et écolâtres – à ce propos, Geoffroy d'Auxerre et Otton de Freising parlent déjà d'*Ecclesia Gallicana* –, et somme Gilbert de l'accepter. Les cardinaux romains protestent fermement et accusent Bernard de vouloir forcer les décisions du Siège apostolique, en position de faiblesse parce que contraint, à ce moment-là, de résider en France à cause des désordres qui troublent Rome. Eugène III parvient à apaiser l'assemblée, mais les adversaires les plus acharnés de Gilbert, menés par Bernard, obtiennent qu'une nouvelle séance se tienne au palais du Tau. Lors de cette rencontre, après une discussion véhémente, le pape

On demande à l'évêque Gilbert s'il se soumet à ladite condamnation. Se soumettant et désavouant publiquement ce qu'il avait d'abord écrit et affirmé, il obtient d'être traité avec indulgence. Surtout que, dès le commencement, il avait pris la précaution de ne s'engager dans ce débat qu'à cette condition : il promettait qu'il corrigerait librement son opinion, sans la moindre obstination, suivant le jugement de la sainte Église.

---

demande à Gilbert de rectifier un point assez ambigu de sa théologie trinitaire, et l'évêque de Poitiers accepte aussitôt. Eugène III institue alors une commission de cardinaux chargée d'examiner, et au besoin de corriger, le commentaire de Gilbert sur le *De unitate Trinitatis (Quomodo Trinitas unus Deus ac non tres Dii)* de Boèce, et clôt le débat. Gilbert peut donc rentrer avec honneur dans son diocèse, sans avoir été frappé d'aucune condamnation. Pour plus de détails sur ces événements, et sur les enjeux théologiques de la controverse, voir Zerbi, « Les différends doctrinaux », *BdC*, p. 445-456 ; Aubé, *Saint Bernard*, p. 558-565. Bernard poursuivra sa polémique contre la doctrine trinitaire de Gilbert, sans le nommer explicitement, dans son dernier ouvrage, *De la Considération* V, vii, 15-16 (voir *SBO* III, p. 479-480 ; *Opere di San Bernardo*, t. 1, p. 914-915, avec le commentaire précis et éclairant de F. Gastaldelli). Geoffroy d'Auxerre lui aussi rédigea, par la suite, plusieurs écrits contre Gilbert : ils ont été étudiés et publiés par N. M. Häring, « The writings against Gilbert of Poitiers by Geoffrey of Auxerre », *ACist* 22/1, 1966, p. 3-83.

16. In partibus Tolosanis Henricus quidam, olim monachus, tunc apostata vilis pessimae vitae, perniciosaeque
doctrinae, *verbis persuasibilibus*[a] gentis illius occupaverat
levitatem et, ut praedixit Apostolus de quibusdam, *in*
5 *hypocrisi loquens mendacium*[b], fictis verbis de eis negotia-
batur. Erat autem hostis Ecclesiae manifestus, irreverenter
145   ecclesiasticis derogans sacramentis pariter ǀ et ministris. Nec
mediocriter in ea iam malignitate profecerat. Sicut enim de
eo scribens pater venerabilis ad principem Tolosanum, inter
10 cetera ait : « Passim inveniebantur iam ecclesiae sine plebibus,
plebes sine sacerdotibus, sacerdotes sine debita reverentia,
sine Christo denique christiani. Parvulis christianorum
Christi vita intercludebatur, dum baptismi gratia negaba-
tur. » Ridebantur orationes oblationesque pro mortuis,
15 sanctorum invocationes, sacerdotum excommunicationes,
fidelium peregrinationes, basilicarum aedificationes, dierum
sollemnium vacationes, chrismatis et olei consecrationes, et
omnes denique institutiones ecclesiasticae spernebantur.

---

16. a. 1 Co 2, 4 ≠   b. 1 Tm 4, 2 ≠

1. Vraisemblablement un ancien moine bénédictin, puisque Conrad
d'Eberbach dit de lui qu'il « avait été jadis moine noir » (cf. CONRAD
D'EBERBACH, *Le Grand Exorde* II, 17, v. 3, p. 80) ; il devint ensuite prédicateur itinérant. Sur lui, voir A. H. BREDERO, « Henri de Lausanne :
un réformateur devenu hérétique », dans *Pascua Medievalia. Studies voor
Prof. J.-M. de Smet*, Leuven 1983, p. 108-123 ; et la notice « Henri de
Lausanne » par R. MANSELLI, *DSp* VII/1, 1969, col. 220-221. D'après
les documents de l'époque – car nous n'avons aucun écrit d'Henri – sa
doctrine se présentait comme un spiritualisme radical, qui refusait tous
les aspects extérieurs de la vie liturgique, des sacrements en particulier,
et qui se bornait à accentuer les valeurs intérieures. Il fut plusieurs fois
condamné, entre autres au concile de Reims de 1148 (cf. *Vp* II, 50, *SC* 619,
p. 512-513 et n. 4). Voir aussi le traité de GUILLAUME MONACHI, *Contre
Henri schismatique et hérétique* (éd. M. ZERNER, *SC* 541, 2011, en parti-

**Henri de
Lausanne répand
son hérésie
dans la région
de Toulouse**

16. Dans la région de Toulouse, un dénommé Henri, autrefois moine[1], alors vulgaire apostat d'infâme vie et de pernicieuse doctrine, avait surpris la légèreté de ce peuple *par des discours persuasifs*[a] et, comme l'Apôtre l'avait prédit de certaines personnes, *il débitait des mensonges avec hypocrisie*[b] et dupait les gens avec de fausses paroles. D'autre part, c'était un ennemi déclaré de l'Église, et en discréditait, sans aucun respect, aussi bien les sacrements que les ministres. Et, dans sa malice, il avait déjà obtenu des succès non médiocres. En effet, le vénérable père, en écrivant sur son sujet au prince de Toulouse, dit entre autres choses : « Déjà on trouvait de tous côtés des églises dépeuplées, des peuples sans prêtres, des prêtres sans le respect qui leur est dû, bref, des chrétiens sans le Christ. On privait de la vie du Christ les petits enfants des chrétiens, en leur refusant la grâce du baptême[2]. » On raillait les prières et les offrandes pour les morts, l'invocation des saints, les excommunications prononcées par les prêtres, les pèlerinages des fidèles, la construction des basiliques, le repos des jours de fête, la consécration du chrême et de l'huile ; bref, toutes les institutions de l'Église étaient méprisées.

---

culier les p. 40-48 de l'Introduction). Guillaume Monachi fut archevêque d'Arles de 1139 à 1141.

2. *Ep* 241, 1 à Ildefonse de Saint-Gilles, comte de Toulouse (*SBO* VIII, p. 125, l. 9-10. 14-15 ; cf. *Opere di San Bernardo*, t. 6/2, n. 1 par F. GASTALDELLI, p. 108-109). Le texte cité par Geoffroy présente quelques variantes par rapport à celui de l'édition critique. C'est dans cette lettre de Bernard qu'on lit une information qui s'est imposée aux historiens : « Cherche, s'il te plaît, homme noble, comment il [Henri] est sorti de la cité de Lausanne, du Mans, de Poitiers, de Bordeaux » (*Ep* 241, 3, *SBO* VIII, p. 127, l. 5-7). De là vient qu'Henri est habituellement dit « de Lausanne » dans l'historiographie moderne et contemporaine. Il n'y a pas d'autre indice de ses liens avec Lausanne.

17. Hac necessitate vir sanctus iter arripuit, ab Ecclesia regionis illius saepius iam ante rogatus, et tunc demum a reverendissimo Alberico Ostiensi episcopo et legato sedis apostolicae persuasus pariter et deductus. Veniens autem
5 cum incredibili devotione susceptus est a populo terrae, ac si *de caelo angelus*[a] advenisset. Nec moram facere potuit apud eos, quod irruentium turbas reprimere nemo qui posset : tanta erat frequentia diebus ac noctibus adventantium, benedictionem expetentium, flagitantium opem.

10 Praedicavit tamen in civitate Tolosa per aliquot dies, et in ceteris locis, quae miser ille frequentasset amplius et gravius infecisset, multos in fide simplices instruens, nutantes roborans, errantes revocans, subversos reparans, subversores et obstinatos auctoritate sua premens et opprimens, ut non dico
15 resistere sed ne assistere quidem et apparere praesumerent. Ceterum etsi tunc fugit Henricus ille et latuit, ita tamen impeditae sunt viae eius et *semitae circumseptae*[b], ut vix alicubi postea tutus, tandem captus et catenatus episcopo

---

17. a. Ga 1, 8 ≠ ; cf. Ga 4, 14   **b.** Jb 19, 8 ≠

1. Bernard se mit en route pour Toulouse, afin de combattre Henri de Lausanne, en mai 1145. Geoffroy d'Auxerre suivit son abbé et rédigea un compte rendu de ce voyage, qu'il adressa à un certain *magister Archenfredus* : voir Introduction (*SC* 619, p. 13).

2. Albéric, cardinal-évêque d'Ostie. Originaire de Beauvais, il fut moine à Cluny, puis prieur de Saint-Martin-des-Champs à Paris, ensuite abbé de Vézelay en 1130, enfin cardinal en 1138. En 1145, il fut envoyé par le pape Eugène III comme légat dans le Midi de la France pour y combattre Henri de Lausanne. Il mourut en 1148 (cf. *Vp* IV, 21, *infra*, p. 166, l. 21-22).

Prédication de Bernard à Toulouse et dans sa région **17.** Dans cette conjoncture critique, l'homme saint entreprit le voyage[1], après avoir été sollicité déjà auparavant, à maintes reprises, par l'Église de cette région, et avoir été finalement persuadé et en même temps accompagné par le très révérend Albéric, évêque d'Ostie et légat du Siège apostolique[2]. Or, à son arrivée, il fut accueilli par le peuple du pays avec une ferveur incroyable, comme si *un ange* était descendu *du ciel*[a]. Il ne put guère demeurer chez eux, parce que personne ne pouvait contenir les foules qui accouraient : si grande était l'affluence de ceux qui venaient jour et nuit, de ceux qui demandaient une bénédiction, de ceux qui imploraient de l'aide.

Il prêcha néanmoins pendant quelques jours dans la ville de Toulouse et dans les autres lieux que ce malheureux[3] avait fréquentés davantage et plus gravement infectés, instruisant beaucoup de gens simples dans leur foi, affermissant ceux qui hésitaient, ramenant ceux qui s'égaraient, relevant ceux qui étaient tombés, poursuivant et réprimant par son autorité les agitateurs et les obstinés, si bien qu'ils n'osaient plus, je ne dis pas lui résister, mais même se tenir en sa présence et se montrer. Au reste, même si alors cet Henri s'enfuit et se cacha, les voies lui furent cependant barrées et *les chemins fermés*[b], si bien que, n'étant plus en sécurité nulle part, il

---

Voir *Opere di san Bernardo*, t. 6/2, n. 1 à la *Lettre* 219, p. 24-25 ; la notice « Albéric » par U. ROUZIÈS, *DHGE* 1, 1912, col. 1408-1409. Plusieurs lettres de Bernard sont adressées à Albéric, à l'occasion de diverses circonstances : *Ep* 219 ; 230-232 ; 527 (*SBO* VIII, respectivement p. 80-82 ; 100-104 ; 493).

3. Le moine Henri.

traderetur. In quo itinere plurimis etiam signis in servo suo
20 glorificatus est Deus, aliorum corda ab erroribus impiis
revocans, aliorum corpora a languoribus variis sanans.

18. Est locus in regione eadem, cui Sarlatum nomen est,
ubi sermone completo plurimos ad benedicendum panes,
sicut ubique fiebat, *Dei famulo*[a] offerebant. Quos ille elevata
manu et signo crucis edito in Dei nomine benedicens : « In
146 5 hoc, inquit, | scietis quia vera esse quae a nobis, falsa quae
ab haereticis suadentur, si infirmi vestri gustatis panibus
istis adepti fuerint sospitatem. » Timens autem venerabilis
episcopus Carnotensium magnus ille Gaufridus, (siquidem
praesens erat et proximus *viro Dei*[b]) : « Si bona », inquit,
10 « fide sumpserint, sanabuntur ». Cui pater sanctus de
Domini virtute nil haesitans : « Non hoc ego dixerim »,
ait, « sed vere qui gustaverint, sanabuntur : ut proinde veros
nos et veraces Dei nuntios esse cognoscant ». Tam ingens
multitudo languentium gustato eodem pane convaluit,
15 ut per totam provinciam verbum hoc divulgaretur, et vir
sanctus per vicina loca regrediens ob concursus intolerabiles
declinaverit et timuerit illo ire.

---

18. a. 2 Ch 1, 3　　b. Cf. 1 S 9, 6 et //

1. On ne sait rien sur la fin d'Henri. Comme l'écrit M. Zerner dans
son introduction au traité de Guillaume Monachi cité *supra*, p. 68-69,
n. 1 : « Henri disparaît de l'horizon après le voyage de Bernard dans le
Midi (*ibid.*, p. 46). »

2. Aujourd'hui Sarlat-la-Canéda, dans le département de la Dordogne.

fut enfin capturé, enchaîné et livré à l'évêque[1]. Pendant
ce voyage, Dieu fut aussi glorifié dans son serviteur par
des prodiges en grand nombre, car il ramena les cœurs des
uns de leurs erreurs impies, et guérit les corps des autres de
diverses maladies.

18. Il est dans cette même région un lieu
nommé Sarlat[2], où, une fois la prédication terminée, les gens présentaient *au serviteur de Dieu*[a]
beaucoup de pains à bénir, comme cela se faisait

Miracle des pains bénits (margin)

partout. Lui, ayant levé la main et tracé le signe de la croix,
les bénit au nom du Seigneur en disant : « À cela vous
reconnaîtrez que nos paroles vous proposent la vérité, et
celles des hérétiques l'erreur : si vos malades, après avoir
goûté de ces pains, recouvrent la santé. » Alors, saisi de
crainte, le vénérable évêque de Chartres, le grand Geoffroy[3]
(car il était présent et tout près *de l'homme de Dieu*[b]), déclara :
« S'ils les mangent avec une foi sincère, ils seront guéris. »
À quoi le père saint, ne doutant point de la puissance du
Seigneur, répliqua : « Ce n'est pas cela que j'ai dit, mais
bien que ceux qui en goûteront seront guéris, afin qu'ils
connaissent par là que nous sommes les vrais et véridiques
messagers de Dieu. » Si grande fut la multitude des malades
qui se rétablirent après avoir goûté de ce pain, que le bruit
s'en répandit dans toute la province et que l'homme saint,
passant à son retour par des lieux voisins, fit un détour et
craignit de se rendre là-bas, à cause du concours exorbitant
des foules.

---

3. Voir *Vp* II, 4 (*SC* 619, p. 384-387 et p. 386-387, n. 1). Geoffroy de
Lèves accompagnait Bernard et le cardinal légat Albéric dans leur voyage
à travers le Midi de la France.

19. Celeberrimum sane miraculum quod per famulum suum in partibus Tolosanis Christus exhibuit, paralytici cuiusdam clerici curatio fuit. Hunc in domo regularium clericorum sancti Saturnini, quorum unus ipse erat, ad
5 petitionem abbatis et fratrum visitans *homo Dei*[a], moribundum invenit hominem, qui extremum spiritum trahere videretur. Consolatus itaque miserum et data benedictione egrediens, sicut postea confessus est, loquebatur in corde suo *fidelis servus*[b] ad Dominum tam fiducialiter
10 quam fideliter dicens : « Quid exspectas, Domine Deus ? *Generatio haec signa quaerit*[c]. Alioquin minus apud eos nostris proficimus verbis, nisi abs te fuerint *confirmata sequentibus signis*[d]. »

Eadem hora exsiliit *paralyticus de grabato*[e], et accurrens
15 secutus et consecutus est eum, sacra vestigia devotione qua debuit amplexatus. Cui subito procedenti obvians ex concanonicis unus expavit et *exclamavit*, siquidem *phantasma putabat*[f]. Quando enim de lectulo eum crederet surgere potuisse ? Egressam magis a corpore eius animam phantas-
20 matice sibi apparuisse arbitratus aufugit. Sed ipsa demum tam ei quam ceteris, rei veritas fidem fecit. *Egreditur exinde*

---

19. a. Cf. Dt 33, 1 et //   b. Mt 24, 45   c. Lc 11, 29 ≠   d. Mc 16, 20 ≠
e. Ac 9, 33 ≠   f. Mc 6, 49 ≠ ; cf. Mt 14, 26

1. Geoffroy raconte ce miracle également dans sa *Lettre à Archenfroy*, 7 (*PL* 185, 413A-C): cf. *Vp* III, 17 (*supra*, p. 72).

2. Dans la recension B, Geoffroy a précisé : « dans la ville de Toulouse » et, peu après, « le visitant à l'entrée de la nuit ».

**Guérison d'un
clerc paralytique
à Toulouse**[1]
19. Le miracle assurément le plus célèbre
que le Christ accomplit par son serviteur
dans la région de Toulouse[2] fut la guérison
d'un clerc paralytique. *L'homme de Dieu*[a],
le visitant à la prière de l'abbé et des frères dans la maison
des clercs réguliers de Saint-Saturnin[3], dont cet homme
faisait partie, le trouva moribond et, apparemment, sur le
point de rendre son dernier souffle. Ainsi, après avoir consolé
le malheureux et lui avoir donné sa bénédiction, *le fidèle
serviteur*[b] de Dieu, en sortant, parlait dans son cœur au
Seigneur, comme il l'avoua plus tard, lui disant avec une
confiance égale à sa foi : « Qu'attends-tu, Seigneur Dieu ?
Cette génération demande des signes[c]. Sans quoi, nous
n'obtiendrons qu'un maigre résultat auprès d'eux par nos
paroles, si celles-ci ne seront pas *confirmées* de ta part *par les
signes qui vont les suivre*[d]. »

À la même heure, *le paralytique* bondit *de son grabat*[e],
suivit Bernard en courant et le rejoignit, baisant avec la
ferveur qui s'imposait la trace de ses pas sacrés. Un de ses
frères chanoines le rencontra pendant qu'il s'avançait en
hâte ; il eut peur et *se mit à crier*, car *il pensait que c'était un
fantôme*[f]. En effet, comment aurait-il cru que le moribond
pût se lever de sa couche ? Bien plutôt, pensant que son âme
sortie du corps lui était apparue sous la forme d'un fantôme, il s'enfuit. Mais la vérité même des faits se fit enfin
reconnaître, tant de lui que des autres. *Le bruit s'en répand*

---

3. La basilique de Saint-Saturnin (ou Saint-Sernin), desservie à l'époque
par une communauté de chanoines réguliers. Sur le passage de saint Bernard
à Toulouse, voir PASSERAT, « La venue », p. 27-37.

sermo inter fratres[g], curritur ad spectaculum tam iucundum ;
ipse etiam inter primos accurrit episcopus et legatus.

25 Inde pergitur ad ecclesiam, eo ipso qui convaluerat
praeeunte, conclamatur in laudes Dei, eodem pariter
concinente, ruit undique populus, benedicitur Christus,
triumphat fides, infidelis quisque confunditur, exsultat pietas
147 et impietas contabescit. Porro *vir* | *Dei*[h] cellam ubi manebat
ingressus, diligenter omnes observari aditus, obserari ianuas
30 iubet, ne quis pateat accessus populo concurrenti.

Sane is quidem Bernardus, qui sanus factus est (hoc
enim clerico nomen erat), corporali beneficio non ingratus,
magisque sollicitus pro remedio spirituali, secutus est *ser-*
vum Christi[i], monasticum in Claravalle ordinem profitens
35 et habitum sumens. A quo etiam missus ad partes iterum
Tolosanas, et abbas illic constitutus hodieque monasterio
praeest, quod Vallis Aquae vocatur.

20. Cum autem per totum ab eadem provincia reditum
viri sancti magis magisque signa crebrescerent et multi-
plicarentur in dies, non praetereundum quidnam ipse
inter haec animi gereret, qui *a Christo humilitatem cordis*
5 et mansuetudinem *didicisset*[a]. Disputans enim secum in
cogitationibus suis et *ex* ipsa demum *locutus abundantia*

---

g. Jn 21, 23 ≠   h. Cf. 1 S 9, 6 et //   i. Rm 1, 1 ≠ ; Col 4, 12 ≠
20. a. Mt 11, 29 ≠

---

1. Albéric, cardinal-évêque d'Ostie : cf. *Vp* III, 17 (*supra*, p. 70-71, n. 2).

alors parmi les frères[g] ; on accourt à ce spectacle si agréable ; l'évêque lui-même et le légat[1] accourent parmi les premiers.

De là on se dirige vers l'église, celui-là même qui avait recouvré la santé marche en tête ; on chante les louanges de Dieu, et le clerc guéri se joint lui aussi aux chants ; le peuple se précipite de toutes parts, on bénit le Christ ; la foi triomphe, tous les infidèles sont confondus ; la piété exulte et l'impiété dépérit. Puis *l'homme de Dieu*[h], entré dans la cellule où il demeurait, ordonne que tous les accès en soient gardés avec soin, que toutes les portes en soient fermées, afin qu'aucune entrée ne reste ouverte au peuple qui affluait en masse.

Quant à ce Bernard qui recouvra la santé (tel était en effet le nom du clerc), nullement ingrat pour le bienfait corporel reçu, mais plus soucieux de la guérison spirituelle, il suivit *le serviteur du Christ*[i], faisant profession monastique et prenant l'habit à Clairvaux. Envoyé de nouveau par le saint dans la région de Toulouse, et institué comme abbé là-bas, il gouverne aujourd'hui encore le monastère qui s'appelle Val d'Eau[2].

Bernard s'interroge au sujet de ses miracles **20.** Or, pendant que l'homme saint revenait de ladite province, comme les miracles devenaient toujours plus fréquents et se multipliaient de jour en jour tout au long de sa route, il ne faut pas passer sous silence les sentiments qu'il éprouvait en son âme au milieu de tout cela, lui qui *avait appris du Christ l'humilité du cœur*[a] et la mansuétude. Car, discutant avec lui-même dans ses pensées et *s'exprimant* enfin

---

2. Abbaye non identifiée. Cf. Passerat, « La venue », p. 34 et n. 32. La conclusion de ce chap. 19 *(Sane is quidem Bernardus… Vallis Aquae vocatur)* a été supprimée dans la recension B.

cordis [b] sui, domesticis sibi religiosis quibusdam fratribus aiebat : « Plurimum miror quidnam sibi haec miracula velint, aut quid visum sit Deo talia actitare per talem. Nihil mihi
10 videor in sacris paginis super hoc genere legisse signorum. Siquidem facta sunt aliquando signa per sanctos homines et perfectos, facta sunt et per fictos. Ego mihi nec perfectionis conscius sum, nec fictionis. Scio enim sanctorum mihi non suppetere merita, quae miraculis illustrentur. Confido
15 autem nec ad eorum sortem me pertinere, qui *virtutes multas in nomine Domini operantur* [c] et a Domino ignorantur [d]. »

Haec et huiusmodi crebrius secretiusque cum viris spiritualibus conferebat. Novissime vero opportunum sibimet visus exitum repperisse : « Scio », inquit, « huiusmodi
20 signa non ad sanctitatem unius, sed ad multorum spectare salutem, nec Deum in homine, per quem talia operetur, perfectionem considerare sed opinionem, ut in eo commendet hominibus, quae illi creditur inesse virtutem. Neque enim pro eis fiunt haec per quos fiunt, sed pro eis magis qui vident
25 illa vel sciunt. Nec eo fine per eos ista Dominus operatur, ut ipsos probet ceteris sanctiores, sed ut ceteros magis amatores et aemulatores faciat sanctitatis. Nihil ergo mihi et signis istis : quandoquidem meae illa famae magis quam vitae noverim exhiberi, nec ad meam fieri commendationem, sed
30 ad commonitionem potius aliorum. »

b. Lc 6, 45 ≠   c. Mt 7, 22 ≠   d. Cf. Mt 7, 23

de l'abondance de son cœur[b], il disait à certains moines ses frères, qui étaient plus proches de lui : « Je me demande avec le plus grand étonnement ce que signifient ces miracles, et pourquoi il a paru bon à Dieu d'accomplir de telles choses par l'intermédiaire d'un homme tel que moi. Il me semble que je n'ai rien lu dans les saintes Écritures à propos de ce genre de signes. Certes, parfois, des signes ont été accompli par des hommes saints et parfaits ; ils ont été aussi accompli par des imposteurs. Quant à moi, j'ai conscience que je suis éloigné tant de la perfection que de l'imposture. Car je sais que je ne possède pas les mérites des saints, mérites qui soient dignes d'être magnifiés par des miracles. Mais j'ai la confiance que je n'appartiens pas non plus à cette sorte d'hommes qui *accomplissent beaucoup de prodiges au nom du Seigneur*[c] et qui sont ignorés du Seigneur[d]. »

De ces choses et d'autres semblables il s'entretenait bien souvent et de façon confidentielle avec des hommes spirituels. À la fin, il lui sembla avoir trouvé une issue satisfaisante à cette impasse : « Je sais, dit-il, que de tels signes ne concernent pas la sainteté d'un seul homme, mais le salut de plusieurs, et que dans l'homme, par qui pareilles choses s'accomplissent, Dieu considère non pas tant sa perfection que l'opinion qu'on a de lui, afin de recommander ainsi aux hommes la vertu qu'on croit être en lui. En effet, ces signes se font, non pour ceux par qui ils se font, mais plutôt pour ceux qui les voient ou viennent à les connaître. Et Dieu n'opère pas ces signes dans le but de prouver que ceux par qui il les opère sont plus saints que les autres, mais pour inspirer aux autres plus d'amour et de zèle pour la sainteté. Je n'ai donc rien à voir avec ces signes, puisque je sais qu'ils sont dus à ma renommée plus qu'à ma vie, et qu'ils ne se produisent pas pour me valoriser, mais pour instruire les autres. »

Satis, ni fallor, huius viri mirabitur animum quisquis haec diligenti consideratione pensaverit, nec praestantius reputabit aestimator quisque fidelis, *signa atque prodigia*[e] mirabiliter | operari quam perpetrata taliter interpretari. Sibi quoque non minus utile iudicabit imitandos eius affectus quam mirandos actus, et morum insignia quam operum signa cognoscere. Sed *ad haec quis idoneus*[f] ?

21. In huius siquidem pectore *viri Dei*[a], pari foedere puritas suavitasque consederant, satis quidem utraque mirabilis, sed mirabilior utriusque complexus. Inde nimirum tam singulariter in unum hominem totius orbis vota pariter concurrebant, quod puritatem suavitas amabilem faceret, suavitatem puritas acceptabilem, ut difficile fuerit aestimare gratiaene an reverentiae amplius obtineret. Quis enim tam rigidae conversationis, qui Claraevallensem non sublimiter revereretur abbatem ? Quis tam dissolutae, qui non erga eumdem dulciter afficeretur ? Dulcissimis enim affectibus plenum pectus ipse gerebat. Sed quam libere eos, quoties causa posceret, coercebat, humanissimus in affectione, magis tamen *fortis in fide*[b].

Et ut breve aliquod huius rei proferamus exemplum, sicut ipse quoque testatur in *Sermone super Cantica canticorum* vicesimo sexto, siccis oculis germani sui, et germani

e. Ac 5, 12 ≠   f. 2 Co 2, 16 ≠
21. a. Cf. 1 S 9, 6 et //   b. 1 P 5, 9 ≠

1. Ce sermon est la célèbre complainte de Bernard sur la mort de son

Si je ne me trompe, quiconque pèsera ces paroles avec un soin attentif admirera comme il se doit l'esprit de cet homme, et tout juge objectif estimera qu'opérer de façon si admirable *signes et prodiges*[c] n'est pas chose plus excellente que de les interpréter de la sorte, après les avoir accomplis. Et encore, il ne croira pas moins utile pour lui-même d'imiter les sentiments de Bernard que d'admirer ses actions, et de connaître ses mœurs remarquables que de savoir ses œuvres prodigieuses. Mais *de cela, qui serait capable*[f] ?

Rayonnement de Bernard. Son austérité et sa douceur 21. Dans le cœur de cet *homme de Dieu*[a], la pureté et la douceur avaient d'un commun accord établi leur demeure, l'une et l'autre assurément bien admirables, mais plus admirable encore leur union. De là vient sans aucun doute que les louanges du monde entier se concentraient toutes ensemble sur un seul homme d'une façon si singulière ; car la douceur rendait la pureté aimable, et la pureté rendait la douceur agréable, si bien qu'il eût été difficile d'estimer s'il obtenait plus de faveur que de respect. Quel était en effet l'homme d'une vie si austère qu'il n'eût pour l'abbé de Clairvaux la plus haute vénération ? Quel était l'homme d'une vie si dissolue qu'il n'éprouvât pour lui une douce affection ? Car il avait lui-même un cœur rempli des affections les plus douces. Mais avec quelle liberté il les maîtrisait, chaque fois qu'un juste motif l'exigeait ! Très humain dans ses affections, il était cependant plus *fort dans la foi*[b].

Pour en donner un exemple en peu de mots, citons ce qu'il affirme lui-même dans le vingt-sixième *Sermon sur le Cantique des Cantiques*[1]. Ce fut les yeux secs qu'il célébra

---

frère bien-aimé Gérard (13 octobre 1138). Cf. GEOFFROY D'AUXERRE, *Fr* I, 40 (*SC* 548, p. 150-151).

tam necessarii, tam dilecti, Gerardi videlicet, celebravit
exsequias, siccis oculis corpus eius tradidit sepulturae, ne
affectus fidem vincere videretur. Nam extraneum quemlibet
20   vix aut numquam sine lacrimis sepelivit. Talem sibi illum
uberius perinde fructificaturum manus divina formaverat,
ut austeritatem suavitas morum tolleret, auctoritatem sanctitas conservaret. Cui enim vel tanta benignitas esset oneri,
vel tanta bonitas non esset honori ? Legimus de *Salomone*
25   quod *omnis terra desideravit* videre *vultum illius*[c]. Grande
praeconium, sed forsitan in hac parte *non minus quam
Salomon hic*[d]. Neque enim satis credibile est *Salomonem
illum in omni gloria sua*[e] tam universalem orbis obtinuisse
favorem, quam hunc in sua humilitate. Immo vero difficile
30   omnino videretur ex historiis aliquibus invenire hominem
unum, *conversantem* adhuc *cum hominibus*[f], in universa
149   terra tam cele|bre et amabile obtinuisse nomen *a solis ortu
et occasu, ab aquilone et mari*[g].

22. Ut enim illas memoremus provincias, ex quibus
usque hodie monumenta certiora superesse noscuntur, et
in Ecclesia orientali, et apud soles occiduos Hibernorum,
et a meridie in remotissimis finibus Hispaniarum, et ab

c. 1 R 10, 24 ≠   d. Mt 12, 42 ≠   e. Mt 6, 29 ≠   f. Ba 3, 38 ≠
g. Ps 106, 3 ≠

1. Cf. *SCt* 26, 3 (*SC* 431, p. 282, l. 9-12) : « Tandis que les autres pleuraient, moi, comme vous avez pu le remarquer, j'ai suivi le morne convoi
sans une larme *(siccis oculis)*. Je me suis tenu, les yeux secs *(siccis oculis)*, près
de la tombe, jusqu'à ce que toutes les cérémonies de l'enterrement fussent
achevées. » Geoffroy n'évoque pas la suite du sermon, où Bernard épanche
sa douleur, trop longtemps contenue, en des accents vibrants d'affection
et de tendresse, jusqu'au cri final (*SCt* 26, 9, *ibid.*, p. 300, l. 16-19 ; 10,

les funérailles de son frère, et d'un frère tellement nécessaire, tellement aimé, c'est-à-dire Gérard ; les yeux secs qu'il livra son corps à la tombe[1], pour que l'affection ne parût pas vaincre la foi. À peine, en effet, pouvait-il enterrer sans larmes un étranger, quel qu'il fût, ou plutôt cela ne lui arriva jamais. La main divine l'avait si bien façonné pour produire des fruits plus abondants, que la douceur de ses mœurs en effaçait l'austérité, et la sainteté en entretenait le prestige. À qui en effet une si grande bienveillance aurait-elle été à charge ? Qui n'aurait eu de la considération pour une si grande bonté ?

Nous lisons de *Salomon* que *toute la terre désira* voir *son visage*[c]. Grand éloge ; mais peut-être à ce propos *n'y a-t-il pas ici moins que Salomon*[d]. Car il n'est guère croyable que *Salomon, dans toute sa gloire*[e], ait obtenu la faveur universelle du monde autant que celui-ci l'obtint dans son humilité. Bien plus, il paraîtrait extrêmement difficile de trouver, dans telle ou telle histoire, un seul homme qui, *pendant qu'il vivait* encore *parmi les hommes*[f], ait obtenu par toute la terre un nom si célèbre et si chéri, *de l'orient à l'occident, du nord à la mer*[g].

Humilité de Bernard au milieu des louanges

22. Car, pour ne rappeler que les provinces d'où l'on sait que sont venus des témoignages sûrs et qui subsistent jusqu'à présent, sa réputation fut très illustre dans l'Église d'Orient et chez les Irlandais où le soleil se couche, au sud dans les territoires les plus reculés de l'Espagne et au

---

p. 302, l. 1) : « J'ai avoué mon affection, je ne l'ai pas niée. Quelqu'un dira qu'elle est charnelle ? Je ne nie pas qu'elle est humaine, comme je ne nie pas que je suis homme. Si cela ne suffit pas encore, j'avouerai même qu'elle est charnelle [...] Pardonnez-moi, mes fils, ou plutôt, si vous êtes vraiment mes fils, plaignez le sort de votre père. »

5   aquilone in insulis quae procul sunt Daciae Sueciaeque,
celeberrima eius opinio fuit. Crebras undique recipiebat
epistolas et reddebat. Undique ei xenia mittebantur ; undique
eius benedictio petebatur.

Postremo quasi vitis abundantissima *suos* undique *pal-*
10 *mites propagavit*[a], excepto quod in terram Ierosolymitanam,
quamvis locus esset a rege paratus, ob incursus paganorum
non acquievit mittere fratres suos. Neque vero episcopus ille
incongruum aliquid usurpasse videtur, qui post sacrum eius
obitum, dum fratres consolaretur, inter cetera hoc quoque
15 in ipsius prosecutus est laudem, quia *in omnem terram exivit*
sonus eius et in fines orbis terrae verba illius[b].

Vincebat tamen sublimitatem nominis humilitas cordis.
Nec tantum poterat universus eum mundus erigere, quantum
se ipse deicere solus. Summus reputabatur ab omnibus,
20 infimum ipse se reputans, et quem sibi omnes, ipse se
nemini praeferebat. Denique sicut nobis saepius fatebatur,
inter summos quosque honores et favores populorum vel
sublimium personarum, alterum sibi mutuatus hominem
videbatur, seque potius reputabat absentem, velut quoddam

---

22. a. Ps 79, 12 ≠   b. Ps 18, 5 ≠

1. Cf. *Vp* IV, 25 (*infra*, p. 174-177).

2. Dans la recension B, Geoffroy a ajouté une précision : « et de l'insa-
lubrité de l'air *(et aeris intemperiem)* ».

3. Aux environs de 1130, Baudouin II, roi de Jérusalem, offrit à Bernard
un terrain voisin de la ville sainte sur le *Mons Gaudii* (aujourd'hui Nabi
Sâmwil), près de l'antique tombeau du prophète Samuel, pour la fondation d'une abbaye cistercienne (cf. la *Lettre* 175 de Bernard à Guillaume
de Messines, patriarche de Jérusalem, *Opere di san Bernardo*, t. 6/1,
p. 736-738, avec la n. de F. GASTALDELLI). Le roi lui envoya en même
temps mille écus d'or, pour financer la construction du monastère. Mais
Bernard déclina l'offre et transmit la proposition du roi, ainsi que la somme

nord dans les îles les plus lointaines du Danemark et de la Suède[1]. Il recevait de partout de fréquentes lettres et y répondait. De partout on lui envoyait des cadeaux; de partout on demandait sa bénédiction.

Enfin, comme une vigne très luxuriante, *il propagea* partout *ses sarments*[a], sauf qu'il ne consentit pas à envoyer ses frères dans le territoire de Jérusalem à cause des incursions des païens[2], bien que le roi du pays y eût déjà fait préparer un lieu[3]. Vraiment, il ne semble pas s'être approprié une parole déplacée, cet évêque[4] qui, après la sainte mort de Bernard, tandis qu'il consolait les frères, ajouta à d'autres mots celui-ci encore à sa louange : *Sa voix s'est répandue par toute la terre, et ses paroles jusqu'aux limites du monde*[b].

Pourtant, l'humilité de son cœur surpassait l'éclat de son nom. Le monde entier ne pouvait l'élever autant qu'il se rabaissait lui-même – et il était seul à le faire. Il était regardé par tous comme le premier, alors que lui se regardait comme le dernier; et celui que tous préféraient à eux-mêmes ne se préférait lui-même à personne. Bref, comme il nous l'avouait très souvent, au milieu de tous les honneurs et les faveurs insignes que lui prodiguaient les peuples et les personnages les plus haut placés, il lui semblait qu'on le prenait pour un autre homme; quant à lui, il se considérait plutôt comme absent, supposant qu'il s'agissait d'un songe. En revanche, lorsque des

---

reçue, aux prémontrés (voir sa *Lettre* 253, 1 à Hugues de Fosses, abbé de Prémontré, *Opere di san Bernardo*, t. 6/2, p. 158-161). Ceux-ci acceptèrent et se présentèrent en 1141 à Mélisende, reine de Jérusalem, munis d'une lettre de recommandation de Bernard (*Ep* 355, voir *Opere di san Bernardo*, t. 6/2, p. 412-414, avec la n. de F. GASTALDELLI). Cf. aussi DIMIER, « Les fondations manquées », p. 6-7.

4. Personnage non identifié.

25 somnium suspicatus. Ubi vero simpliciores ei fratres, ut
assolet, fiducialius loquerentur et amica semper liceret
humilitate frui, ibi se invenisse gaudebat et in propriam
redisse personam. Innata ei a puero verecundia usque ad diem
perseveravit extremum. Inde erat quod licet tam magnus
30 esset, et excelsus in verbo gloriae, numquam tamen (sicut
saepe eum audivimus protestantem) in quamlibet humili
coetu sine metu et reverentia verbum fecit, tacere magis
desiderans, nisi conscientiae propriae stimulis urgeretur,
timore Dei, caritate fraterna.

23. Patientiam eius maxime quidem flagellis dominicis
exercitatam novimus et probatam. Quae nimirum ab ipso
150 suae conver|sionis initio usque ad diem sacrae depositionis
tanta sustinuit, ut vita eius, his qui noverant, nonnisi quae-
5 dam mortis protelatio videretur. Ceterum erga homines
quoque, etsi rarior ei occasio, minora forsitan patientiae
potuit experimenta praestare, dicendum tamen vel breviter, ne huius quidem apparuisse eum virtutis immunem.
Et quia genus hoc patientiae solitus erat dicere tripartitum,
10 videlicet ıd verborum iniurias, ad damna rerum, ad corporis
laesioner ı, de singulis saltem singula proponamus exempla,
quae intc rim nobis occurrunt.

---

1. Cf. *Vp* I, 3 (*SC* 619, p. 180, l. 14) : *Ultra quam credi possit verecundus* ;
de même *Fr* II, 4 (*SC* 548, p. 79).

2. Allusion à la santé délabrée de Bernard. Cf. *Vp* I, 22 (*SC* 619, p. 234-
235 et n. 2).

frères plus simples lui parlaient en toute confiance, comme il arrive d'ordinaire, et qu'il lui était permis de jouir de son humilité toujours chérie, il se réjouissait alors de s'être retrouvé lui-même et d'avoir recouvré sa propre personne. Sa réserve, innée en lui depuis son enfance[1], persista jusqu'à son dernier jour. De là venait que, bien qu'il fût si grand et si éminent par la gloire de sa parole, cependant (comme nous l'avons souvent entendu le déclarer) jamais il ne prit la parole sans appréhension et sans retenue dans une assemblée, si humble fût-elle, préférant se taire, à moins qu'il ne fût pressé par les aiguillons de sa propre conscience, par la crainte de Dieu et par la charité fraternelle.

Patience de Bernard au milieu des épreuves. Sa réponse à Josselin, évêque de Soissons

23. Quant à sa patience, nous savons combien elle a été cruellement exercée et éprouvée par les tribulations que lui a envoyées le Seigneur. Oui, depuis le début même de sa vie monastique jusqu'au jour de sa sainte mort, il en endura de si grandes que, pour ceux qui le connaissaient, son existence ne semblait, pour ainsi dire, qu'une mort différée[2]. D'autre part, à l'égard des hommes aussi, bien qu'il en eût plus rarement l'occasion, il put donner des preuves de patience, moins éclatantes peut-être ; il faut dire cependant, fût-il en peu de mots, qu'alors non plus il ne se montra pas dénué de cette vertu. Et puisqu'il avait coutume de dire que ce genre de patience comportait trois espèces, à savoir : supporter des paroles injurieuses, des pertes matérielles, des blessures corporelles, pour chacune des trois citons au moins un exemple, le premier qui nous vient à l'esprit.

Scripserat aliquando *Dei famulus*[a] ad episcopum aliquem de curia et consilio regis, monens eum super quibusdam
15   verbis regi suadere et consulere meliora. At ille vehementer exacerbatus amarissimam ei reddidit epistolam, dicens in ipsa salutatione prima : « Salutem, et non *spiritum blasphemiae*[b] », tamquam videlicet vir sanctus (quod horror est dicere) ex *blasphemiae spiritu* illa scripsisset. Ad quod
20   verbum mansuetissimus *Christi servus*[c], memor dominicae responsionis : *Ego daemonium non habeo*[d] (sicut hodieque exstans eius epistola continet) : « Minime quidem », ait, « *spiritum blasphemiae* habere me credo, sed nec maledixisse cuiquam aut maledicere velle me scio, praesertim
25   principi populi mei ». Nec minus postea carum nec minus familiarem eumdem episcopum habuit, sed elogium illud praedictum sic fuit quasi non dictum.

24. Abbas Farfensis conventum fratrum a Claravalle vocaverat, monasterium eis aedificaturus. Sed Romanus impedivit

---

23. a. 2 Ch 1, 3 ≠   b. Mt 12, 31 ≠   c. Ga 1, 10 ; Jc 1, 1 ; Jd 1
d. Jn 8, 49

1. Josselin de Vierzy, évêque de Soissons (cf. *Vp* I, 67, *SC* 619, p. 346-349 et p. 348, n. 1). Dans le contexte de la guerre entre le roi de France Louis VII et le comte Thibaud IV de Champagne (cf. *Vp* II, 54-55, *SC* 619, p. 524-529 et p. 524-525, n. 1), Bernard adressa à Josselin et à Suger abbé de Saint-Denis une lettre fort âpre (*Ep* 222, *SBO* VIII, p. 86-89), en les accusant de donner au roi de mauvais conseils. La réponse de Josselin fut très dure : il reprocha à Bernard d'avoir écrit sous l'inspiration d'un « esprit de blasphème ». Dans sa *Lettre* 223, citée ici par Geoffroy, Bernard présente à Josselin ses excuses et cependant l'invite à admonester le jeune roi Louis VII, qui se comporte comme un tyran (*Ep* 223, *SBO* VIII, p. 89-90 ; *Opere di san Bernardo*, t. 6/2, p. 42-44, avec la n. de F. GASTALDELLI).

2. Le texte cité par Geoffroy (*Ep* 223, 1, *SBO* VIII, p. 89, l. 12-14) présente quelques variantes – minimes – par rapport à celui de l'édition critique.

Un jour, *le serviteur de Dieu*[a] avait écrit à un évêque[1], membre de la cour et du conseil du roi, l'avertissant, à propos de certaines paroles, de donner au roi des avis et des conseils meilleurs. Or ce prélat, violemment irrité, lui répondit par une lettre très amère, qui disait dans la salutation du début : « Salut, et non *esprit de blasphème*[b] », comme si l'homme saint (c'est une horreur de le dire) lui avait écrit dans *un esprit de blasphème*. À cette parole, le très doux *serviteur du Christ*[c], se souvenant de la réponse du Seigneur : *Je ne suis pas possédé du démon*[d], répliqua ceci, ainsi que le contient sa lettre qui existe encore aujourd'hui : « J'estime que je n'ai pas du tout *un esprit de blasphème*, et je sais que non seulement je n'ai dit du mal de personne, mais que je n'ai la moindre intention de le faire, surtout en ce qui concerne un prince de mon peuple[2]. » Dans la suite, il ne chérit pas moins ledit évêque, et ne le traita pas avec moins d'amitié ; l'accusation dont nous venons de parler fut comme si elle n'avait jamais été prononcée.

Bernard et l'abbé de Farfa **24.** L'abbé de Farfa[3] avait demandé à Clairvaux d'envoyer une communauté de frères, dans l'intention de leur construire un monastère. Mais le pontife romain empêcha le projet et, les

3. Ancienne et illustre abbaye bénédictine située en Sabine, environ 50 km au nord-est de Rome. Voir la notice « Farfa » par I. TASSI, *DHGE* 16, 1967, col. 547-553. L'abbé ici évoqué par Geoffroy s'appelait Adenulfe (ou Atenulfe), élu abbé de Farfa le 9 février 1125. Lors du schisme de 1130, il embrassa tout de suite le parti d'Innocent II et le suivit dans son exil en France. Le pape le créa cardinal-diacre du titre de Sainte-Marie *in schola graeca* (Sainte-Marie *in Cosmedin*) en 1132. En France, il rencontra Bernard et devint son ami. En 1144 le pape Lucius II l'envoya comme son légat à Mayence auprès de l'empereur Conrad III ; dans cette conjoncture, Bernard écrivit la *Lettre* 448 (*SBO* VIII, p. 425) pour le recommander à un prince allemand dont le nom n'est pas précisé. Cf. *Opere di san Bernardo*, t. 6/2, p. 610-611, avec la n. de F. GASTALDELLI et la bibliographie citée à cet endroit. Une lettre de Bernard à Adenulfe (*Ep* 522, *SBO* VIII, p. 485) nous a été partiellement conservée.

Antistes et sibi tollens eos in loco altero ordinavit. Unde plurimum dolens praedictus ille vir magnus et magnae devotionis,
5   collectam pecuniam sexcentarum fere marcarum argenti
deposuit sub chirographo, quas ad *Dei hominem*[a] veniens
obtulit ei, rogans ut quod non meruerat in partibus suis, vel
citra Alpes novum exinde coenobium conderetur. Missum
est pro argento et totum prorsus amissum. Nec respondit
10   aliud *homo Dei*, cum ei nuntiaretur, quam : « Benedictus
Deus qui nobis pepercit ab onere. Nam et illis », inquit,
« qui abstulere, levius indulgendum. Sunt enim Romani, et
151   pecunia videbatur immanis ac vehemens fuit ista ten|tatio ».

Gratulari etiam consueverat decem circiter monasteria,
15   vel aedificandis monasteriis loca congrua numerans,
fraudulenter et violenter sibi ablata, dum contendere nollet,
et magis eum vinci quam vincere delectaret.

25. Veniens aliquando Claramvallem clericus quidam,
ex his quos regulares canonicos vocant, *importune* satis *ins-
tabat*[a] ut in monachum reciperetur. Suadente patre sancto
ut ad suam reverteretur ecclesiam, nec acquiescente recipere
5   eum : « Utquid ergo », ait ille, « in libris tuis tantopere

---

24. a. Cf. Dt 33, 1 et //
25. a. 2 Tm 4, 2 ≠

---

1. En octobre 1140, le pape Innocent II déplaça d'autorité au monastère
de Tre Fontane, le long de la *via Laurentina*, en dehors des murailles de
Rome, le groupe des moines que Bernard avait envoyés peu auparavant à
la fondation de Saint-Sauveur en Sabine à la demande de l'abbé Adenulfe
(voir *Vp* II, 48, *SC* 619, p. 504, n. 1). Bernard fut mis devant le fait accompli.

2. À partir du XIIe siècle, le mot *chirographum* désigne un acte sur
lequel sont écrits deux ou plusieurs exemplaires originaux d'une même
charte, séparés entre eux par une devise tracée en gros caractères (souvent

retenant pour lui-même, les installa dans un autre endroit[1].
Ledit abbé, homme grand et d'une grande ferveur, en fut
fortement chagriné et, ayant rassemblé une somme d'environ six cents marcs d'argent, la mit en dépôt contre une
charte-partie[2], vint trouver *l'homme de Dieu*[a] et lui offrit
cette somme, le priant de fonder, de l'autre côté des Alpes
du moins, le nouveau monastère qu'il n'avait pas mérité
d'obtenir dans ses contrées. On envoya chercher cet argent :
il était tout entier perdu. *L'homme de Dieu*, lorsqu'on le lui
annonça, ne répondit rien d'autre que ceci : « Béni soit
Dieu qui nous a épargné ce fardeau[3]. Car, dit-il, il faut aussi
pardonner avec plus de patience à ceux qui ont emporté cet
argent. Car ce sont des Romains, la somme leur paraissait
énorme et cette tentation fut trop forte[4]. »

Il avait aussi coutume d'énumérer environ dix monastères,
ou dix lieux propices à la construction de ces monastères, et
de se féliciter du fait qu'ils lui avaient été ravis avec fraude
et violence, puisqu'il ne voulait pas engager de procès et
aimait mieux être vaincu que de vaincre.

Bernard supporte un soufflet avec patience

25. Un jour, un certain clerc, de ceux qu'on
appelle chanoines réguliers, vint à Clairvaux,
et il *insistait* assez *mal à propos*[a] pour y être
reçu comme moine. Comme le père saint lui
conseillait de retourner dans sa communauté,
et ne consentait pas à le recevoir, il déclara : « Pourquoi
donc as-tu tant recommandé la perfection dans tes livres,

---

le mot *chirographum*), que l'on coupait par le milieu afin de remettre
un exemplaire de l'acte à chacun des contractants. Cf. BLAISE, *Lexicon*,
p. 173 ; *Lexicon des Mittelalters*, t. III, p. 1844-1845.

3. Cf. DIMIER, « Les fondations manquées », p. 8.

4. Cf. *Vp* II, 6 (*SC* 619, p. 392-393 et n. 1) à propos de l'avidité romaine.

perfectionem commendasti, si eam desideranti opem renuis
exhibere ? » Et *maligno spiritu* [b] iracundiae vehementius
instigatus, sicut postmodum evidenter apparuit, « Iam »,
inquit, « si illos tenerem, discerperem libros ». Cui vir

10 Domini : « Puto », ait, « in nullo eorum legisti non posse
te in tuo claustro esse perfectum. Morum correctionem,
non locorum mutationem, si bene memini, in libris omnibus commendavi ». Tum vero impetum faciens homo
velut insanus in eum, percussit maxillam eius, idque tam

15 graviter, ut succederet statim rubor ictui, tumor rubori.
Iam qui aderant in sacrilegum involabant. Sed praevenit
eos *servus Domini* [c] clamans et adiurans per nomen Christi
nullatenus eum tangere, sed educere caute et curam eius
habere, ne ab aliquo ei vel in aliquo noceretur. Quod tam

20 districte praecepit ut miser ille *timens et tremens* [d] absque
omni iniuria eductus sit et deductus.

26. Et quidem *in libertate spiritus* [a] *Dei famulus* [b] excellenter enituit, cum humilitate et mansuetudine tamen,
ut quodam modo videretur et vereri neminem et omnem
hominem revereri. Increpatione rarius utebatur, monitis

5 potius et obsecrationibus agens. Quam vero invitus, et non ex
cordis amaritudine verbum proferret amarum, ex eo maxime
animadvertebatur, quod perfacile eiusmodi impetum
cohiberet. Siquidem mirabatur hominum improbitatem,

---

b. Lc 8, 2 ≠   c. Dt 34, 5 et //   d. Mc 5, 33
26. a. 2 Co 3, 17 ≠   b. 2 Ch 1, 3 ≠

---

1. Bernard a explicité sa pensée sur la légitimité du *transitus* – le passage
d'un moine du monastère de sa profession à un autre – dans son traité *Le
précepte et la dispense* 44-51 (éd. F. CALLEROT *et al.*, *SC* 457, 2000, p. 245-
259). Cf. la bibliographie indiquée à la p. 248, n. 4.

si tu refuses de prêter secours à celui qui la désire ? » Et, violemment incité *par un mauvais esprit*[b] de colère, ainsi qu'il apparut avec évidence par la suite : « Maintenant, dit-il, si j'avais ces livres entre mes mains, je les déchirerais. » Ce à quoi l'homme du Seigneur répondit : « En aucun d'eux, je crois, tu as lu que tu ne peux être parfait dans ton cloître. Si j'ai bonne mémoire, dans tous mes livres j'ai recommandé la conversion des mœurs, non le changement de lieu[1]. » Alors l'homme, se jetant comme un fou sur lui, le frappa à la mâchoire avec une telle force, que la rougeur suivit aussitôt le coup, et l'enflure la rougeur. Déjà les présents se précipitaient sur le sacrilège. Mais *le serviteur du Seigneur*[c] les devança en s'écriant et en les adjurant au nom du Christ de ne le toucher d'aucune manière, mais de l'éconduire doucement et de veiller sur lui, afin que personne ne lui fasse du mal en quoi que ce soit. Il donna cet ordre avec une telle sévérité que ce malheureux, *craintif et tout tremblant*[d], fut emmené et éconduit sans recevoir le moindre outrage.

Délicatesse de Bernard dans ses réprimandes **26.** Assurément, *le serviteur de Dieu*[b] se distingua aussi d'une façon éclatante *par sa liberté d'esprit*[a], accompagnée cependant d'humilité et de douceur, si bien qu'il semblait, en quelque sorte, n'avoir peur de personne et avoir du respect pour tout homme[2]. Très rarement il avait recours aux réprimandes, préférant agir par les avertissements et les prières. La grande aisance avec laquelle il maîtrisait son emportement se remarquait surtout à ceci : c'était toujours malgré lui, et non par amertume du cœur, qu'il prononçait une parole amère. Car il s'étonnait de la

---

2. *Vereri neminem et omnem hominem revereri* : on ne peut qu'admirer la profondeur de cette pensée, exprimée au moyen d'une éblouissante figure de style (double rime et double paronomase disposées en chiasme).

quos aliquando forte turbatos, excusationem quamlibet
10 rationabilem, satisfactionem quamlibet humilem admittere
gravat, quod ipsa suae turbationis passio miseros sic delectet,
ut oderint omne remedium, ut contineant aures, claudant
oculos, obiciant manus et omnimodis satagant ne semel
orta commotio sedari valeat et sanari.

15 Eius tamen obiurgationem non minus facile aliquando
compescebat gravis et turbulenta responsio quam humilis
et modesta, ut ab aliquibus proinde diceretur cedenti insis-
tere, cedere resistenti. Dicebat enim, ubi resonat utrimque
152 mo|destia, dulce esse colloquium, ubi vel ex parte altera,
20 utile, ubi ex neutra, perniciosum. Ubi enim hinc inde duritia
sonat, iurgium est non correctio, nec disciplina sed rixa, ut
deceat magis interim dissimulare praelatum, et commo-
tione sanata, utilius castigare subiectos ; aut certe, si ita
res exigit, observare consilium sapientis, quia *stultus non*
25 *corrigitur verbis*[c].

Loquitur ipse de increpationibus minus utiliter, minus
patienter acceptis, in *Sermone super Canticum canticorum*
quadragesimo secundo, inter cetera dicens : « Utinam
neminem obiurgare necesse sit ! Hoc enim melius. Sed
30 quoniam *in multis offendimus omnes*[d], mihi tacere non
licet, cui ex officio incumbit *peccantes arguere*[e] ; magis
autem *urget caritas*[f]. Quod si arguero et fecero quod meum

---

c. Pr 18, 2 (RB)   d. Jc 3, 2   e. 1 Tm 5, 20 ≠   f. 2 Co 5, 14 ≠

1. Cf. *RB* 2, 77-78 (p. 25).

méchanceté des hommes qui, lorsqu'une fois ils ont été par hasard provoqués à la colère, ont du mal à accepter une excuse, quelque raisonnable qu'elle soit, et une satisfaction, si humble soit-elle, parce que la passion même de leur colère est si agréable à ces malheureux qu'ils haïssent tout remède, se bouchent les oreilles, ferment leurs yeux, se font un écran de leurs mains et mettent tout en œuvre pour que le trouble une fois excité ne puisse être ni calmé ni guéri.

Cependant, une réplique dure et violente arrêtait parfois sa réprimande non moins aisément que l'eût fait une réponse humble et mesurée, si bien que certains disaient dès lors qu'il insistait avec qui lui cédait et cédait avec qui lui résistait. Il disait en effet que l'entrevue est agréable quand il y a modération de part et d'autre ; qu'elle est utile, quand il y en a au moins d'un côté ; qu'elle est dangereuse, quand il n'y en a ni d'un côté ni de l'autre. Car, lorsque de part et d'autre il y a de la dureté, ce n'est plus une réprimande, mais une querelle ; ce n'est plus une leçon, mais une rixe, si bien qu'il vaut mieux que le supérieur laisse tomber pour l'instant et, une fois le trouble calmé, reprenne ses subordonnés avec plus de profit ; ou alors, si la situation l'exige, qu'il suive le conseil du sage : *Le sot ne se corrige pas par des paroles*[c][1].

Lui-même parle des réprimandes reçues avec impatience et peu de fruit, dans le quarante-deuxième *Sermon sur le Cantique des Cantiques*, en disant entre autres choses : « Si seulement nous n'avions jamais à faire de reproches à personne ! Ce serait beaucoup mieux. Mais puisque *à maintes reprises nous commettons tous des écarts*[d], je ne puis me taire, moi à qui il incombe, du fait de ma charge, de *reprendre ceux qui pèchent*[e] ; *la charité m'y presse*[f] bien plus que le devoir. Si donc je reprends quelqu'un, comme je le dois, et que la

est, illa autem procedens increpatio minime quod suum
est *faciat*, neque *ad quod misi illam*, sed *revertatur ad me*
35　*vacua*[g] tamquam iaculum feriens et resiliens, quid me
animi tunc habere putatis, fratres ? Nonne angor ? Nonne
torqueor ? Et ut mihi usurpem aliquid ex verbis Magistri,
quia de sapientia non possum : prorsus *coarctor e duobus,*
et quid eligam nescio[h] : placerene mihi in eo quod locutus
40　sum, quoniam quod debui feci, an paenitentiam agere
super verbo meo, quia quod volui non recepi ? »

Et infra : « Dicas forsitan mihi, quod bonum meum ad
me revertatur[i], et quia *liberavi animam meam*[j] et *mundus*
sum a sanguine[k] hominis, cui *annuntiavi et locutus sum*[l],
45　*ut averteretur a via sua* mala *et viveret*[m]. Sed etsi innumera
talia addas, me tamen minime ista consolabuntur, mor-
tem filii intuentem. Quasi vero meam illa reprehensione
liberationem quaesierim, et non magis illius ! Quae enim
mater, etiam si omnem quam potuit curam et diligentiam
50　aegrotanti filio adhibuisse se sciat, si demum se frustratam
viderit, et omnes labores suos esse penitus inefficaces, illo
nihil(minus moriente, propterea umquam a fletibus tem-
perav ? » Et haec hactenus.

27. De cetero tantus aemulator erat mansuetudinis et
pacis, ut si forte improbus quisque petitor durius extorsis-
153　set a negante[l] responsum, haud facile deinceps cum eadem
repulsa dimitteretur inanis. Siquidem velut naturaliter, ut

g. Is 55, 11 ≠　h. Ph 1, 23. 22 ≠　i. Cf. Is 55, 11　j. Jb 33, 28 ≠
k. Dn 13, 46 ≠ ; Ac 20, 26　l. Ps 39, 6　m. Ez 3, 18 ≠

1. Nous avons mis en minuscule le mot *Sapientia* de l'édition critique,
car nous pensons que le mot désigne ici la sagesse de saint Paul, et non le
Christ : d'où la traduction.

2. *SCt* 42, 2 (*SC* 452, p. 204-206, l. 4-17 ; trad. légèrement modifiée).

semonce sortie de ma bouche *ne réussit pas sa mission comme elle le devrait,* mais *revient à moi sans résultat*[g], telle un javelot qui rebondit sur sa cible, que pensez-vous que je ressente alors, frères ? Ne suis-je pas dans l'angoisse ? Ne suis-je pas à la torture ? Pour prendre à mon compte une des paroles du Maître, puisque, pour ce qui est de sa sagesse[1], cela me dépasse, *je suis pris dans un dilemme et ne sais que choisir*[h]. Dois-je être satisfait de ce que j'ai dit, puisque j'ai fait mon devoir, ou dois-je me repentir de ma parole, parce que je n'ai pas obtenu ce que je voulais[2] ? »

Et plus bas : « Tu me diras peut-être que le bien que j'ai voulu faire rejaillira sur moi[i], et que *j'ai sauvé mon âme*[j]. Car *je suis pur du sang*[k] de cet homme, à qui *j'ai adressé mes avertissements*[l] *pour qu'il se détourne de sa voie* mauvaise *et qu'il vive*[m]. Mais tu auras beau multiplier à l'infini de telles considérations, elles ne me consoleront point de voir la mort de mon fils. Comme si, par ma réprimande, j'avais cherché mon salut, et non plutôt le sien ! Quelle est la mère qui, tout en sachant qu'elle a prodigué à son fils tous les soins possibles, a jamais modéré ses pleurs, si elle voit enfin son espérance frustrée et toutes ses peines complètement inefficaces, puisque l'enfant meurt[3] ? » En voilà assez sur ce point.

Comment Bernard savait vaincre le mal par le bien

27. Au surplus, il était tellement ami de la douceur et de la paix que si, par hasard, un quémandeur effronté l'avait forcé de lui donner une réponse négative un peu trop sèche, il arrivait difficilement ensuite que cet homme fût renvoyé les mains vides avec ce refus. Car, ainsi

---

3. *SCt* 42, 5 (*SC* 452, p. 212, l. 1-12). Le texte cité par Geoffroy présente quelques variantes – minimes – par rapport à celui de l'édition critique.

5   fatebatur, oderat omne scandalum, et gravamen cuiuslibet
     hominis sustinere ei admodum grave, non sentire impossibile
     erat. Adeo neminem sprevit, nullius hominis scandalum
     parvipendit, etsi veritatem Dei iustitiamque praetulerit.
     Nam et quoties oporteret noxios aliquorum vel reprehen-
10   dere actus, vel impedire conatus, tam considerate faciebat,
     ut abundanter ipsi quoque qui laesi viderentur, haberent
     unde sibi pro eo satisfacerent in cogitationibus suis. Sane
     vidimus ex ipsis quoque nonnullos, et de quibus minus id
     videbatur posse sperari, ampliori devotione eius postmo-
15   dum vel obsequiis deservisse, vel etiam adhaesisse vestigiis.

     Dicitur tamen et invidos habuisse, ut haberet meri-
     tum et ex eis. Ceterum tam singulariter eminebat gloria
     nominis eius, ut pestis illa magis desperatione quam livore
     tabesceret et timeret agnosci. Quin etiam humilitate
20   eius et mansuetudine vincebatur, beneficiis suffocaba-
     tur, obruebatur obsequiis. Nimirum doctus erat *vincere
     in bono malum*[a], sicut ad quosdam fratres scribens, inter
     cetera ait : « Adhaerebo vobis, etsi nolitis ; adhaerebo, etsi
     nolim ipse. Invitis praestabo, ingratis adiciam, honorabo et
25   contemnentes me. »

---

27. a. Rm 12, 21 ≠

1. *Ep* 253, 10 (*SBO* VIII, p. 155, l. 9. 12-13). Cette lettre est adressée à
Hugues de Fosses, abbé de Prémontré et premier successeur de saint Norbert.
Hugues avait écrit une lettre amère au chapitre général de Cîteaux en 1150,
pour se plaindre de quelques incidents qui avaient troublé la paix entre les
deux ordres ; il menaçait même de rompre le « pacte de fraternité » conclu
en 1142. Le chapitre transmit la lettre à Bernard, le chargeant de répondre,
ce qu'il fit par cette *Lettre* 253. De fait, le principal motif du contentieux
concernait directement l'abbé de Clairvaux, qui en 1147 avait accueilli dans
son monastère un chanoine prémontré nommé Robert, venant de l'abbaye
de Bonne-Espérance (au sujet du *transitus* d'un religieux d'un monastère à

qu'il l'avouait lui-même, il haïssait comme par nature toute espèce de scandale ; supporter que n'importe quel homme eût de la peine lui était très pénible, et ne pas la ressentir lui était impossible. Aussi ne méprisa-t-il personne, ne fit jamais peu de cas du scandale dont il pouvait être la cause pour quelqu'un, tout en faisant passer la vérité de Dieu et sa justice avant tout le reste. Car, chaque fois qu'il fallait réprimander les actions malfaisantes de certains, ou empêcher leurs tentatives, il le faisait avec une telle pondération que ceux-là mêmes qui semblaient blessés avaient de multiples raisons pour se louer de lui dans leurs pensées. Oui, nous en avons même vu plusieurs, et de ceux dont on pouvait apparemment le moins l'espérer, servir dans la suite son bon plaisir avec un plus grand dévouement, ou même s'attacher à ses pas.

On dit pourtant qu'il eut aussi des envieux, afin d'acquérir des mérites grâce à eux également. Au reste, la gloire de son nom se distinguait d'une façon si singulière, que cette peste se consumait de désespoir plutôt que de jalousie et craignait de se faire connaître. Bien plus, elle était vaincue par son humilité et sa douceur, étouffée par ses bienfaits, accablée par ses égards. Oui, il savait *vaincre le mal par le bien*[a], comme il l'écrit à des religieux, disant entre autres choses : « Je m'attacherai à vous, même malgré vous ; je m'attacherai, même malgré moi. Je donnerai à ceux qui n'en veulent pas, je comblerai les ingrats, j'honorerai même ceux qui me méprisent[1]. »

un autre, cf. *Vp* III, 25, *supra*, p. 92, n. 1). Le litige entre les deux ordres se termina en 1153, après la mort de saint Bernard, par un « acte de fraternité » qui renouvelait le pacte conclu en 1142, en y ajoutant quelques précisions. Sur toute cette affaire, cf. *Opere di san Bernardo*, t. 6/2, p. 158-163, la n. 1 à la *Lettre* 253 par F. Gastaldelli, avec bibliographie.

28. Usque adeo siquidem omnes homines germano amplectebatur affectu, ut eorum scandalo, sicut ipse fateri solebat, gravius ureretur, quibus nullam videretur occasionem scandali praebuisse. Plus enim piissimum pectus
5　gratuitum affligebat alterius scandalum quam propriae immunitas conscientiae solabatur. Siquidem minus sperabat posse sanari quod unde procederet non videbat ; magnum sibi e regione solatium fore perhibens, quoties inveniret unde satisfacere posset vel homini pro se, vel Deo pro
10　homine non sine occasione turbato. Erga omnium quidem hominum spirituale commodum incommodumue amplius afficiebatur et summum ei desiderium, summum gaudium erat animarum fructus, conversio peccatorum.

Et corporeas tamen quorumlibet hominum necessitates
15　piissimo miserabatur affectu, cuius tanta erat humanitas, ut non modo hominibus sed irrationalibus etiam animantibus avibus compateretur et feris. Nec compatienti deerat virtutis effectus. Contigit enim aliquoties ut iter agens fugitantem et,
154　ut videbatur, protinus capiendam vel lepusculam a | canibus,
20　vel aviculam ab accipitribus, signo crucis edito mirabiliter liberaret, diceretque sequentibus frustra sese conari nec ullatenus se praesente eiusmodi exercere posse rapinam.

---

1. La chasse au moyen de faucons élevés et dressés à cette fin était très prisée par la noblesse au Moyen Âge.

2. Ce beau passage de la *Vita prima* nous permet de contester, ou du moins de nuancer, le jugement de P. Aubé dans sa biographie – par ailleurs remarquable – de Bernard, dont la sainteté lui paraît tout l'opposé de celle de François d'Assise : « Sans doute [Bernard] loue-t-il le Seigneur pour toutes ses créatures, mais il ne les voit pas. Son corps n'est pas un 'frère', mais un ennemi implacable. Autant dire qu'il est l'antithèse vivante du fils

Amour et compassion de Bernard pour toutes les créatures

28. Car il embrassait tous les hommes de son affection fraternelle à tel point qu'il se désolait plus profondément, comme lui-même avait coutume de l'avouer, du scandale de ceux à qui il n'avait donné apparemment aucun motif de scandale. En effet, le scandale sans fondement d'un autre affligeait son cœur très tendre plus que ne le réconfortait l'innocence de sa propre conscience. Car il avait moins d'espoir de pouvoir guérir le mal dont il ne voyait pas la source ; inversement, il déclarait qu'il éprouvait un grand réconfort chaque fois qu'il trouvait le moyen de pouvoir faire réparation ou envers un homme pour soi-même, ou envers Dieu pour un homme troublé non sans motif. Certes, rien ne le touchait plus profondément que le profit ou le préjudice spirituels de tous les hommes, et son désir suprême, sa suprême joie étaient le progrès des âmes, la conversion des pécheurs.

Cependant, il éprouvait aussi une très tendre compassion pour les souffrances corporelles des hommes, quels qu'ils soient, lui dont l'humanité était si grande, qu'il compatissait non seulement aux hommes, mais même aux animaux sans raison, aux oiseaux et aux bêtes sauvages. Et sa compassion ne restait pas sans effet concret. Car, chemin faisant, il lui arriva parfois de délivrer miraculeusement par un signe de croix un petit lièvre en fuite et, selon toute apparence, sur le point d'être happé par les chiens, ou un oiselet prêt à tomber entre les serres des faucons[1] ; et il disait aux poursuivants qu'ils faisaient de vains efforts et qu'ils ne pourraient nullement en sa présence s'emparer de cette proie[2].

---

du marchand drapier qui naîtra à Assise, soixante-dix ans plus tard (*Saint Bernard*, p. 82). » Sur l'attitude de Bernard vis-à-vis du corps, cf. *Vp* I, 21 (*SC* 619, p. 230-235 et p. 232, n. 1) ; I, 39 (*ibid.*, p. 282-287 et p. 286, n. 1).

29. Haec nos quidem de sacris moribus patris nostri pro modulo nostro sub brevitate perstrinximus. Ceterum longe eminentius in suis ille libris apparet et ex litteris propriis innotescit. In quibus ita suam videtur expressisse imagi-
5   nem et exhibuisse speculum quoddam sui, ut illud quoque Ambrosianum merito illi posse videatur aptari :

> Laudet se ipse, se sonet,
> et laureatus Spiritu
> scriptis coronetur suis.

Si quis enim nosse desiderat quam sollicitus ab initio sui ipsius diiudicator et scrutator exstiterit, primum opus illius *de Gradibus humilitatis* inspiciat. Inde si quaeritur
10 piae mentis religiosa devotio, transeundum ad *homelias in Laudibus Virginis Matris*, et illum quem *de Diligendo Deo* edidit librum. Si fervens contra suorum vel aliorum vitia zelus, legatur is quem *Apologeticum* vocat. Si vigil eodem in zelo et circumspecta discretio, *de Praecepto et Dispensatione*
15 disserens audiatur. Quam vero fidelis cuiuslibet piae conver-sationis commendator fuerit et adiutor, exhortatorius *ad Milites Templi* sermo declarat. Quam non ingratus gratiae

---

1. Nous avons mis le mot *spiritu* de l'édition *CCCM* (p. 154, l. 749) en majuscule, car, à notre avis, il s'agit de l'Esprit Saint : telle est aussi l'interprétation de J. Fontaine (cf. n. suivante).

2. Hymne 6 de saint Ambroise, *Amore Christi nobilis*, strophe 6, v. 22-24, dans AMBROISE DE MILAN, *Hymnes*, éd. J. FONTAINE *et alii*, Paris 1992, p. 314-315. Dans cette édition critique, le texte du v. 22 est : *Se laudet ipse*.

3. *De gradibus humilitatis et superbiae* (*SBO* III, 1963, p. 1-59). Pour Bernard, la reconnaissance humble et lucide de sa propre misère constitue le premier degré de la vérité (cf. *ibid.*, IV, 13-15, p. 26-28). Ainsi, l'abbé de Clairvaux attribue à la connaissance de soi un rôle essentiel dans la vie spirituelle. Ce thème a été amplement orchestré aussi dans *SCt* 36 (*SC* 452, p. 104-123). Voir l'ouvrage classique de P. COURCELLE, *Connais-toi toi-même de Socrate à saint Bernard*, t. 1, Paris 1974, p. 258-272.

Les écrits de Bernard, miroir de son âme

29. Cette évocation des saintes mœurs de notre père, nous l'avons condensée en quelques lignes, selon la pauvreté de nos moyens. Mais, de façon bien plus excellente, il se dévoile dans ses livres et se fait connaître dans ses lettres. Il semble y avoir peint une image si fidèle de lui-même et s'y être tellement bien reflété comme dans un miroir, qu'il paraît qu'on peut lui appliquer à juste titre ces vers d'une hymne ambrosienne :

> « Qu'il se loue lui-même et se chante,
> et, le chef lauré de l'Esprit[1],
> que le couronnent ses écrits[2] ! »

Si quelqu'un, en effet, désire savoir avec quelle attention, dès le commencement, il s'est examiné et scruté lui-même, qu'il aille voir son premier ouvrage, *Les degrés de l'humilité*[3]. Ensuite, si l'on cherche à connaître la fervente piété de son esprit religieux, il faut passer aux homélies *À la louange de la Vierge Mère*[4], et au livre qu'il a publié sur *L'amour de Dieu*[5]. Si l'on veut connaître son ardent zèle contre les vices des siens et des autres, qu'on lise le livre qu'il nomme : *Apologie*[6]. Veut-on découvrir sa discrétion éveillée et sage dans ce même zèle ? Qu'on l'écoute disserter sur *Le précepte et la dispense*[7]. Le discours d'exhortations *Aux chevaliers du Temple*[8] manifeste combien il a été fidèle à recommander et à seconder la vie religieuse, quelle qu'elle soit. Sa profonde gratitude à l'égard

---

4. *À la louange de la Vierge Mère* (*SC* 390, 1993).
5. *L'amour de Dieu* (*SC* 393, 1993).
6. *Apologia ad Guillelmum Abbatem* (*SBO* III, 1963, p. 61-108).
7. *Le précepte et la dispense* (*SC* 457, 2000).
8. *Éloge de la nouvelle chevalerie* (*SC* 367, 1990).

Dei, ex his liquet quae *de Gratia et Libero Arbitrio* tam fideliter quam subtiliter disputavit.

20   Quam liber in voce, quam disertus, et in rerum superiorum pariter inferiorumque scientia locuples, in his quae ad papam Eugenium *de Consideratione* scripsit, diligens considerator agnoscet. Quam devotissimus praedicator alienae sanctitatis, tam diligenter *episcopi sancti Malachiae vitam*
25   prosecutus ostendit. Nam in *Sermonibus super Cantica*, et investigator mysteriorum et morum aedificator magnificus innotescit. In *Epistolis*, quas ad diversas personas ob negotia diversa dictavit, prudens lector advertet quo *fervore spiritus*[a] *iustitiam* omnem *dilexerit*, omnem aeque *oderit iniustitiam*[b].

30. *Fidelis* etenim *servus*[a] *Christi*[b] *non quaerebat aliquid suum*[c] ; quidquid tamen erat Christi sic curabat ut suum. Quae enim scelera non arguit ? Quae odia non exstinxit ? Quae scandala non compescuit ? Quae scismata non resar-
5   civit ? Quas haereses non confutavit ? *Quid* vero *sanctum*,
155   quid honestum, *quid pudicum,* | *quid amabile, quid bonae famae, quid virtutis* aut *laudabilis disciplinae*[d], suis ortum in qualibet regione diebus, non roboravit eius auctoritas, non fovit caritas, diligentia non promovit ? Quid ante promotum
10   dilatari amplius non optavit ? Quid forte collapsum non totis pro loco et tempore viribus egit ut repararetur ? Quis

---

29. a. Rm 12, 11 ≠   b. Ps 44, 8 ≠
30. a. Mt 24, 45   b. Rm 1, 1 ; Col 4, 12   c. 1 Co 10, 24 ≠   d. Ph 4, 8 ≠

---

1. *La grâce et le libre arbitre* (*SC* 393, 1993).

2. *De consideratione ad Eugenium papam* (*SBO* III, 1963, p. 379-493).

3. *Vie de saint Malachie* (*SC* 367, Paris 1990).

4. *Sermons sur le Cantique* (*SC* 414, 431, 452, 472, 511, respectivement 1996, 1998, 2000, 2003, 2007).

de la grâce de Dieu apparaît clairement dans son traité, aussi solide que subtil, sur *La grâce et le libre arbitre*[1].

Celui qui se penchera avec attention sur ce qu'il a écrit au pape Eugène à propos de *La Considération*[2] reconnaitra combien il fut libre dans son langage, éloquent et plein de science en ce qui concerne à la fois les réalités d'en haut et celles d'ici-bas. Le soin qu'il a mis à rédiger la *Vie de l'évêque saint Malachie*[3] montre quel fervent panégyriste de la sainteté d'autrui il a été. D'autre part, dans les *Sermons sur le Cantique*[4] il se révèle un exégète des mystères et un maître tout aussi admirable de vie morale. Dans les *Lettres*[5] qu'il a dictées pour diverses personnes sur divers sujets, un lecteur avisé remarquera avec quelle *ferveur spirituelle*[a] *il a aimé* toute *justice* et pareillement *haï toute injustice*[b].

Éloge de la sainteté de Bernard **30.** Car *le fidèle serviteur*[a] *du Christ*[b] *ne cherchait pas quelque avantage pour lui-même*[c] ; en revanche, tout ce qui regardait le Christ, il en prenait soin comme si c'était à lui. Quels crimes en effet n'a-t-il pas dénoncés ? Quelles haines n'a-t-il pas éteintes ? Quels scandales n'a-t-il pas réprimés ? Quels schismes n'a-t-il pas réparés ? Quelles hérésies n'a-t-il pas réfutées ? Et au contraire, *qu'a-t-il* surgi de son temps, dans quelque région que ce soit, *de saint*, de noble, *de pur, d'aimable, de bon renom, de vertueux, de moralement louable*[d], qu'il n'ait pas affermi par son autorité, entretenu par sa charité, développé par ses soins attentifs ? Qu'y a-t-il eu de déjà constitué qu'il n'ait pas désiré accroître davantage ? Qu'y a-t-il eu de défaillant qu'il ne se soit pas évertué de remettre en état de toutes ses forces, selon le lieu et le temps ? Quel homme

5. *Lettres* (*SC* 425, 458, 556, respectivement 1997, 2001, 2012) ; *Epistolae* (*SBO* VII et VIII, 1974 et 1977).

malitiam quamcumque disponens eius zelum et auctoritatem
non timuit ? Quis proponens quodcumque bonum, eius, si
potuit, non consuluit sanctitatem, non desideravit favorem,
15 opem non flagitavit ? Quis ad sacrum in eius pectore habitan-
tis templum divinitatis de quacumque tribulatione fideliter
clamaturus accessit et inefficaciter laboravit ?

Maestus ab eo solatium, afflictus auxilium, consilium
anxius, aeger remedium, pauper subsidium reportabat. Ita
20 *sese omnium fecerat servum*, ac si toti genitus orbi. Ita tamen
liber ex omnibus[e] conscientiae suae sollicitudinem gerens,
tamquam soli deditus curae et custodiae cordis sui.

31. Et quidem *divisiones gratiarum*[a] commendat
Apostolus et si quis diligenter quaerat, inveniet diversos ab
initio *Dei famulos*[b] in diversis enituisse muneribus. Legimus
enim viros in fide magnificos multiplicibus claruisse mira-
5 culis. Alios *spiritum* habuisse *propheticum*[c], et futura quasi
praesentia, occulta velut sub oculis posita mirabiliter cogno-
visse[d]. Alios nihilominus antiquorum litterae protestantur
graviori abstinentiae deditos, parsimoniam coluisse ; alios
in humilitatis proposito, spretis dignitatibus huius saeculi,
10 auctori saeculi plurimum placuisse ; alios in doctrina Verbi
ad salutis scientiam plurimos erudisse, ut secundum promissionem Scripturae sacrae *luceant quasi stellae in perpetuas
aeternitates*[e]. Alii quoque in aedificandis coenobiis laborantes amplificaverunt nomen sanctitatis. Alii in sedandis

---

e. 1 Co 9, 19 ≠

31. a. 1 Co 12, 4   b. 2 Ch 1, 3 ≠   c. Ap 19, 10 ≠   d. Cf. 1 Co 12, 9-10
e. Dn 12, 3 ≠ ; Ph 2, 15 ≠

---

1. Nous avons corrigé la leçon *amplicaverunt* de l'édition critique, qui
est une flagrante coquille.

méditant quelque mal que ce soit n'a pas craint son zèle et son autorité ? Quel homme se proposant quelque but honorable n'a pas, dans la mesure de ses possibilités, recouru à sa sainteté, désiré son appui, imploré son aide ? Quel homme s'est approché du temple sacré de la divinité habitant dans son cœur pour y faire entendre avec foi quelque tribulation, et s'est donné cette peine en vain ?

Celui qui était abattu recevait de lui un réconfort, l'affligé de l'aide, l'angoissé un conseil, le malade un remède, le pauvre un soutien. Ainsi, *il s'était fait le serviteur de tous*, comme s'il était né pour le bien de l'univers entier. Pourtant, *libre à l'égard de tous*[c], il avait une telle sollicitude pour sa conscience, qu'on l'eût cru uniquement adonné au soin et à la garde de son cœur.

Bernard, foyer de tous les dons de l'Esprit   **31.** L'Apôtre célèbre, il est vrai, *la diversité des dons spirituels*[a], et si quelqu'un cherche attentivement, il découvrira que, dès le commencement, divers *serviteurs de Dieu*[b] se sont distingués par des dons divers. Nous lisons en effet que des hommes admirables de foi se sont illustrés par de multiples miracles. D'autres ont possédé *l'esprit prophétique*[c], et connu de façon étonnante l'avenir comme s'il eût été présent, les choses cachées comme si elles eussent été placées sous leurs yeux[d]. Les écrits des anciens attestent aussi que certains, adonnés à la plus rigoureuse abstinence, ont vécu dans le dénuement ; que d'autres, dans un dessein d'humilité, méprisant les dignités de ce monde, sont devenus très chers au Créateur du monde ; que d'autres enfin, par l'enseignement de la Parole, ont instruit une foule de gens dans la science du salut, si bien que, selon la promesse de la sainte Écriture, *ils resplendissent comme des étoiles dans les éternités sans fin*[e]. D'autres encore, travaillant à bâtir des monastères, ont accru[1] leur renom de sainteté. D'autres, s'occupant avec succès à

15 scandalis et turbinibus huius saeculi promovendisque
negotiis Ecclesiae Dei efficaciter occupati, utiles in actione.
Alii in sacris meditationibus spiritualiter feriati, sublimes
in contemplatione fuerunt.

Quid horum nostro videbitur defuisse Bernardo ? Immo
20 quid horum in eo tam insigne non fuit, ut ad commendationem satis esset, etiam si ceterorum aliquid non adesset ?
Nam et si multiplicibus Ecclesia sui temporis tam in supra
memoratis negotiis, quam in aliis pluribus actionis eius
utilitatem meruit experiri, magnifice tamen etiam gratia
156 25 contemplationis in eo tam *ex visionibus et revela*|*tionibus
Domini*[f], quam ex scriptis suis, quae spiritualibus exuberant
sensibus, elucescit. Porro monasteriorum fructus, quae per
eum Dominus ordinavit, tam copiosus et evidens humanis
sese ingerit oculis, ut nullis egeat litteris commendari[g].
30 Magis autem ex ipsa quoque eorumdem multitudine coe-
nobiorum omnis deinceps generatio certum capere poterit
documentum, quantos collegerit ad servitium Christi, qui
tam multos undique propagavit.

---

f. 2 Co 12, 1 ≠   g. Cf. 2 Co 3, 1

1. Nous avons remplacé la leçon *ecclesiam* de l'édition critique, qui est
une évidente coquille, par *ecclesia*.

2. Ce chapitre 31 nous montre que Geoffroy était parfaitement conscient
de la difficulté posée aux biographes de Bernard par la complexité de sa
figure, qui s'adaptait mal aux normes de sainteté définies par l'hagiogra-
phie officielle. En effet, comment concilier sa vocation de moine et d'abbé
cistercien avec ses interventions retentissantes dans la société et dans la
vie de l'Église, âprement critiquées par plusieurs de ses contemporains ?

apaiser les scandales et les tempêtes de ce monde et à promou-
voir les intérêts de l'Église de Dieu, se sont rendus utiles par
l'action. D'autres, adonnés aux saintes méditations dans leur
loisir spirituel, se sont élevés à une contemplation sublime.

Lequel de ces dons paraîtra avoir manqué à notre Bernard ?
Ou plutôt, lequel d'entre eux n'a pas été si éminent en lui,
que seul il suffirait à le rendre illustre, quand même quelqu'un
des autres lui aurait fait défaut ? Car, bien que l'Église [1] de son
temps ait mérité d'expérimenter l'utilité de son action tant
dans une foule d'affaires ci-dessus rappelées que dans beaucoup
d'autres, cependant la grâce de la contemplation, elle aussi,
brille en lui d'un magnifique éclat, tant *par les visions et les
révélations du Seigneur*[f] que par ses écrits, où foisonnent les
sens spirituels qu'il a su mettre en lumière [2]. En outre, les fruits
des monastères que le Seigneur a établis par son entremise se
montrent si abondants et si évidents aux yeux des hommes,
qu'ils n'ont besoin d'être vantés par aucun écrit[g]. Bien plus,
toutes les générations à venir pourront trouver, dans la multitude même de ces monastères, une preuve certaine de la
foule d'hommes qu'il a rassemblés pour le service du Christ,
lui qui en a envoyé partout un si grand nombre.

Prenant habilement appui sur un verset de saint Paul, 1 Co 12, 4, Geoffroy
s'évertue à prouver que la « diversité des dons spirituels » dont Bernard
était gratifié était bien une marque de sa sainteté. Dans la recension B
(cf. n. suivante), ce panégyrique disparaîtra de *Vp* III, 31, mais Geoffroy
le réintroduira, quoique abrégé, juste avant le récit d'une apparition posthume de Bernard (*Vp* V, 23, *infra*, p. 310, n. 1).

Quod ad reliqua spectat, de humilitate eius et dignitatibus
35 refutatis, sed et de tenuissimo victu superius prosecuti, ex
his quoque, quae ad prophetiam pertinent ostensionemque
virtutum, sub alio quidem principio curabimus annotare
per pauca de multis.

1. Dans la recension B, Geoffroy a remplacé ce chapitre 31 par un texte
plus bref, composé de quelques phrases choisies selon la recension A, et
déplacées ici avec de légères modifications (*Vp* V, 11, *infra*, p. 280, n. 1).
Voir les deux textes (A et B) de *Vp* III, 31 mis en regard dans BREDERO,
Études, ASOC 17/1-2, 1961, p. 46-47. Geoffroy a ensuite completé la nouvelle conclusion de *Vp* III, 31 dans la recension B en renvoyant au prologue

Pour ce qui est de ses autres dons, nous avons déjà parlé plus haut de son humilité et de son refus des dignités, mais aussi de sa nourriture extrêmement frugale ; nous prendrons soin de mettre par écrit, mais sous un autre intitulé, également ce qui concerne la prophétie et la manifestation des miracles, en choisissant quelques faits parmi beaucoup d'autres[1].

qu'il a adjoint, dans cette même recension, aux trois livres (III-V) de la *Vita prima* écrits par lui (cf. *Vp* III, 1, *supra*, p. 18, n. 1) : « Maintenant donc, pour ce qui est des signes visibles et de la manifestation des miracles, un deuxième livre [le deuxième écrit par Geoffroy, c'est-à-dire le quatrième de la *Vita prima*] en rapportera un assez grand nombre, ainsi qu'il a été annoncé dans le prologue. »

⎰LIBER QUARTUS AUCTORE GAUFRIDO AUTISSIODORENSI

⎰1. Sicut *Sermone super Cantica canticorum* vicesimo quarto *servus Domini*[a] Bernardus Claraevallensis gratulatur, et gratias agit illi : « Tertio quidem reditum ab Urbe suum clementior e caelo respexit oculus, et serenior tandem vul-
5 tus arrisit, quod quievisset rabies Leonina, accepisset finem malitia, recepisset Ecclesia pacem. » Tanta vero exsultatione Ecclesia illum Gallicana recepit, ut non minorem videretur de suo reditu exhibere, quam de pace reddita nuntiare laetitiam. Unde etiam mirari ipse saepiusque causari, quod dum sibi
10 post tam graves frequentias hominum et tumultus, velut ab exordio valefaciendum saeculo iudicaret, et tamquam

---

1. a. Dt 34, 5 et //

1. Allusion à Pierre de Léon, l'antipape Anaclet II, décédé le 25 janvier 1138. Cf. *Vp* II, 47 (*SC* 619, p. 500-501).
2. Cf. *SCt* 24, 1 (*SC* 431, p. 238, l. 1-4). Geoffroy met le passage cité à la troisième personne, et son texte présente aussi quelques autres petites différences par rapport à celui de l'édition critique.

LIVRE QUATRIÈME
PAR GEOFFROY D'AUXERRE

Bernard revient de Rome avec plusieurs reliques, dont une dent de saint Césaire

1. Ainsi que Bernard de Clairvaux, *le serviteur du Seigneur*[a], s'en félicite et en rend grâce à Dieu dans le vingt-quatrième *Sermon sur le Cantique des Cantiques*, « du ciel, l'œil du Seigneur a regardé plus favorablement son troisième retour de la Ville, et son visage enfin plus serein lui a souri, puisque la rage léonine[1] s'est apaisée, sa malice a pris fin, l'Église a recouvré la paix[2]. » Or, l'Église des Gaules le reçut avec une exultation si grande qu'elle semblait ne pas montrer moins de joie de son retour qu'elle n'en manifestait de la paix rendue à la chrétienté[3]. Aussi s'étonnait-il et se plaignait-il bien souvent de ce qu'au moment où, après tant de laborieuses entrevues avec les hommes et tant de tracas, il estimait pouvoir dire adieu au monde comme au début et

---

3. Bernard rentra à Clairvaux fin juin 1138. Cf. *Fr* I, 39 (*SC* 548, p. 149) ; I, 40 (p. 150, n. 1).

de novo adoriendum sacrae propositum conversationis, tunc potissimum uberioribus susciperetur gaudiis, obsequiis coleretur.

15   Rediens autem pater sanctus ab Urbe, ex sanctorum apostolorum martyrumque corporibus xenia secum retulit pretiosa, haud modicum hunc sui reputans fructum esse laboris. Inter quae beati Caesarii dentem quonam modo receperit memorandum. Cum enim integrum ei praedicti
20   martyris caput Graeci monachi, in quorum basilica repositum est, exhiberent ut tolleret inde quod vellet, dari sibi petiit dentem unum. Frustra vero aliquamdiu fratres qui cum eo venerant laborantes, concessum sibi trahere penitus non valebant. Fractis enim cultellis duobus aut tribus quos
25   applicuerant, nihilominus adhuc dens immobilis permanebat. Tum ille : « Orandum nobis », ait. « Nec enim habere possumus, nisi martyr ipse concedat. » Facta denique oratione reverenter accedens, incredibili facilitate duobus tulit digitis, quod ferreis ante moveri non poterat instrumentis.

1. Nous avons corrigé l'expression *ad oriendum* de l'édition critique, qui nous paraît être une coquille, par *adoriendum*, qui est aussi le texte transmis par la recension B.

2. Frère cadet de Grégoire de Nazianze, il vécut de 330 à 369. Après des études à Alexandrie, il fut médecin de la cour impériale à Constantinople. Il reçut le baptême peu avant sa mort (coutume fréquente à l'époque) et GRÉGOIRE DE NAZIANZE composa son éloge funèbre : *Discours* 7 (éd. M.-A. CALVET-SEBASTI, *SC* 405, 1995, p. 180-245). Reconnu comme saint, Césaire est vénéré dans l'Église grecque à la date du 9 mars, dans l'Église latine à celle du 25 février. Pour plus de détails sur sa vie, voir *SC* 405, p. 46-51.

réaliser de nouveau[1], pour ainsi dire, son propos de vie religieuse, alors surtout il était accueilli par un débordement de joie et honoré des plus fervents hommages.

Or, le père saint, en revenant de la Ville, ramena en cadeau avec lui de précieuses reliques des corps des saints apôtres et martyrs, estimant que c'était là un fruit non médiocre de son labeur. Parmi celles-ci il y avait une dent du bienheureux Césaire[2]; et il convient de rappeler comment il l'obtint. Lorsque les moines grecs, qui gardent dans leur basilique la tête tout entière dudit martyr[3], la lui présentèrent[4] pour qu'il en prît ce qu'il voudrait, il demanda qu'on lui remît une seule dent. En vain les frères qui étaient venus avec lui se donnèrent-ils beaucoup de peine pendant quelque temps; ils ne réussissaient point à extraire la dent qui leur avait été accordée. En effet, deux ou trois canifs qu'ils avaient employés s'étaient déjà cassés, et cependant la dent demeurait toujours inébranlable. Alors il dit : « Il nous faut prier. Car nous ne pouvons pas l'avoir, si le martyr lui-même ne nous l'accorde. » Bref, la prière faite, s'approchant avec révérence, il enleva de ses deux doigts, avec une facilité incroyable, ce que des instruments de fer n'avaient point ébranlé auparavant.

---

3. En fait, Césaire ne mourut pas martyr. Sa vie ne devait guère être connue en Occident au XIIe siècle, époque où très peu de gens dans le monde latin connaissaient le grec – sûrement pas Bernard, et Geoffroy d'Auxerre non plus. La basilique ici mentionnée est probablement l'église de Sainte-Marie *in schola graeca* et *in Cosmedin* (voir *supra*, p. 89, n. 3).

4. La précision concernant les moines grecs a été supprimée dans la recension B, qui dit simplement : « Comme on lui présentait la tête entière dudit martyr. »

30   **2.** Fratres autem Ierosolymitani Templi, fidelis militiae
professores, cum novam habere eo tempore domum in Urbe
cepissent, redeunte praedicto patre specialique patrono suo,
tunicam eius pro eximia benedictione servabant. Apud quos
160   eodem anno sacerdos quidam gravissima febre correptus
35   desperabiliter aegrotabat. Ut autem omnino deficiens
devenisse visus est ad extrema, portari sese in oratorium,
et praedictam beati viri tunicam supponi sibi fecit, in sola
positus exspectatione exitus mortis. Cum subito raptus in
quemdam mentis excessum, ac veluti iam carne solutus,
40   videre sibi visus est corpus suum eodem quo iacebat in
loco exanime, iam circumdatum multitudine sacerdotum,
apertos tenentium libros, et celebrantium exsequias ex more
sollemnes. Cum subito in vultu habituque praedicti patris
sancti reverenda quaedam persona prodiens ex altari, manu
45   illis innuit ut tacerent, voce pariter prohibens ne mortuum
reputarent, cuius vitam Claraevallensi abbati donaverat
Deus. Confestim denique ad se rediens, sanum se repperit,
et quod viderat fratribus indicavit.

       Qui quidem, ut a fidelibus viris nuper accepimus, hodieque
50   superstes et in partibus Aquitaniae degens, beneficium quod

---

1. Cf. *Vp* III, 11 (*supra*, p. 52-53, n. 3 ; 29 (*supra*, p. 102, n. 15-17).
L'intervention de Bernard avait été décisive pour faire approuver la Règle
des templiers par les évêques et les abbés réunis au concile de Troyes, le
13 janvier 1129, sous la présidence du légat pontifical Matthieu, cardinal-
évêque d'Albano.

Guérison d'un prêtre chez les templiers grâce à la tunique de Bernard

2. Or, les frères du Temple de Jérusalem, engagés dans la chevalerie de la foi, commencèrent d'avoir à cette époque une nouvelle maison dans la Ville. Lorsque ledit père, leur protecteur spécial[1], revint chez lui, ils gardèrent sa tunique comme une bénédiction exceptionnelle. Cette même année[2], un de leurs prêtres, atteint d'une fièvre très violente, tomba malade à en désespérer. Quand, complètement défaillant, il se vit réduit à la dernière extrémité, il se fit porter à la chapelle et couvrir de ladite tunique de l'homme saint ; dans cette position, il n'attendait plus d'autre issue que la mort. Soudain, ravi dans une sorte d'extase, et comme déjà dégagé des liens de la chair, il lui sembla voir son corps inanimé dans le lieu même où il gisait, entouré déjà d'une multitude de prêtres qui tenaient des livres ouverts et qui célébraient, selon la coutume, ses obsèques solennelles. Soudain un vénérable personnage, qui avait le visage et l'habit dudit père saint, s'avança de l'autel et, de la main, leur fit signe de se taire, leur défendant de la voix, en même temps, de tenir pour mort un homme dont Dieu avait accordé la vie à l'abbé de Clairvaux. À l'instant même, revenant enfin à lui, il se retrouva en bonne santé, et fit connaître aux frères ce qu'il avait vu.

Cet homme, comme nous l'avons récemment appris par des personnes dignes de foi, est encore en vie aujourd'hui et réside dans les contrées de l'Aquitaine ; il proclame assidûment

---

2. L'an 1138 : cf. *Vp* IV, 1 (*supra*, p. 113, n. 3).

accepit sedule confitetur, in ipsius praeconio, cuius merito vivat. Si quis hoc minus miratur, animadvertat de beato Nicolao ex innumeris quibus est decoratus miraculis, in natalis eius annua commemoratione tamquam eximium
55 commendari, quod imperatorem Constantinum ab interitu quorumdam longe constitutus per visum deflexit. Nec illud dissimile est quod adnectimus.

3. Abbas Gerardus proximum Claraevalli monasterium quod Mores dicitur regens, testatus est nobis vidisse se eum aliquando psallentium fratrum circuire choros, et sicut frequenter agebat, excitare torpentes, ita ut affectiosius et
5 virilius psalleretur quod reliquum fuit vigiliarum. Cumque die sequenti apud eum familiariter causaretur tardius illum quam oportuerat ea nocte visitasse psallentes : « Ego », ait, « nocturnis horis corporeo graviter occupabar incommodo : sed quo non potuit corpus, spiritus venit ». Expavit ille
10 audiens non adfuisse in corpore, quem tamdiu ipse corporeo spectasset obtuitu, circumeuntem utrumque chorum, et dormitantes quosque, ut consueverat, excitantem.

1. Saint Nicolas de Myre (270-345).
2. L'abbaye de Mores, au diocèse de Langres, sur la route de Châtillon-sur-Seine à Troyes, fut fondée par Clairvaux en 1152, mais les moines

le bienfait qu'il a reçu, à la louange de celui grâce à qui il vit. Si quelqu'un admirait peu ce fait, qu'il remarque que, parmi les innombrables miracles qui ont illustré le bienheureux Nicolas[1], on rappelle chaque année, le jour de sa fête, comme l'un des plus extraordinaires, qu'étant fort éloigné de l'empereur Constantin, il le détourna dans une vision de faire mettre à mort certaines gens. Et voici un autre miracle qui n'est guère dissemblable de celui-là.

Vision de Gérard, abbé de Mores, pendant l'office de nuit

3. L'abbé Gérard, qui gouverne le monastère de Mores[2] près de Clairvaux, nous a assuré qu'il avait vu un jour Bernard parcourir les chœurs des moines qui psalmodiaient et, comme il le faisait souvent, réveiller les assoupis, afin qu'ils chantent avec plus de ferveur et d'entrain ce qui restait des vigiles. Comme, le jour suivant, il lui reprochait amicalement d'avoir visité cette nuit-là plus tard qu'il ne fallait les moines qui psalmodiaient : « Moi, répondit Bernard, pendant les heures de la nuit, j'étais atteint d'une grave incommodité physique ; mais mon esprit s'est rendu là où ne pouvait aller mon corps. » L'autre fut effrayé, en entendant qu'il n'était pas présent dans son corps celui que lui-même avait si longtemps vu, des yeux du corps, parcourant l'un et l'autre chœur et réveillant, selon son habitude, tous ceux qui sommeillaient.

---

ne s'y installèrent officiellement qu'en septembre 1153. Gérard en fut le premier abbé. Son troisième abbé fut Herbert, auteur du *Liber visionum et miraculorum Clarevallensium*, élu archevêque de Torres (Sassari) en Sardaigne vers 1181 : voir Introduction (*SC* 619, p. 45).

4. Tempore quo pater sanctus apud Urbem morabatur, contigit fratrem quemdam, Robertum nomine, in Claravalle gravissime infirmari. Huic apparuit iuvenis quidam, similis fratri infirmario, praecipiens ut sequeretur se. Visum est quod sequeretur praeeuntem, venitque *ad montem excelsum*[a], in quo Dominum invenit Iesum *cum angelis suis*[b]. Audivitque eum illi suo ductori di|centem : « Custodi mihi istum. » Immisit etiam Dominus in cor ipsius infirmi quaedam verba, quae suae Claraevalli per illum mandavit.

Facto ergo mane, resedit qui moriturus illico putabatur, mirantibusque omnibus, dominum Godefridum, tunc priorem, nunc Lingonensem episcopum vocari fecit. Cui praesenti inter cetera dixit : « Mandat vobis Dominus, ut domos amplas faciatis, quae gentem possint capere, quam ipse multam missurus est vobis. Fratribusque grangiarum mandate, ut honeste se habeant, formamque boni exempli hominibus saecularibus praebeant ; quia vae ei per quem unus retro abierit. »

Post dies ferme viginti, cum eadem adhuc valetudine desperabiliter laboraret, admirabilis pater Bernardus *corpore absens, sed spiritu praesens*[c], Claramvallem advenit,

---

4. a. Mt 17, 1 ≠ ; Mc 9, 1 ≠   b. Mt 16, 27   c. 1 Co 5, 3 ≠

1. Geoffroy a supprimé ce chap. 4 dans la recension B. Il manque aussi dans plusieurs manuscrits de la recension A.

2. Rome.

3. Geoffroy de la Roche-Vanneau. Cf. *Vp* I, 45 (*SC* 619, p. 298-299 et n. 2).

**Deux visions
d'un moine
malade à
Clairvaux et
sa guérison**[1]

4. À l'époque où le père saint demeurait près de la Ville[2], il advint qu'un frère nommé Robert tomba très gravement malade à Clairvaux. Un jeune homme, en tout semblable au frère infirmier, lui apparut et lui ordonna de le suivre. Il lui sembla qu'il suivait ce jeune homme qui le précédait, et qu'il parvint *au pied d'une montagne élevée*[a], où il trouva le Seigneur Jésus *avec ses anges*[b]. Et il l'entendit dire à son guide : « Garde moi cet homme. » Le Seigneur grava aussi dans le cœur de ce malade certaines paroles, qu'il fit transmettre, par son intermédiaire, à son cher Clairvaux.

Le matin venu, celui qui était tenu pour moribond se mit aussitôt sur son séant et, à la stupéfaction générale, fit appeler le seigneur Geoffroy, alors prieur, maintenant évêque de Langres[3]. Lorsque celui-ci fut présent, il lui dit, entre autres choses : « Le Seigneur vous ordonne de construire de vastes bâtiments[4], en mesure de contenir les gens que lui-même va vous envoyer en grand nombre. Prescrivez aussi aux frères des granges de se conduire honnêtement et de donner un bon exemple aux hommes du monde ; car malheur à celui par qui un seul reviendra en arrière. »

Après vingt jours environ, alors qu'il souffrait encore de la même maladie sans espoir de guérison, l'admirable père Bernard, *absent de corps, mais présent en esprit*[c], arriva à

---

4. Les travaux de construction de la nouvelle abbaye de Clairvaux commencèrent en 1135 : cf. *Vp* I, 62 (*SC* 619, p. 332-335) ; II, 29-31 (*SC* 619, p. 448-455). Geoffroy d'Auxerre, dans ses *Fragmenta*, nous raconte un fait semblable, si ce n'est que là le religieux bénéficiaire de la vision s'appelle Barthélemy : cf. *Fr* I, 30 (*SC* 548, p. 131).

languentem visitavit, matutinos hymnos circa eum cum
ingenti fratrum multitudine decantavit, noctemque
illam ibidem iuxta illum fecit, et mane facto, idem frater
25 sanus apparuit, modum etiam suae liberationis fratribus
indicavit.

5. Ad multorum aures famam credimus pervenisse viri
venerabilis Guillelmi, qui olim Montis Pessulani dominus,
nunc verus Christi pauper et humilis monachus, degit in
coenobio, quod Grandissilva vocatur. Ipsius relatione didi-
5 cimus, quod dicturi sumus, sicut ab eius ore cui contigerat,
se accepisse dicebat.

In civitate Auxitanorum, quae metropolis est Gasconiae,
miles quidam infirmabatur. Cuius cum inferiores corporis
partes a renibus et deorsum morbus saeviens occupasset,
10 erat diebus multis lectulo decubans, non modica parte

---

1. Guillaume (Guilhem) de Montpellier, avant de se faire moine, avait
participé à la *Reconquista* de l'Espagne contre les Arabes et s'était illustré
au siège de Tortosa. Il se convertit à la vie cistercienne et entra à Grandselve
comme simple frère convers en 1149. Grand ami de l'abbé du monastère,
Alexandre (cf. *Vp* IV, 48, *infra*, p. 238-239, n. 4), il l'accompagna plusieurs
fois en Espagne pour y établir les fondations de Candeil et de Santes-Creus.
Dans la recension B de la *Vita prima*, Geoffroy d'Auxerre a adjoint un chapitre (*Vp* V, 22 : cf. *infra*, Annexe II, p. 320), où il raconte que Guillaume
se rendit à Clairvaux pour visiter Bernard. Au moment de repartir pour
Grandselve, il se plaignit de ce qu'il n'aurait plus le bonheur de le revoir.
Le saint lui promit qu'il le verrait encore. La nuit où Bernard mourut,
Guillaume eut une vision en songe : le saint lui apparut et le transporta
au pied du mont Liban. Il lui dit : « C'est là-haut que se trouve la plénitude de la science, là-haut la vraie connaissance de la vérité », et gravit
seul la montagne, lui demandant de rester en bas. Guillaume se réveilla
et, le matin venu, raconta sa vision à son abbé et à ses frères. On prit des
informations et on sut que Bernard était mort cette nuit-là. Guillaume
mourut le 9 avril 1162 et fut inhumé à Grandselve, au pied du maître-autel
de l'église abbatiale. Voir PASSERAT, « La venue », p. 36-35.

Clairvaux, visita le malade, chanta les hymnes des Laudes à son chevet avec une immense multitude de frères, et passa cette nuit-là au même lieu près de lui. Le matin venu, ledit frère se trouva guéri ; il fit aussi connaître aux frères de quelle manière il avait été délivré.

Un chevalier qui se rendait chez Bernard pour recouvrer la santé est guéri en chemin   **5.** Nous croyons qu'aux oreilles de beaucoup est parvenue la renommée de Guillaume, homme vénérable qui, jadis seigneur de Montpellier[1], vit maintenant en vrai pauvre du Christ et en humble moine dans le monastère qu'on nomme Grandselve[2]. Nous avons appris par son récit ce que nous allons raconter, comme il disait l'avoir reçu de la bouche même de celui à qui la chose était arrivée.

Dans la ville d'Auch, métropole de la Gascogne[3], un certain chevalier était infirme. Comme une maladie cruelle avait envahi les parties inférieures de son corps, à partir des reins et au-dessous, il gisait depuis bien des jours dans son petit lit, en

2. L'abbaye de Grandselve (Tarn-et-Garonne, près de Montauban) fut fondée en 1114 par Géraud de Sales. En 1145, l'abbé Bertrand se rendit à Clairvaux pour solliciter l'affiliation de son monastère, et l'obtint aussitôt. Bernard en fait mention dans sa *Lettre* 242 aux Toulousains (*Ep* 242, 3, *SBO* VIII, p. 129, l. 22-24 ; notre traduction) : « Je vous recommande le porteur de cette lettre, le vénérable abbé de Grandselve, et sa maison, qui est aussi la nôtre, depuis peu affiliée par lui à nous et à notre ordre, et associée particulièrement à la communauté de Clairvaux. » Cf. la notice « Grandselve » par R. GAZEAU, *DHGE* 21, 1986, col. 1150-1153 et PASSERAT, « La venue », p. 35-36.

3. L'évêché d'Auch devint siège métropolitain vers le milieu du IXᵉ siècle. Cf. la notice « Auch » par A. DEGERT, *DHGE* 5, 1931, col. 276-282.

praemortuus. Compunctus denique et confisus de mise-
ricordia Dei, ad servum eius, cuius circumquaque tam
celebris sese virtutum fama diffuderat, quocumque labore
se praecepit deportari.

15   Iam per dies aliquot processerat, profeceratque non minus
in fide et devotione quam in itinere ipso ; cum miseratus
hominem Deus, mirabiliter satis et infirmitati eius subvenire
dignatus est, et parcere fatigationi. Occurrens enim quidam
in via, quisnam esset, aut quo tenderet inquisivit. Acceptaque
20   itineris eius necessitate : « Ego », ait, « ex parte illius sancti
praecipio tibi, ut revertaris, sciens quod ubi domum veneris,
sanus eris ». Persuasit illi Deus ut crederet, cuius nimirum
dispositione omnia gerebantur. Rediit, rediensque paula-
162   tim rece|pit eam quae sibi promissa fuerat misericordiam,
25   ut non prius domum pertingeret, quam plenariae donum
perciperet sospitatis.

6. Anglorum quoque regina Mathildis tantum huic
famulo Dei[a] exhibuit aliquando devotionis affectum, ut
venienti Bononiam extra urbem cum populo pedes occur-
reret, gravida tamen ipsa, multumque iam gravis. Quae
5   post dies aliquot, ut pariendi tempus advenit, tam graviter

---

6. a. 2 Ch 1, 3 ≠

1. Aujourd'hui Boulogne-sur-Mer.

2. Mathilde, fille du comte Eustache III de Boulogne, épouse d'Étienne
de Blois qui devint roi d'Angleterre en 1135. Nous ne sommes pas en

grande partie paralysé. Enfin, le cœur transpercé par le repentir et confiant en la miséricorde de Dieu, il se fit transporter, quelle que fût sa souffrance, auprès de son serviteur, dont les miracles avaient répandu tout à l'entour le renom si éclatant.

Déjà il était en chemin depuis quelques jours, et il n'avait pas moins avancé dans la foi et la ferveur que dans son voyage, lorsque Dieu, prenant cet homme en pitié, daigna venir miraculeusement en aide à son infirmité et lui épargner une plus longue fatigue. En effet, un homme vint au-devant de lui sur la route et lui demanda qui était-il et où allait-il. Puis, ayant appris la cause qui l'obligeait à ce voyage, il lui dit : « Je t'enjoins, de la part de ce saint, de retourner sur tes pas, sachant que, quand tu seras arrivé à la maison, tu seras guéri. » Dieu, par la volonté de qui, sans aucun doute, toutes ces choses se passaient, le persuada de croire à ces paroles. Il rebroussa chemin et, en revenant, peu à peu il ressentit les effets de cette miséricorde qui lui avait été promise, si bien qu'avant même de toucher le seuil de sa maison, il avait déjà reçu le don d'une guérison complète.

L'accouche-
ment de la
reine Mathilde
d'Angleterre

6. La reine des Anglais, Mathilde, montra elle aussi un jour pour ce *serviteur de Dieu*[a] une affection tellement dévouée que, alors qu'il arrivait à Boulogne[1], elle accourut à pieds au-devant de lui hors de la ville avec le peuple, tout en étant elle-même enceinte, et déjà très avancée dans la grossesse[2]. Quelques jours après, quand survint l'heure de l'accouchement, elle fut si gravement

_____

mesure de préciser avec certitude le nom de l'enfant, ni la date de sa naissance (cf. Gastaldelli, « Le più antiche », p. 63 et n. 224).

est afflicta, ut tam ipsa, quam domus omnis, de vita eius penitus desperarent, iamque omni reliqua supellectili pauperibus et ecclesiis delegata, vestis etiam regia pararetur in qua sepeliretur, tamquam protinus moritura.

10   Tum subito recordata *hominis Dei*[b], et nomen illius invocans plena fide, in ipsa protinus invocatione sine periculo partum edidit desperatum. Nec distulit legatum destinare fidelem, per quem gratias ageret celebri subventori, ipsum sic natum puerum non immerito natum eius appellans.

15   Verum ille, quoties tale aliquid contigisset audire, non minus humiliter, quam iucunde refutans, dicere consueverat : « Hoc enim mihi sic est imputandum, sicut ei qui conscius omnino non fuit. »

7.   In monasterio, cui nomen est Bellavallis, prope urbem Chrysopolim, homo quidam a daemone vexabatur, mira eo instigante faciens, mira loquens. Post multas igitur orationes fratrum, cum improbe persisteret illa *nequitia spiritualis*[a],

5   recordatus est venerabilis abbas loci illius Pontius hodieque superstes, habere se stolam, qua beatus pater aliquamdiu

---

b. Cf. Dt 33, 1 et //
7. a. Ep 6, 12 ≠

---

1. Bernard adressa à la reine Mathilde la *Lettre* 534 et la *Lettre* 315, dans laquelle il fait allusion, avec un humour délicieux, à l'épisode ici relaté par Geoffroy : « Gardez-moi avec le plus grand soin le fils que vous venez d'enfanter, car moi aussi – n'en déplaise au Roi – je réclame pour moi une part dans cette paternité (*SBO* VIII, p. 248, l. 13-14 ; notre traduction). » Ce chapitre 6 a été supprimé dans la recension B, probablement parce que la phrase conclusive *(Verum ille, quoties tale...)*, qui en revanche a été conservée, contredit le passage de la *Lettre* 315 où Bernard affirme explicitement qu'il a été l'auteur de ce miracle. Sur l'humour malicieux de Bernard, cf. *Vp* I, 7 (*SC* 619, p. 192-193 et n. 1) ; 46 (p. 300-301 et n. 2).

accablée qu'elle-même et toute sa maisonnée désespéraient entièrement de sa vie. Déjà elle avait légué tout ce qui lui restait de mobilier aux églises et aux pauvres, et on apprêtait même le vêtement royal dans lequel on devait l'ensevelir, comme si elle allait mourir d'un moment à l'autre.

Tout à coup, se souvenant de *l'homme de Dieu*[b], elle invoqua son nom pleine de confiance ; sur-le-champ, à l'instant précis où elle l'invoquait, elle mit au monde sans danger l'enfant dont on désespérait. Elle ne tarda point à dépêcher un fidèle messager à son illustre bienfaiteur pour le remercier, appelant non sans raison fils de Bernard l'enfant qui était né ainsi[1]. Quant à lui, chaque fois qu'il lui arrivait de recevoir un message semblable, il s'en défendait avec autant d'humilité que d'humour, et avait coutume de dire : « Certes, il faut m'attribuer ce miracle comme à un homme qui n'avait nulle conscience de ce qu'il faisait. »

Délivrance d'un possédé grâce à l'étole de Bernard 7. Dans le monastère qui s'appelle Bellevaux[2], près de la ville de Besançon, un homme était tourmenté par un démon et, à son instigation, faisait et disait des choses stupéfiantes. Comme, après bien des prières des frères, ce *mauvais esprit*[a] tenait méchamment en place, le vénérable abbé de ce lieu, Ponce, encore vivant aujourd'hui, se souvint qu'il possédait une étole, dont le bienheureux

2. Première fille de Morimond, l'abbaye de Bellevaux fut fondée le 22 mars 1120, à 25 kilomètres sud de Vesoul, au diocèse de Besançon. Ponce en fut le premier abbé, jusqu'à sa mort en 1160. Son successeur fut Burchard, d'abord abbé de Balerne : cf. sa postface à *Vp* I (*SC* 619, p. 360-365 et p. 360-361, n. 1). Voir la notice « Bellevaux » par J.-M. CANIVEZ, *DHGE* 7, 1934, col. 879-881.

usus fuerat in oblatione *hostiae salutaris*[b]. Nec cunctatus tulit protinus arma potentia Deo, et fiducialiter aggressus est inimicum. Vix limen attigerat cellulae, in qua miser homo iacebat, cum subito ille malignus horridis vocibus victum se profitens : « En », inquit, « egredior, recedo protinus ; manere ultra non possum ». Respondente autem abbate : « Per nomen Domini et ipsius beati viri meritum, cuius haec stola fuit, tibi praecipio : exi citius, ne moreris. » Continuo daemon fulgatus ab homine, homo a daemone liberatus est.

Quis alter non periculose forsitan *exsultasset* usque adeo *sibi spiritus esse subiectos*[c] ut cederent et absenti ? Verum ille abbate ipso nuntiante nil motus magisque subsannans eos quos videbat magna super hoc admiratione moveri, haec eadem verba respondit : « Quidni facile nos duo praevaluissemus in unum ? Leviter illum eicere potuit Deus, praesertim cum ego, ut dicitis, ei socius datus sum et adiutor. »

Huiusmodi nempe responsis in huiusmodi rebus saepius utebatur. Noverat siquidem verus et verax non ostentator, sed aemulator humilitatis, efficacius dissuaderi posse hominibus quod stupebant, obliqua quadam et artificiosa obiectione, quam aperta excusatione, quae humilitatem magis praedicabilem praeferendo, aestimationem non minueret hominum sed augeret. Unde quodam loco ex propria loquens experientia : « Verus », inquit, « humilis vilis vult reputari, non humilis praedicari ».

---

b. 2 M 3, 32 ≠   c. Lc 10, 20 ≠

1. *SCt* 16, 10 (*SC* 431, p. 60, l. 5-6).

père s'était servi quelque temps pour offrir *le sacrifice du salut*[b]. Sans tarder, il prit aussitôt cette armure, puissante par la grâce de Dieu, et affronta l'ennemi avec confiance. À peine avait-il touché le seuil de la cellule où gisait le malheureux homme, que sur-le-champ le malin s'avoua vaincu, en disant d'une voix horrible : « Voilà que je sors, je me retire tout de suite ; je ne puis rester plus longtemps. » L'abbé répondit alors : « Par le nom du Seigneur et par les mérites du bienheureux homme à qui cette étole a appartenu, *je te l'ordonne : sors* au plus vite, pour ne pas périr. » Aussitôt le démon s'enfuit loin de l'homme, et l'homme fut délivré du démon.

Qui d'autre que lui *n'aurait* – non sans danger peut-être – *exulté de voir que les esprits lui étaient soumis*[c] au point de lui céder même en son absence ? Mais lui, lorsque l'abbé en personne lui annonça ce fait, nullement ému, bien plus, se moquant de ceux qu'il voyait saisis d'un grand étonnement à ce propos, répondit par les paroles que voici : « Et pourquoi, à deux, ne l'aurions-nous pas facilement emporté sur un seul ? Dieu a pu aisément le chasser, surtout quand moi, comme vous dites, je lui ai été donné pour compagnon et pour adjoint. »

Oui, c'est à pareilles réponses qu'il recourait le plus souvent en pareilles circonstances. Car cet homme, qui n'affectait pas l'humilité, mais cherchait à la pratiquer en toute vérité et sincérité, savait qu'on peut dissuader plus facilement les gens de leur admiration pour des faits étonnants par une remarque ingénieuse et contournée plutôt que par une dénégation ouverte, qui, manifestant une humilité plus louable, ne diminue pas l'estime des hommes, mais au contraire l'augmente. Aussi dit-il, parlant quelque part de cela d'après sa propre expérience : « Celui qui est vraiment humble veut être tenu pour misérable, non pas être proclamé humble[1]. »

8. Illud quoque notissimum fuit, quod adhuc in carne degens, apparens autem in spiritu, fratri cuidam obitus sui praenuntiaverit diem. Infirmabatur novitius quidam frater in Claravalle, bonae conversationis et bonae indolis
5 adolescens. Nec longe aberat dies, qua post annuam ex more probationem, *novum indueretur hominem*[a], si non prius hominem exuisset. Siquidem *consummatus in brevi, explevit tempora multa; placita enim erat Deo anima illius*[b].

Quinto igitur die ante ultimum diem suum, visitante se
10 fratre Gerardo, qui hodie abbas est monasterii Longipontis, idem novitius exhilaratus plurimum, inter alia spiritualis gratiae verba : « Ecce », inquit, « quinta moriar die. Hodie enim mihi pater noster domnus abbas apparuit cum multitudine monachorum, et blanda consolatione refovens,
15 quinta die moriturum me esse dicebat ». *Exiit sermo inter fratres*[c], et antequam impleretur divulgatum est verbum. Exspectabatur ab omnibus dies illa, sed multo magis ille beatus in exspectatione sua fuit. Iam dies quinta inclinabatur ad vesperam, illius autem spiritus magis ac magis
20 elevabatur ad Dominum. Demum circa undecimam horam in ipso mortis agone positus, obducto prorsus, ut assolet,

---

8. a. Ep 4, 24 ≠   b. Sg 4, 13-14   c. Jn 21, 23 ≠

1. Autrement dit, il allait recevoir la coule monastique en faisant sa profession solennelle.

2. Abbaye fondée par Clairvaux en 1132 au diocèse de Soissons, sur demande de l'évêque Josselin de Vierzy : cf. *Vp* I, 67 (*SC* 619, p. 348, n. 1). Voir la notice « Longpont » par A. DIMIER, *Cath* VII, 1975, col. 1066-

Bernard prédit à un jeune novice le jour de sa mort et le réconforte à son chevet

8. Ce fait aussi fut très connu : alors qu'il vivait encore dans sa chair, apparaissant en esprit à un frère, lui prédit le jour de sa mort. Un novice, jeune homme de belle vie monastique et d'agréable caractère, était malade à Clairvaux. Le jour n'était pas loin où, selon l'usage, après un an de probation, *il allait revêtir l'homme nouveau* [a][1], si toutefois il ne se dépouillait pas auparavant de l'homme. Car, *parvenu à la perfection en peu de temps, il avait atteint la plénitude d'une longue vie ; en effet, son âme avait plu à Dieu* [b].

Ainsi, cinq jours avant son dernier jour, tandis que le frère Gérard, aujourd'hui abbé du monastère de Longpont[2], le visitait, ledit novice, tout rayonnant de joie, lui dit, entre autres paroles pleines de grâce spirituelle : « Voilà que dans cinq jours je mourrai. Aujourd'hui en effet, notre père, le seigneur abbé, m'est apparu avec une multitude de moines et, me réconfortant par de douces consolations, me disait que je mourrais dans cinq jours. » *Ce bruit se répandit parmi les frères* [c], et cette parole devint publique avant de s'accomplir. Le jour indiqué était attendu de tous, mais bien plus heureux était le malade dans son attente. Déjà le cinquième jour déclinait vers le soir, et de plus en plus l'esprit du novice s'élevait vers le Seigneur. Enfin, vers la onzième heure, déjà entré en agonie, alors que la lumière de ses yeux s'éteignait,

---

1068. Gérard en fut le quatrième abbé, de 1153 à 1161, lorsqu'il résigna sa charge pour rentrer à Clairvaux (cf. DIMIER, *Saint Bernard « pêcheur de Dieu »*, p. 183). Dans la recension B, Geoffroy a supprimé cette précision, en écrivant simplement : *visitante se fratre quodam*. Cela nous permet d'affirmer que la recension B est postérieure à 1161.

164 lumine | oculorum, et nemini iam intendens, ad exitum festinabat. Interim visitans eum pater sanctus, velut ab alto somno revocat, nec insalutatum abire permittit. Ad cuius
25 vocem aperiens oculos, et mirum in modum facie serenata, aliquamdiu intendebat in eum. Mirabamur omnes mortalem hominem, immo iam morientem eatenus triumphare de morte, ut in ipso mortis articulo exsultaret in gaudio, pulcherrime nobis exhibens illud poetae :

30 « Incipe, parve puer, risu cognoscere matrem. »

Tum vero consolans eum pater beatus, nihil timere iubet, sed recto protinus cursu pertingere ad Dominum Iesum Christum, et offerre ei humilem pauperis suae familiae salutationem. Ad hanc vocem qua potuit *capitis inclinatione*[d]
35 et motu annuens labiorum, iterum clausit oculos, et eadem hora in pace quievit.

9. Multa quidem huic *famulo Dei*[a] *revelata per Spiritum*[b], multa sine revelatione mirabiliter ab eo praedicta cognovimus : ex quibus exempli gratia pauca subnectimus.

---

d. Jn 19, 30 ≠
9. a. 2 Ch 1, 3 ≠   b. 1 Co 2, 10 ≠

---

1. Cf. la mort de Gérard, frère de Bernard, décrite dans *SCt* 26, 11 (*SC* 431, p. 304, en particulier l. 10 : *hominem in morte exsultantem*).

comme il arrive d'ordinaire, et qu'il ne faisait plus attention à personne, il se hâtait vers sa fin. Sur ces entrefaites, le père saint le visite, le rappelle comme d'un sommeil profond, et ne lui permet pas de partir sans avoir reçu ses adieux. Ouvrant les yeux à sa voix, le visage merveilleusement rasséréné, le moribond le regardait quelque temps. Tous, nous nous étonnions qu'un homme mortel, ou plutôt déjà mourant, triomphe de la mort au point d'exulter de joie à l'article même de la mort[1], nous montrant de si belle façon l'image peinte par le poète :

« Commence, petit enfant, à reconnaître ta mère avec un sourire[2]. »

Alors le père saint, le réconfortant, lui ordonne de n'avoir aucune crainte, mais d'aller tout droit chez le Seigneur Jésus-Christ, et de lui présenter l'humble salutation de sa pauvre famille[3]. À cette voix le moribond *inclina la tête*[d] et remua les lèvres en signe d'assentiment, autant qu'il le put ; puis il referma les yeux et, à l'heure même, s'endormit dans la paix.

Histoire d'Hervé, abbé d'Ourscamp

9. Nous avons su que bien des choses, certes, *furent révélées par l'Esprit*[b] *à ce serviteur de Dieu*[a], et que bien d'autres furent miraculeusement prédites par lui sans aucune révélation : nous allons en citer quelques-unes à titre d'exemple.

---

2. VIRGILE, *Bucoliques* IV, 60 (éd. E. DE SAINT-DENIS, *CUF*, 1967, p. 62).

3. La communauté de Clairvaux.

Cum esset aliquando pater sanctus in urbe Noviomensium
5 in domo episcopi Simonis, adductus est ad eum Herveius
de Baugenceio, puer admodum gratiosus, ortus ex regio
sanguine, et praedicti episcopi nepos. De quo sequenti nocte
famulo suo Christus ostendit, quod erat post tempora longa
futurum. Siquidem videbatur sibi tamquam in missarum
10 celebratione angelo cuidam pacis osculum dare, quod ad
puerum deferretur. Nec dubius de revelatione eumdem
Herveium renuntiaturum saeculo, et futurum aliquando
devotum Christi famulum promittebat.

Quae promissio a Deo tam celebris exstitit et vulgata, ut
15 ipse quoque Herveius nobis postea fateretur, adolescenti sibi
ad omnes arguentis conscientiae stimulos semper occurrere,
impossibile esse ut post viri sancti tale promissum, in saeculari habitu moreretur. Nec fraudatus est a spe sua. Siquidem
venerabilis Walerannus Ursicampi coenobii primus abbas
20 monachum illum fecit, et angelico functus officio, pacem
quam ex ore patris sancti susceperat, communicavit Herveio.
Cuius talis postmodum apparuit conversatio, ut tali dignus
165 oraculo videretur. Nam et | praedicto Waleranno in regi-
mine monasterii Ursicampi ille successit ; et novissime

1. Hervé, fils de Raoul de Beaugency, était neveu de Simon, évêque de
Noyon et de Tournai, fils d'Hugues de Vermandois qui était le frère du
roi de France Philippe Iᵉʳ, père de Louis VI. Bernard rendit visite à Simon,
peut-être en 1121, pour le persuader de séparer les deux diocèses de Noyon
et de Tournai, réunis en sa personne : cf. A. DIMIER, « Saint Bernard et
le rétablissement de l'évêché de Tournai », *Cîteaux* 4/3, 1953, p. 206-217.
GASTALDELLI (« Le più antiche », p. 65) documente la présence de Bernard
à Noyon aussi en 1130. L'épisode raconté ici se rapporte vraisemblablement
à l'une ou à l'autre de ces deux dates.

2. Valeran était le fils d'André de Baudement, sénéchal du comte
Thibaud IV de Champagne. Il entra à Clairvaux en 1127 et en 1129 fut choisi
par Bernard comme premier abbé de la nouvelle fondation d'Ourscamp,

Un jour que le père saint se trouvait dans la ville de Noyon, en la maison de l'évêque Simon, on lui amena Hervé de Beaugency, enfant très joli, issu de sang royal, et neveu dudit évêque[1]. La nuit suivante, le Christ montra à son serviteur ce qui devait advenir de cet enfant longtemps après. Car il lui semblait que, comme dans la célébration de la messe, il donnait à un ange le baiser de paix, pour le transmettre à l'enfant. Ne doutant point du sens de cette révélation, il promettait que ledit Hervé renoncerait au monde et serait un jour un fervent serviteur du Christ.

Cette promesse venant de Dieu fut si célèbre et si répandue, qu'Hervé lui-même nous avouait plus tard que, pendant son adolescence, face à tous les remords de sa conscience qui lui faisait des reproches, il lui venait toujours à l'esprit que, après pareille promesse de l'homme saint, il était impossible qu'il mourût sous l'habit séculier. Et il ne fut pas frustré dans son espérance. Car le vénérable Valeran, premier abbé du monastère d'Ourscamp[2], lui donna l'habit de moine[3] et, remplissant la fonction de l'ange, transmit à Hervé le baiser de paix qu'il avait reçu du père saint. Ensuite, la vie monastique d'Hervé se montra telle qu'il paraissait digne de cette prophétie. En effet, il succéda audit Valeran dans le gouvernement du monastère d'Ourscamp; et, tout récemment, alors qu'il

---

sixième fille de Clairvaux, près de Compiègne, où les moines s'installèrent le 10 décembre de cette année-là. Il mourut le 29 mai 1142 (GASTALDELLI, « Le più antiche », p. 64). Sur l'abbaye d'Ourscamp, voir la notice « Ourscamp » par A. DIMIER, *Cath* X, 1985, col. 354-355.

3. Hervé entra à Ourscamp et, à la mort de Valeran en 1142, en devint l'abbé; il mourut le 14 mai 1143. Cf. R. LECHAT, « Les *Fragmenta de vita et miraculis S. Bernardi* par Geoffroy d'Auxerre », *AB* 50, 1932, p. 83-122, ici p. 121, n. 1.

25 obitum suum imminentem sanus adhuc et incolumis, eodem
Waleranno per revelationem sibi annuntiante, praescivit
atque praedixit.

10. Et quod addimus, huic simile fuit. Patrem sanctum
fines Parisiorum aliquando peragrantem, ad ipsam divertere
civitatem episcopus Stephanus et ceteri omnes qui pariter
aderant obnixe rogantes non poterant obtinere. Magno
5 siquidem zelo, nisi causa gravis urgeret, conventus publicos
declinabat. Cumque vespere iter suum alias ordinasset,
mane vero ubi primum locutus est fratribus, dicere iubet
episcopo : « Quia Parisius ibimus, ut rogasti. »

Conveniente igitur clero admodum copioso, sicut semper
10 ab eo solebant expetere verbum Dei, continuo tres ex illis
compuncti sunt, et conversi ab inanibus studiis ad verae
sapientiae cultum, abrenuntiantes saeculo et *Dei famulo*[a]
adhaerentes. Quorum ille primum intuens, cum subito inter
loquendum surgeret, peteretque vestigia eius, inclinavit se

---

10. a. 2 Ch 1, 3 ≠

1. Étienne de Senlis, évêque de Paris de 1124 jusqu'à sa mort, le
6 mai 1142. Ami de Bernard, qui le soutint à plusieurs reprises dans ses
différends avec le roi Louis VI (cf. *Vp* IV, 11, *infra*, p. 140-143). Voir les
notices « Étienne de Senlis », *Cath* IV, 1956, col. 594-595, par A. DUMAS ;
DHGE 15, 1963, col. 1262-1263, par T. DE MOREMBERT.

2. Dans cette circonstance, Bernard prononça son célèbre sermon *Aux
clercs sur la conversion* : cf. *Vp* I, 62 (*SC* 619, p. 336, n. 3). J. MIETHKE, qui
a édité le sermon dans *SC* 457, a esquissé un parallèle très pertinent (*ibid.*,
p. 297) entre ce passage de la *Vita prima* et le *Fr* I, 44 (*SC* 548, p. 154-157).
Dans *Vp* IV, 10, Geoffroy qui, selon toute vraisemblance, était l'un des trois
étudiants ici mentionnés, ne dit nulle part qu'il a assisté aux faits qu'il relate ;
le récit de sa conversion, élément central de *Fr* I, 44, a été transformé en
un récit de miracle consécutif à une vision et destiné à prouver le charisme

était encore sain et bien portant, il connut d'avance et prédit sa mort imminente, que lui annonça dans une révélation le même Valeran.

Deux visions prophétiques de Bernard, l'une à Paris, l'autre à Troyes, celle-ci concernant la mort de Geoffroy d'Aignay **10.** Le fait que nous allons ajouter fut semblable au précédent. Un jour que le père saint voyageait dans le territoire de Paris, l'évêque Étienne[1] et tous les autres qui se trouvaient également présents le prièrent instamment de faire un détour par cette ville, mais ne purent l'obtenir. Car il évitait avec le plus grand soin les réunions publiques, sauf si une raison grave ne le pressait d'y aller. Bien que le soir il eût organisé autrement son itinéraire, cependant le matin, dès qu'il adressa la parole aux frères, il leur commande de dire à l'évêque : « Nous allons à Paris, comme tu nous en as prié. »

Ainsi, un très grand nombre de clercs se rassembla, car ils avaient l'habitude de toujours lui demander de leur prêcher la parole de Dieu[2]. Soudain, trois d'entre eux furent touchés de repentir et se convertirent des vains études au culte de la vraie sagesse, renonçant au monde et s'attachant *au serviteur de Dieu*[a]. Lui, fixant son regard sur le premier des trois, tandis que celui-ci, au milieu de l'entretien, se levait soudain et lui demandait la permission de le suivre, se pencha discrètement et murmura ces

---

prophétique de Bernard. L'épisode sera repris et amplifié par HERBERT DE TORRES, *Liber visionum*, p. 94-95, l. 2647-2694 (cf. *Vp* IV, 3, *supra*, p. 118-119, n. 2) et par CONRAD D'EBERBACH, *Le Grand Exorde* II, 13, p. 75-77. Herbert de Torres affirme avoir été renseigné à ce sujet par Raynaud de Foigny (*ibid.*, p. 94, l. 2660-2661).

15 modice et fratri cuidam propius assidenti in aure locutus est,
dicens : « Istum ego, sicut nunc video, venientem nocturna
visione praevidi, propter quem nos Dominus huc adduxit. »
Qui nimirum novitius in omni postmodum puritate et
devotione conversatus, plurimumque acceptus Deo et homi-
20 nibus, in Claravalle post annos aliquot beato fine quievit.

Apparuerunt aliquando *viro Dei*[b] in Trecensium urbe
posito venerabiles eius filii, iam quidem carne soluti,
Galdricus et Gerardus, quorum *secundum carnem*[c] alter
germanus, alter avunculus eius exstiterat. Cumque velut
25 accelerantes ocius pertransirent, revocanti et retinere
volenti respondebant, eundum sibi fore pro fratre Gaufrido
monacho, qui eorumdem a prima conversione socius, strenue satis in multis coenobiis exstruendis militaverat Deo.
Continuo pater sanctus excitatis fratribus accelerari iubet,
30 et ad monasterium veniens, ipso die, sicut eis praedixerat,
eumdem Gaufridum iam positum repperit in extremis.

---

b. Cf. 1 S 9, 6 et //   c. Rm 1, 3

1. Geoffroy d'Aignay, un des trente compagnons qui suivirent
Bernard à Cîteaux en 1113 et qui l'accompagnèrent à Clairvaux en 1115
(cf. *Vp* I, 25, *SC* 619, p. 245, n. 2). Vaillant architecte, il fut maître des
novices à Clairvaux. Dans *Fr* I, 41, Geoffroy d'Auxerre précise que son
homonyme d'Aignay, souvent absent de Clairvaux pour bâtir des abbayes
en différents lieux, craignait de mourir hors de son monastère. Bernard le

paroles dans l'oreille d'un frère assis plus près de lui : « Cet homme, tel que je le vois maintenant, je l'ai vu d'avance, dans une vision nocturne, venir à moi ; c'est pour lui que le Seigneur nous a conduits ici. » Ce novice, en effet, vécut par la suite en toute pureté et ferveur ; très agréable à Dieu et aux hommes, il s'endormit dans une heureuse mort à Clairvaux après quelques années.

Un jour que *l'homme de Dieu*[b] se trouvait dans la ville de Troyes, ses vénérables fils Gaudry et Gérard, déjà dégagés des liens de la chair, lui apparurent ; ils avaient été, *selon la chair*[c], l'un son frère, l'autre son oncle maternel. Puisque ils passaient outre rapidement, comme s'ils étaient pressés, il les rappela et voulut les retenir. Ils lui répondirent qu'ils devaient se rendre auprès de leur frère, le moine Geoffroy, leur compagnon dès leur entrée en religion[1], qui avait servi Dieu très vaillamment en bâtissant beaucoup de monastères. Aussitôt le père saint réveille les frères et leur ordonne de faire diligence. Arrivant au monastère le jour même, il trouva ledit Geoffroy désormais à toute extrémité, comme il le leur avait prédit.

---

rassura et lui promit qu'il mourrait à Clairvaux (*SC* 548, p. 150-153). Sur lui, cf. CHOMTON, *Saint Bernard et le château de Fontaines-lès-Dijon*, t. II, Dijon 1894, p. 28-29, et la notice « Geoffroy d'Aignay » par A. DIMIER, *DHGE* 20, 1984, col. 527 ; du même auteur, cf. la belle étude : « Mourir à Clairvaux ! », p. 275-276.

11. Infensus aliquando rex Francorum senior Ludovicus quibusdam sui regni episcopis, suis eos sedibus et civitatibus

166 extur¹bavit. Unde etiam hic vir reverendus plures scripsit epistolas, pro eorum pace laborans, quarum hodieque exem-
5 plaria perseverant.

Accidit autem ut, praesente eodem patre sancto, episcopi multi indignationem regis flectere cupientes, tota humilitate prostrati solotenus eius tenerent vestigia et nec sic gratiam obtinerent. Qua ex re *vir Dei*ᵃ religiosa animositate permotus,
10 die altera regem durius increpans, quod Domini sacerdotes sprevisset, libere quoque denuntiavit, quod eadem sibi nocte fuerat revelatum. « Haec », inquit, « obstinatio primogeniti tui Philippi regis morte mulctabitur. Vidi enim te cum iuniori filio Ludovico ad pedes episcoporum, quos heri contempse-
15 ras, inclinatum, et protinus intellexi, Philippo celeriter facto de medio, pro Ludovici substitutione Ecclesiam, quam nunc opprimis, te rogaturum ». Quod quidem non longe post

---

11. a. Cf. 1 S 9, 6 et //

---

1. Geoffroy d'Auxerre a entièrement supprimé ce chap. 11 dans la recension B.

2. Louis VI le Gros, père de Louis VII le Jeune, qui lui succéda sur le trône le 1ᵉʳ août 1137.

3. L'épisode ici évoqué se rapporte au différend qui opposa le roi Louis VI et l'évêque de Paris, Étienne de Senlis. L'étincelle qui mit le feu aux poudres, en 1129, fut la décision de l'évêque d'attribuer aux chanoines réguliers de Saint-Victor une prébende revenant de droit au chapitre cathédral de Notre-Dame de Paris. Les chanoines de la cathédrale en appelèrent au roi qui annula la décision de l'évêque. Le conflit s'envenima, Étienne de Senlis dut se réfugier à Cîteaux où se tenait le chapitre général des abbés cisterciens, qui chargèrent Bernard d'écrire au roi en faveur de l'évêque. Bernard lui adressa la *Lettre* 45. Le récit de Geoffroy fait allusion à une

Bernard réprimande le roi de France Louis VI et lui prophétise la mort de son fils aîné Philippe[1]

11. Le roi des Français, Louis l'Ancien[2], irrité un jour contre certains évêques de son royaume, les chassa de leurs sièges et de leurs villes. Dès lors, cet homme vénérable, travaillant à rétablir la paix entre eux et le roi, écrivit aussi plusieurs lettres dont des copies subsistent encore aujourd'hui[3].

Or, il advint que, en présence dudit père saint, beaucoup d'évêques, désireux d'apaiser la colère du roi, s'étant prosternés jusqu'à terre en toute humilité, lui embrassaient les pieds et, même ainsi, n'obtenaient pas grâce. À cette vue *l'homme de Dieu*[a], remué par une sainte indignation, adressa le lendemain au roi de sévères reproches, parce qu'il avait méprisé les prêtres du Seigneur, et lui annonça franchement ce qui lui avait été révélé la nuit même. « Cette obstination, dit-il, sera punie par la mort de ton premier-né, le roi Philippe. Car je t'ai vu, avec ton plus jeune fils Louis, agenouillé aux pieds des évêques que tu as dédaignés hier ; aussitôt, j'ai compris que Philippe serait promptement ravi du milieu de nous, et que tu irais supplier l'Église, que maintenant tu opprimes, pour qu'elle mette Louis à la place de son frère. » Peu de

---

rencontre ultérieure entre Louis VI et l'archevêque de Sens, Henri de Boisrogues, accompagné de ses suffragants et des abbés de Clairvaux et de Pontigny, qui essayèrent de rétablir la paix entre le roi et l'évêque de Paris. La tentative échoua, d'où la réaction de Bernard, qui fait songer à l'attitude des prophètes de l'Ancien Testament face aux rois d'Israël et de Juda. Bernard écrivit également au pape Honorius II les *Lettres* 46 et 47 pour lui reprocher son excessive complaisance à l'égard de Louis VI, au détriment de l'évêque de Paris et de l'archevêque de Sens. Voir le commentaire détaillé aux *Lettres* 45-48 par F. GASTALDELLI, *Opere di san Bernardo*, t. 6/1, p. 248-258, et par M. DUCHET-SUCHAUX, *SC* 458, p. 142-155.

miserabilis casus implevit et decedente Philippo, egit pater,
ut is, qui feliciter hodie regnat, Ludovicus iunior ungeretur.

12. Fidelissimum principem Theobaldum comitem, in
magna tribulatione probatum, non minus mirabiliter quam
misericorditer Dominus liberavit. Is nimirum potentissimus
et secundus a rege, diversos et immensos tenens in regno
5 Franciae principatus, totus tamen eleemosynis deditus, et
studio pietatis intentus, omniumque *servorum Dei*[a], sed
specialiter Bernardi Claraevallensis amator devotissimus
erat. Quem eatenus impugnari et affligi passus est Deus,
ut rege pariter et vicinis potentibus fere cunctis adversus
10 eum coniurantibus, usque adeo de eius evasione despera-
retur, ut publice quoque iam insultaretur religioni, pietati
detraheretur, eleemosynis derogaretur. Monachi et conversi,
inutiles eius milites et balistarii dicebantur. Nec modo apud

---

12. a. Ac 16, 17 ≠ ; 1 P 2, 16 ≠ ; Ap 7, 3

1. Le prince héritier Philippe, que son père avait déjà fait couronner
comme « roi associé » le 14 avril 1129, mourut des suites d'une chute de
cheval le 12 octobre 1131, juste avant l'ouverture du concile de Reims qui
reconnut Innocent II comme le seul pape légitime (cf. *Vp* II, 5, *SC* 619,
p. 388-391 et p. 388-389, n. 2). Le roi Louis VI dut recourir au pape, pour
qu'il donnât l'onction royale à son fils cadet Louis VII. Ce chapitre 11 a
été éliminé dans la recension B, peut-être parce que la prophétie de Bernard
mentionne les évêques, alors que Louis VII fut oint par le pape. Bredero
pense que Geoffroy a supprimé ce récit pour le soustraire à une possible
vérification romaine, puisque certains témoins (dont le roi Louis VII)
étaient encore en vie pendant qu'il révisait la *Vita prima*, c'est-à-dire
dans les années 1163-1166 (cf. BREDERO, *Études*, *ASOC* 18/1-2, 1962,
p. 30). GASTALDELLI (*Opere di san Bernardo*, t. 6/1, p. 253, n. 1) ajoute
une remarque pertinente : Geoffroy avait toute raison de craindre un
démenti de la part du roi Louis VII, qui lui était profondément hostile et
avait obtenu du pape Alexandre III sa déposition de sa charge d'abbé de

temps après, un malheureux accident accomplit cette prophétie et, à cause de la mort de Philippe, le père mit tout en œuvre pour faire sacrer Louis le Jeune, qui règne aujourd'hui avec bonheur[1].

Bernard prophétise la paix entre le roi Louis VII et le comte Thibaud IV de Champagne et parvient à les réconcilier

12. Le Seigneur délivra, de façon non moins miraculeuse que miséricordieuse, le comte Thibaud[2], prince de grande foi, éprouvé par de cruelles tribulations. Cet homme, vraiment très puissant et second seulement au roi, possédait d'immenses et divers domaines dans le royaume de France ; cependant, il était très empressé à faire des aumônes, adonné aux œuvres de miséricorde, et ami très fervent de tous *les serviteurs de Dieu*[a], mais spécialement de Bernard de Clairvaux. Dieu permit qu'il fût à ce point attaqué et pressé que, le roi et presque tous ses puissants voisins s'étant ligués contre lui, on désespérait si bien de son salut que même en public désormais sa religion était insultée, sa piété dénigrée, ses aumônes déconsidérées. On disait que les moines et les convers étaient ses inutiles soldats et arbalétriers. Et non seulement chez les

Clairvaux, en 1165. Ce dernier événement se produisit dans le contexte du différend entre le roi d'Angleterre Henri II Plantagenêt et l'archevêque de Cantorbéry, Thomas Becket. Celui-ci, contraint par le roi à quitter l'Angleterre, s'était réfugié en France chez les cisterciens de Pontigny, d'où Geoffroy l'avait fait sortir, craignant des représailles du roi Plantagenêt contre les abbayes cisterciennes anglaises, qui appartenaient presque toutes à la filiation de Clairvaux. En revanche, Louis VII, rival d'Henri II, protégeait le prélat exilé.

2. Thibaud IV de Champagne : voir *Vp* II, 31 (*SC* 619, p. 454, n. 1) ; II, 52-53 (*SC* 619, p. 518-525). Sur la guerre entre le comte Thibaud et le roi Louis VII, voir *Vp* II, 54-55 (*SC* 619, p. 524-529 et p. 524-525, n. 1). Sur le rôle de la reine Aliénor dans la conclusion de la paix, voir *Vp* IV, 18 (*infra*, p. 160-163).

extraneos, sed in ipsis quoque eius civitatibus et castellis
15 eiusmodi iam blasphemiae personabant.

Denique congregatis aliquando episcopis pluribus, aliisque
personis, praesente etiam *viro Dei*[b], dum super his agerent et
colloquerentur, episcopus quidam eo tempore auctoritate et
opinione prudentiae celeberrimus aiebat : « In manu regis est
20 comes Theobaldus, non est qui possit eruere. » Respondente
alio quodam antistite : « Est qui possit liberare eum »,
multum ille miratus quisnam crederetur posse quaerebat.
Demum audiens quia potest eum eripere qui omnia potest
Deus ; non parum substomachans : « Potest », inquit, « si
25 manifestus appareat, si clavam teneat, si hinc inde percutiat,
167   sed hactenus | ista non fecit ».

In tanta igitur desperatione, cum praedictum principem
vehementer urgerent extranei, gravius tamen impugnarent
qui ab eo defecerant omnes fere homines sui, nec minus illum
30 affligerent pauci qui residui videbantur, ex aliorum defectu
ipsi quoque suspecti, Lingonensis episcopus Godefridus
frequenter et familiariter *Dei hominem*[c] consulebat, quidnam sibi Dominus super his revelaret. Cui ille, cum iam
saepius respondisset, nihil sibi apparere nisi tribulationem
35 super tribulationem, demum aliquando sciscitanti, ait,
quia quinto mense pax erit. Sane ultima die quinti mensis
reformata est pax, ipso quidem et orante et operante, ut
non esset ambiguum eius potissimum studio et merito piissimum illum principem a tam gravibus imminentibusque
40 periculis liberatum.

b. Cf. 1 S 9, 6 et //   c. Cf. Dt 33, 1 et //

1. Geoffroy de la Roche-Vanneau : voir *Vp* I, 45 (*SC* 619, p. 298-299, n. 2).
2. Le 31 mai 1144 : voir *Vp* II, 54 (*SC* 619, p. 524-525, n. 1).

étrangers, mais aussi dans les villes et les châteaux mêmes du comte on entendait désormais de telles paroles outrageantes.

Enfin, comme plusieurs évêques et d'autres personnes s'étaient un jour réunis, en présence aussi *de l'homme de Dieu*[b], tandis qu'ils discutaient et s'entretenaient de ces événements, un évêque, très célèbre en ce temps-là par son autorité et sa réputation de prudence, disait : « Le comte Thibaud est entre les mains du roi, il n'y a personne qui puisse l'en tirer. » Un autre prélat répondit : « Il en est un qui peut le délivrer. » Le premier, très étonné, demandait qui était donc celui qu'on croyait avoir cette puissance. À la fin, entendant que celui qui peut le tirer d'affaire, c'est Dieu qui peut tout, il répliqua, passablement irrité : « Il le peut, s'il se manifeste visiblement, s'il brandit une massue, s'il frappe de tous les côtés ; mais jusqu'à présent il ne l'a pas fait. »

Dans une situation si désespérée, alors que les étrangers pressaient violemment ledit prince, que ses hommes, qui l'avaient trahi presque tous, l'attaquaient encore plus âprement et que le petit nombre de ceux qui semblaient lui rester fidèles ne le chagrinait pas moins, car eux aussi lui étaient suspects à cause de la défection des autres, Geoffroy évêque de Langres[1] consultait souvent et familièrement *l'homme de Dieu*[c], pour savoir ce que le Seigneur lui révélait à ce sujet. Bernard lui avait déjà répondu bien des fois qu'il ne voyait rien que tribulation sur tribulation. Finalement, un jour que Geoffroy l'interrogeait, il dit : « Dans cinq mois il y aura la paix. » De fait, le dernier jour du cinquième mois[2], la paix fut rétablie, sûrement grâce à sa prière et à ses démarches, afin qu'il ne fût douteux pour personne que ce prince très pieux avait été délivré de dangers si graves et si imminents surtout par le travail et les mérites de Bernard.

13. Post annos aliquot inter eundem regem Francorum
et Gaufridum comitem Andegavensium exercebantur ini-
micitiae graves. Causa erat, quod virum nobilem Gerardum
de Monasteriolo, rege prohibente, in munitissimo oppido
5 suo comes obsidens, comprehenderat cum uxore ac liberis et
propinquis, ipsamque diruerat munitionem. Tractabat ergo
vir sanctus de reformanda pace, multis quidem ad hoc ipsum
episcopis et principibus congregatis, cum subito comes ille
amaritudinis felle commotus, insalutatos omnes relinquens,
10 equo insiliit et recessit. Confusis denique omnibus, iam
conventus in desperatione pacis solvebatur, et praedictus
Gerardus accedens ad *hominem Dei*[a], licentiam postulabat,
velut in mortem et carcerem rediturus. Sub obsidibus enim
ad colloquium illud erat adductus. Cumque vir Domini
15 consolaretur eum, gravius ille flens et eiulans : « Meam »,
inquit, « nimis doleo sortem ; meos omnes lugeo pariter
morituros ». Compassus itaque vir beatus : « *Ne timeas*[b] »,

---

13. a. Cf. Dt 33, 1 et //   b. Lc 1, 30

1. Geoffroy d'Auxerre a entièrement supprimé ce chap. 13 dans la
recension B. Il voulait probablement prévenir une enquête romaine sur
l'authenticité du miracle ici rapporté, selon les nouvelles normes instituées
pour la procédure de canonisation (voir Introduction, SC 619, p. 38).

2. Geoffroy dit le Bel, comte d'Anjou et du Maine (1113-1151),
épousa en 1128 Mathilde, unique fille survivante du roi d'Angleterre
Henri Ier Beauclerc et veuve de l'empereur Henri V d'Allemagne, d'où
son titre d'impératrice. De ce mariage naquit, le 5 mars 1133, le futur
roi d'Angleterre Henri II Plantagenêt. Le surnom de *Plante Genest* avait
été donné à Geoffroy le Bel, qui se plaisait à multiplier les genêts dans les
landes pour mieux assouvir sa passion de la chasse ; il le transmit à toute
sa lignée. Il devint duc de Normandie en 1144 et investit de ce titre son
fils Henri en 1150, sans mettre le roi Louis VII, son seigneur, au courant
de cette passation de pouvoir. D'où le conflit évoqué ici, qui eut lieu en

Bernard prophétise la délivrance de Gérard, seigneur de Montreuil, et le châtiment de Geoffroy, comte d'Anjou[1]

13. Quelques années plus tard, de graves inimitiés s'élevèrent entre ce même roi des Français et Geoffroy comte des Angevins[2]. La cause en était que le comte, malgré la défense du roi, avait assiégé le noble seigneur Gérard de Montreuil[3] dans son château puissamment fortifié, l'avait fait prisonnier avec sa femme, ses enfants et ses proches, et avait détruit les fortifications. Aussi, l'homme saint travaillait-t-il pour rétablir la paix, avec beaucoup d'évêques et de princes qu'il avait rassemblés dans ce but, lorsque soudain ce comte, remué par le fiel de l'amertume, sans saluer personne sauta sur son cheval et s'en alla. Tous restèrent alors ébahis ; déjà l'assemblée allait se disperser, dans le désespoir de rétablir la paix, et ledit Gérard, s'approchant de *l'homme de Dieu*[a], demandait la permission de partir, comme pour retourner dans sa prison où l'attendait la mort. Car c'était après avoir donné des otages qu'il avait été conduit à cette entrevue. Comme l'homme de Dieu le consolait, il pleurait et se lamentait plus amèrement, en disant : « Je suis trop affligé de mon sort ; je pleure sur tous les miens qui vont pareillement mourir. » Touché de compassion, le bienheureux lui répondit alors : « *Ne crains pas*[b] ;

1151. Le prétexte en fut le différend entre Geoffroy et Gérard (Giraud) de Montreuil, qui appela Louis VII à son secours (voir VACANDARD, *Vie*, t. II, p. 478-480 ; AUBÉ, *Saint Bernard*, p. 603-605). Dans sa *Lettre* 348, adressée dix ans plus tôt à Innocent II, Bernard s'en prend à Geoffroy le Bel, qui avait demandé au pape d'annuler l'élection d'Arnoul de Sées à l'évêché de Lisieux. L'abbé de Clairvaux y affuble le comte d'Anjou d'épithètes peu amènes : « Marteau des gens de bien, oppresseur de la paix et de la liberté de l'Église... adversaire de l'Église, ennemi de la croix du Christ. » (notre traduction ; cf. *Ep* 348, 2, *SBO* VIII, p. 292, l. 5-6. 14-15 ; *Opere di san Bernardo*, t. 6/2, p. 400-403, n. 1).

3. Montreuil-Bellay, en Maine-et-Loire, dans le Saumurois.

ait, « certus esto quia Deus tibi tuisque subveniet, idque celerius quam valeas vel sperare ». Siquidem recordatus
20   visionis, quam veniens ad id colloquium viderat, tamquam lecturum se evangelium, a sancto episcopo Malachia petere benedictionem, confisus est pacem sine dubio proventuram.

Necdum Gerardus ille limen domus attigerat a facie eius egrediens, cum subito quidam occurrens, redire comitem
25   nuntiavit. Mirati sunt omnes, tam celerem audire promissionis effectum. Eadem etenim hora comes rediit et pariter pax desiderata provenit.

Erat autem idem comes pro eodem negotio ex mandato
168   summi Pontificis anathematis vinculis | innodatus ; sed
30   absolvendus humiliari, ut debuit, vel culpam super hoc fateri suam, penitus recusavit. Magis autem, ut erat plurimum animosus, Deum sibi culpam huiusmodi numquam remittere imprecabatur, innocentem se reputans et iniuste ligatum. Quamobrem discessit pater sanctus non parum
35   tristis ab illo, dicens ei, siquidem litteras noverat : *In qua mensura mensus fueris, remetietur tibi*[c].

Eadem autem die, causantibus super hac improbitate personis quibusdam, et principem illum graviter errasse dicentibus, accensus zelo *Dei famulus*[d] aiebat : « Graviter
40   satis haec temeritas punietur. Fieri omnino non potest, quin hoc eodem anno comes ipse aut moriatur, aut evidentem aliam divinae indignationis sentiat ultionem. » Hoc verbum et ex episcopis, et ex aliis audiere non pauci. Quod tam

c. Mc 4, 24 ≠ ; Mt 7, 2 ≠   d. 2 Ch 1, 3 ≠

1. Malachie O' Morgair : cf. *Vp* II, 49 (*SC* 619, p. 510, n. 3) ; III, 1 (*supra*, p. 19, n. 3) ; IV, 21 (*infra*, p. 164-167 et les notes) ; V, 23-24 (*infra*, p. 308-313).

sois sûr que Dieu te portera secours, à toi et aux tiens, et cela plus tôt même que tu n'oses l'espérer. » Car, se souvenant de la vision qu'il avait eue en venant à cette entrevue, et dans laquelle il s'était vu lui-même prêt à aller lire l'Évangile et demandant au saint évêque Malachie[1] sa bénédiction, il eut l'assurance que la paix se ferait sans aucun doute.

Gérard, se retirant de la présence de Bernard, n'avait pas encore atteint le seuil de la maison, qu'un homme, accourant soudain, annonça que le comte revenait sur ses pas. Tous furent étonnés d'entendre que la promesse s'accomplissait si vite. En effet, à la même heure le comte revint et la paix tant désirée fut pareillement conclue.

Or, à cause de cette même affaire, ledit comte était retenu dans les liens de l'excommunication par ordre du souverain pontife[2] ; mais, pour recevoir l'absolution, il refusa catégoriquement de s'humilier, ainsi qu'il l'aurait dû, et de reconnaître sa faute. Bien plus, comme il était très coléreux, il priait Dieu de ne jamais lui remettre une telle faute, car il s'estimait innocent et injustement lié. C'est pourquoi le père saint s'éloigna de lui profondément attristé, lui disant en latin, car l'autre le comprenait : *La mesure dont tu te sers servira de mesure pour toi*[c].

Or, le même jour, tandis que certaines personnes s'entretenaient de l'impiété de ce prince et disaient qu'il s'était gravement égaré, *le serviteur de Dieu*[d], enflammé d'un saint zèle, affirmait : « Cette témérité sera bien gravement punie. Il n'est absolument pas possible que cette année s'écoule sans que ce comte meure ou expérimente quelque autre châtiment visible de la colère divine. » Cette parole, plusieurs parmi les évêques et les autres gens l'entendirent.

2. Eugène III.

celeriter est impletum, ut comes idem infra diem quintum
45 decimum moreretur.

14. Ingressus aliquando *servus Christi*[a] Germaniae
regnum, festinabat ad partes Moguntinorum, pacem refor-
maturus inter regem Lotharium et praedecessoris eius regis
Henrici nepotes, Conradum scilicet, qui Lothario postea
5   successit in regnum, et Fredericum patrem huius Frederici,
qui post Conradum electus obtinet hodie principatum.
Venerabilis autem metropolitanus Moguntinorum Adelbertus
honorabilem quemdam clericum, nomine Mascelinum, *viro
Dei*[b] obviam misit. Hic igitur Mascelinus cum a domino suo
10 missum se esse diceret ad serviendum ei, paulisper intuitus
illum *vir Dei* : « Alius », inquit, « Dominus ad sibi serviendum te misit ». Expavit Teutonicus, et miratus quid dicere

---

14. a. Rm 1, 1 ; Col 4, 12   b. Cf. 1 S 9, 6 et //

1. Geoffroy le Bel mourut d'un refroidissement à Château-du-Loir le
7 septembre 1151 et fut inhumé dans la cathédrale du Mans, où l'on peut
toujours admirer son tombeau, surmonté d'une plaque de cuivre aux
émaux champlevés qui le représente en pied, armé, le bouclier chargé de
trois léopards (cf. Aubé, *Saint Bernard*, p. 605).

2 Lothaire III de Supplimbourg, duc de Saxe, roi d'Allemagne et
roi des Romains, couronné empereur à Rome par le pape Innocent II
le 4 juin 1133. Cf. *Vp* II, 5.8 (*SC* 619, p. 388-391.396-399 et les notes). Il
mourut le 4 décembre 1137.

3. L'empereur Henri V. Sa sœur Agnès de Beuren épousa Frédéric
de Hohenstaufen, duc de Souabe ; de ce mariage naquirent Frédéric dit
le Borgne, duc de Souabe, et Conrad duc de Franconie, successeur de
Lothaire III sur le trône impérial (voir notes ci-dessous).

4. Conrad III de Hohenstaufen, duc de Franconie, rival de Lothaire III
dans la succession au trône impérial (cf. *Vp* II, 9, *SC* 619, p. 400, n. 1) ;
après la mort de celui-ci, il fut élu empereur germanique le 7 mars 1138
et, huit jours plus tard, couronné roi des Romains à Aix-la-Chapelle par
Dietwin, ancien abbé de Gorze, cardinal-évêque du titre de Sainte-Rufine,
agissant comme légat du pape Innocent II. En 1146, Bernard le persuada

Elle s'accomplit si promptement qu'au bout de quinze jours ledit comte mourait[1].

Bernard prédit à Mascelin, clerc de Mayence, sa conversion monastique

14. *Le serviteur du Christ*[a], étant un jour entré dans le royaume d'Allemagne, se hâtait d'arriver à Mayence, afin de rétablir la paix entre le roi Lothaire[2] et les neveux du roi Henri son prédécesseur[3] : Conrad[4], qui succéda ensuite à Lothaire dans la royauté, et Frédéric[5], père de ce Frédéric qui, élu après Conrad, détient aujourd'hui le pouvoir impérial. Or, le vénérable métropolite de Mayence, Adalbert[6], envoya un honorable clerc, nommé Mascelin, au-devant de *l'homme de Dieu*[b7]. Comme ce Mascelin se disait envoyé par son seigneur pour se mettre à son service, *l'homme de Dieu*, après l'avoir quelque peu regardé, répliqua : « Un autre Seigneur t'a envoyé pour que tu te mette à son service. » L'Allemand prit peur et, se demandant ce qu'il voulait dire,

---

de s'engager dans la deuxième croisade avec le roi Louis VII : cf. *Vp* III, 9 (*supra*, p. 48-49, n. 1). Il mourut le 15 février 1152.

5. Frédéric dit le Borgne, duc de Souabe, frère de Conrad III et père de Frédéric Barberousse. Celui-ci fut élu roi des Romains le 4 mars 1152, aussitôt après la mort de son oncle Conrad, et couronné empereur germanique à Rome par le pape Adrien IV le 18 juin 1155.

6. Adalbert Ier de Sarrebruck fut élu archevêque de Mayence en 1109, installé en 1111, consacré en 1115 ; il mourut le 23 juin 1137 et fut inhumé dans sa cathédrale. Cf. la notice « Adalbert Ier » par G. Allmang, *DHGE* 1, 1912, col. 446-448.

7. On peut légitimement supposer que cet événement eut lieu en mars 1135, quand Bernard se rendit à la diète de Bamberg pour plaider devant l'empereur Lothaire III la cause du pape Innocent II, à nouveau exilé de Rome, et s'arrêta à Mayence. L'épisode est également raconté par Césaire de Heisterbach, *Dialogus miraculorum*, t. I, *Dist.* I, 8 (p. 16-17) ; cf. aussi Hélinand de Froidmont, *Chronicon* (*PL* 212, 1033B).

vellet, firmius asserebat a domino suo Moguntino sese archie-
piscopo destinatum. Econtra *servus Christi* : « Falleris »,
15 ait, « maior Dominus est, qui misit te, Christus ». Tunc
demum intelligens homo quorsum vellet vibrare sermonem :
« Putas », inquit, « quod monachus fieri velim ? Absit a
me ; non cogitavi *nec ascendit super cor meum*[c] ».

Nihilominus tamen renuente illo, *Dei famulus*[d] affirmabat
20 omnimodis fieri oportere, non quod ipse de se cogitaverat,
sed quod de eo disposuerat Deus. In eodem denique itinere conversus ad Dominum saeculo valefecit, et cum aliis
169 plu|ribus litteratis honoratisque personis, quas collegit eo
tempore *servus Christi*, ipse quoque, sicut sibi praedictum
25 fuerat, secutus est eum.

15. Henricum quoque germanum regis Francorum, qui
Belvacensem hodie cathedram ornat, non dissimili Dominus
conversione mutavit. Accidit enim ut veniens idem Henricus
ad *hominem Dei*[a] super quodam saeculari negotio locuturus,
5 conventum etiam fratrum visitans eorum sese orationibus
commendaret. Cui pater sanctus inter verba sanctae exhor-
tationis : « *Confido* », ait, « *in Domino*[b], nequaquam in eo
te moriturum in quo nunc positus es ; sed velociter experimento proprio probaturum, quantum tibi istorum prosit
10 oratio quam expetisti ». Quod eodem postmodum die non
absque multorum admiratione completum est, et de tanti
iuvenis conversione coenobium omne exsultatione repletum.

---

c. 1 Co 2, 9 ≠   d. 2 Ch 1, 3 ≠
15. a. Cf. Dt 33, 1 et //   b. Ph 2, 24 ≠

---

1. Cf. *Vp* II, 49 (*SC* 619, p. 509, n. 10).

protestait plus fermement qu'il avait été dépêché par son seigneur, l'archevêque de Mayence. *Le serviteur du Christ* lui déclara au contraire : « Tu te trompes ; c'est un plus grand Seigneur qui t'a envoyé : le Christ. » L'homme, comprenant enfin où voulait tendre ce discours, répondit : « Crois-tu que j'aie l'intention de me faire moine ? Loin de moi cette idée ; jamais je n'ai eu cette pensée *et elle n'a surgi dans mon cœur*[c]. »

Cependant, tandis qu'il persistait dans son refus, *le serviteur de Dieu*[d] affirmait que, de toutes façons, il fallait qu'il arrive, non ce que Mascelin s'était figuré de son avenir, mais ce que Dieu avait décidé à son sujet. Bref, dans ce voyage même, s'étant converti au Seigneur, il dit adieu au monde et, avec plusieurs autres personnes savantes et distinguées, que *le serviteur du Christ* avait enrôlées en ce temps-là, lui aussi le suivit, ainsi qu'il lui avait été prédit.

Deux autres conversions monastiques prophétisées par Bernard : Henri, frère du roi de France, et son compagnon André — **15.** Henri aussi, frère du roi des Français, qui aujourd'hui illustre le siège de Beauvais[1], fut converti par le Seigneur d'une manière non dissemblable. Il advint en effet que ledit Henri, étant venu trouver *l'homme de Dieu*[a] pour lui parler de telle affaire mondaine, visita également la communauté des frères et se recommanda à leurs prières. Le père saint, entre autres paroles d'une sainte exhortation, lui dit : « *J'ai confiance dans le Seigneur*[b] que tu ne mourras point dans l'état ou tu te trouves maintenant, mais que tu éprouveras rapidement, par ta propre expérience, quel grand bienfait t'apportera la prière que tu as demandée à ceux-ci. » Bientôt après, le jour même, cette prophétie s'accomplit, non sans l'étonnement de beaucoup, et toute la communauté fut remplie d'allégresse à la conversion monastique d'un si noble jeune homme.

Lugentibus autem sociis, et familia omni ac si mortuum illum cernerent eiulante, prae ceteris Andreas quidam Parisiensis Henricum ebrium, Henricum vociferabatur insanum, nec conviciis nec blasphemiis parcens. Econtra sane idem Henricus pro illius potissimum conversione *Dei hominem* dare operam precabatur. Cui vir sanctus audientibus multis : « *Dimitte* », ait, « hominem ; modo *anima eius in amaritudine est*[c], nec pro eo multum sollicitus sis, quia tuus est ille ». Cumque amplius spe concepta Henricus instaret ut loqueretur Andreae, severius intuitus eum *vir Dei*[d] : « Quid hoc est ? », ait ; « Numquid non iam dixi tibi : Tuus est ille ? » Audiens haec Andreas, siquidem praesens erat et ipse, sicut plurimum improbus erat, et a sacra conversatione vehementer abhorrens, talia secum, ut postea confessus est nobis, tacita cogitatione volvebat : « In hoc nunc scio falsum te esse prophetam. Hoc enim certus sum quia locutus es verbum, et non fiet. Hoc tibi ego coram rege et principibus, in celebri quocumque conventu improperare non parcam, ut tua omnibus falsitas innotescat. »

Ceterum quam *mirabilis Deus in consiliis super filios hominum*[e], ridens eorum vana conamina, ut propositum suum quando et quomodo ipse voluerit impleatur ! Siquidem die altera ibat Andreas mala omnia imprecans monasterio, ubi dominum dimittebat, ipsam quoque desiderans vallem funditus subrui cum habitatoribus suis. Nec parum moti sunt et mirati, qui praedictum viri sancti de ipso audierant verbum, cum taliter videretur abire. Sed non diu pusillanimitatem

c. 2 R 4, 27 ≠   d. Cf. 1 S 9, 6 et //   e. Ps 67, 36 ; 65, 5

Or, tandis que ses compagnons pleuraient et que toute sa maisonnée se lamentait comme s'ils l'avaient vu mort, un certain André, Parisien, criait plus fort que les autres qu'Henri était ivre, qu'Henri était fou, et n'épargnait ni les injures, ni les blasphèmes. Par contre, ledit Henri priait instamment *l'homme de Dieu* de mettre tout en œuvre pour la conversion monastique d'André. L'homme saint lui *répondit*, et beaucoup l'entendirent : « *Renvoie* cet homme ; maintenant *son âme est dans l'amertume*[c], mais ne te fais guère de souci pour lui, car il est à toi. » Puisque Henri, plein d'espérance, insistait davantage pour qu'il parlât à André, *l'homme de Dieu*[d] le regarda assez sévèrement et déclara : « Et quoi ? Ne t'ai-je pas déjà dit : Il est à toi ? » En entendant ces mots, André, qui était présent lui aussi, comme il était fort mal disposé et qu'il avait une violente aversion pour la vie religieuse, roulait silencieusement dans son esprit, ainsi qu'il nous l'a avoué plus tard, ces pensées : « Pour le coup, je sais maintenant que tu es un faux prophète. Oui, j'en suis sûr, parce que tu as prononcé une parole qui ne s'accomplira point. Je ne manquerai pas de te le reprocher devant le roi et les princes, dans n'importe quelle assemblée solennelle, afin que ta fausseté soit connue de tous. »

Mais que *Dieu est admirable dans ses desseins sur les enfants des hommes*[e], se moquant de leurs vains efforts, afin que son propos s'accomplisse quand et comment il le voudra ! Car, le lendemain, André s'en allait, souhaitant tous les malheurs au monastère où il laissait son maître, et désirant que la vallée même fût bouleversée de fond en comble avec tous ses habitants. Ceux qui avaient entendu la prédiction de l'homme saint à son sujet ne furent pas peu ébranlés et étonnés de le voir s'éloigner dans de tels sentiments. Mais Dieu ne souffrit pas que leur pusillanimité et leur *peu de*

40 eorum et *fidem modicam*[f] tentari passus est Deus. Illa tantum
die procedens et repellens quodammodo gratiam Dei, nocte
proxima victus et quasi vinctus trahente se et vim faciente
Spiritu Dei, diem exspectare non potuit. Sed exsurgens ante
diluculum, velociterque rediens ad monasterium, alterum
45 nobis Saulum, vel magis de Saulo Paulum alterum exhibebat.

16. Inter ceteros quos de vana conversatione huius saeculi per ministerium servi sui Christus eripuit, de partibus
Flandriae multi aliquando nobiles, multi sapientes et litterati
viri sub ipsius magisterio sacram professi sunt servitutem.
5 Quorum primus videbatur Gaufridus ille de Perona, qui
postmodum in Claravalle prioris officio functus est, et
defunctus in eo. In quibus evidentissime vidimus evangeli-
cum illud impleri : *Multi dicent vobis : Ecce hic est Christus,
ecce illic*[a]. Plurimis enim persuasionibus actum est cum eis,
10 ut aliam magis eligere professionem, et loca alia debuissent,
donec occurrit *Dei famulus*[b] iam prope dispersis, et *in verbis
gratiae, quae procedebant de ore eius*[c], pristina omnis hae-
sitatio facta de medio, et omnium pariter in ipsius consilio
irrefragabiliter est firmata voluntas. Quod quidem non sine
15 subita et penitus insperata quorumdam ex ipsis mutatione

---

f. Mt 8, 26 ≠
16. a. Mt 24, 23 ≠   b. 2 Ch 1, 3 ≠   c. Lc 4, 22 ≠

1. Jeune homme de noble famille, trésorier de la cathédrale de Saint-
Quentin, Geoffroy fut converti par Bernard, en même temps qu'une tren-
taine d'autres jeunes gens de condition – la *captura Leodiensis*, cf. *Vp* I, 62
(*SC* 619, p. 337, n. 5) –, lorsque l'abbé de Clairvaux se rendit à Liège en
mars 1131 à la suite du pape Innocent II, pour rencontrer Lothaire III, roi
d'Allemagne : cf. *Vp* II, 5 (*SC* 619, p. 390, n. 1). Comme Geoffroy hésitait
encore, Bernard lui adressa la *Lettre* 109 pour l'affermir dans sa vocation
monastique, et écrivit à ses parents l'exquise *Lettre* 110 pour les consoler
du départ de leur fils et les rassurer au sujet de la santé délicate de celui-ci :

foi[f] fussent longtemps mis à l'épreuve. Ce jour-là seulement André alla son chemin et repoussa en quelque sorte la grâce de Dieu. La nuit suivante, vaincu et comme lié par l'Esprit de Dieu qui l'entraînait et lui faisait violence, il ne put même pas attendre le jour. Mais, se levant avant l'aube, et revenant en hâte au monastère, il nous montrait en sa personne un autre Saul, ou plutôt un Saul devenu Paul.

Conversion monastique de Geoffroy de Péronne, d'autres nobles et de savants venant de la Flandre

16. Parmi bien d'autres que le Christ arracha aux vanités de la vie de ce monde par le ministère de son serviteur, beaucoup d'hommes jadis nobles, et beaucoup de savants et de lettrés venant des régions de la Flandre firent profession de servir le Seigneur sous la conduite de Bernard. Le plus illustre d'entre eux était apparemment ce Geoffroy de Péronne[1], qui remplit ensuite la fonction de prieur à Clairvaux et mourut dans cette charge. En eux, nous avons vu s'accomplir en toute clarté cette parole de l'Évangile : *Beaucoup vous diront : Le Christ est ici, le Christ est là*[a]. Car on mit tout en œuvre pour leur persuader de choisir plutôt une autre forme de vie monastique et d'autres endroits, jusqu'au moment où *le serviteur de Dieu*[b] alla au-devant d'eux, alors qu'ils étaient sur le point de se disperser, et *par les paroles de la grâce qui sortaient de sa bouche*[c] toute hésitation précédente fut balayée, et leur volonté à tous fut affermie de façon inébranlable dans le projet de Bernard. Ce qui, assurément, ne se produisit pas sans une transformation

---

« Ayez confiance, soyez consolés [...] Moi, je serai pour lui un père, je serai une mère, je serai un frère et une sœur (*Ep* 110, 2, *SC* 556, p. 160, l. 4. 8-9). » Geoffroy devint prieur de Clairvaux en 1140 et y mourut le 15 janvier 1144. Sur lui, cf. A. Dimier, « Notes sur Godefroy (ou Geoffroy) de Péronne », *Cîteaux* 7/4, 1956, p. 286-290 ; Id., « Geoffroy de Péronne », *DHGE* 20, 1984, col. 552-553.

factum est animorum. Denique cum iam *Dei hominem*[d]
ad monasterium sequeretur praedictus ille Gaufridus,
gravissima coepit tentatione pulsari. Intuitus autem illum
unus e fratribus : « Quid est », inquit, « quod facies tua
20   exterminata, et tristitiae quodam nubilo graviter obvoluta
videtur ? » Cui Gaufridus : « Scio », inquit, « scio quod
numquam amplius laetus ero ».

Quod verbum cum ad *Dei famulum* idem frater satis
anxius retulisset, videns ille basilicam prope viam per quam
25   gradiebantur, in eam divertit et ingressus orabat. Ceteris
autem de foris praestolantibus, Gaufridus ille gravatus taedio super lapidem obdormivit. Demum cum ambo pariter
surrexissent, ille de oratione, ille de somno, apparuit idem
Gaufridus tantum iucundior et hilarior ceteris, quantum
30   tristior prius. Cumque ei praedictus frater verbum maesti-
tiae quod locutus fuerat, amicabiliter improperaret : « Etsi
171   tunc, » inquit,[I] « dixi : Numquam amplius laetus ero ; sed
nunc dico : Numquam amplius tristis ero ».

17. Idem quoque Gaufridus primo tempore tirocinii
sui pro patre suo viro nobili et potenti, quem in saeculo
reliquerat, filiali pietate sollicitus, patrem sanctum pro eius
conversione rogare Dominum, affectuosius exorabat. Cui
5   *vir Dei*[a] : « *Ne timeas*[b] », inquit, « ego illum probatum
monachum manibus meis in hac Claravalle sepeliam ».
Utrumque secutum est, et perfectus monachus factus
est ; et a patre sancto, sicut ipse praedixerat, in Claravalle

d. Cf. Dt 33, 1 et //
17. a. Cf. 1 S 9, 6 et //   b. Lc 1, 30

1. Le père de Geoffroy s'appelait Matthieu : cf. *Fr* I, 58 (*SC* 548, p. 173).

soudaine et tout à fait inespérée des esprits de certains d'entre eux. Bref, alors que ledit Geoffroy suivait déjà *l'homme de Dieu*[d] au monastère, il commença d'être agité par une très violente tentation. Un des frères, l'ayant regardé, lui dit : « Qu'est-ce que cela ? Ton visage semble défait, et voilé par un épais nuage de tristesse ! » À quoi Geoffroy répondit : « Je sais, je sais que je ne serai plus jamais joyeux. »

Le frère, assez inquiet, rapporta ces paroles au *serviteur de Dieu*. Celui-ci, voyant une basilique proche de la route où ils marchaient, fit un détour par là et, étant entré, il priait. Tandis que les autres attendaient dehors, ce Geoffroy, accablé d'ennui, s'endormit sur une pierre. Enfin, lorsque tous les deux se levèrent en même temps, l'un de sa prière, l'autre de son sommeil, ledit Geoffroy apparut d'autant plus gai et plus souriant que les autres, qu'il avait paru plus triste auparavant. Comme le frère dont nous avons parlé plus haut lui reprochait amicalement les paroles pleines de chagrin qu'il avait prononcées, il répondit : « Même si tout à l'heure j'ai dit : Jamais plus je ne serai joyeux, maintenant je dis au contraire : Jamais plus je ne serai triste. »

17. Encore ce même Geoffroy, dans les premiers temps de son noviciat, tourmenté par sa piété filiale pour son père[1], homme noble et puissant qu'il avait laissé dans le monde, priait avec une affectueuse insistance le père saint de supplier le Seigneur pour sa conversion monastique. *L'homme de Dieu*[a] lui répondit : « *Ne crains pas*[b] : il sera un excellent moine, et moi-même je l'ensevelirai de mes propres mains ici à Clairvaux. » L'une et l'autre prédiction se vérifia : il devint un moine accompli, et fut enseveli à Clairvaux par le père

Bernard prédit la conversion monastique de Matthieu de Péronne et son enterrement à Clairvaux célébré par lui-même

sepultus. Tamquam enim mori illo absente non posset,
10　quinque mensibus infirmatus et creberrimum, immo
continuum *responsum mortis in se ipso habens*[c], sustinuit
donec pater sanctus rediret, qui, ut olim promiserat, eum
traderet sepulturae.

18. Regina Franciae, supradicti Ludovici iunioris uxor,
plures cum eo fecerat annos et sobolem non habebat. Erat
autem vir sanctus apud regem pro quadam pace laborans
et regina in contrarium nitebatur. Cumque eam moneret
5　desistere coeptis et regi suggerere meliora, inter loquendum
illa coepit conqueri super sterilitate sua, humiliter rogans,
ut sibi partum obtineret a Domino. At ille : « Si feceris »,
inquit, « quod moneo, ego quoque pro verbo quod postulas,
Dominum exorabo ». Annuit illa, et pacis non tardavit effec-
10　tus. Qua reformata, praedictus rex, nam verbum ei regina
suggesserat, a *viro Dei*[a] promissum humiliter exigebat. Hoc

c. 2 Co 1, 9 ≠
18. a. Cf. 1 S 9, 6 et //

1. Dans ledit *Fr* I, 58 (*ibid.*, p. 173-175), Geoffroy d'Auxerre ajoute un détail : « Pendant qu'il gisait dans cette infirmité, environ vingt jours avant son décès, son fils Geoffroy lui apparut et arrêta le jour où il serait présent à une grande cour. » Matthieu mourut le 22 avril 1144, trois mois après son fils.

2. Geoffroy a supprimé ce chap. 18 dans la recension B (cf. *Vp* IV, 13, *supra*, p. 146, n. 1). Cependant, BREDERO signale qu'il se trouve dans quelques manuscrits de ladite recension (voir *Études, ASOC* 17/1-2, 1961, p. 50, n. 1).

3. Aliénor, fille et héritière de Guillaume X, duc d'Aquitaine et comte de Poitiers (cf. *Vp* II, 32, *SC* 619, p. 456, n. 1), épousa le roi Louis VII de France le 25 juillet 1137. Celui-ci la répudia en 1152 ; elle se remaria la même année avec Henri II Plantagenêt, roi d'Angleterre, et lui donna plusieurs fils, dont Richard Cœur de Lion et Jean sans Terre, qui montèrent sur le trône l'un après l'autre. Vers la fin de sa vie, elle se retira au monastère de Fontevraud et y mourut en 1204. Sur les rapports entre Bernard et Aliénor,

saint, ainsi que celui-ci l'avait annoncé. En effet, comme s'il n'avait pu mourir en son absence, il fut malade cinq mois et, *ayant* très souvent, ou plutôt continuellement *en lui-même le pressentiment de la mort*[c], il tint le coup jusqu'au retour du père saint qui, comme il l'avait promis jadis, devait le mettre dans la tombe[1].

Bernard promet un enfant à la reine Aliénor de France[2]

18. La reine de France, épouse de ce Louis le Jeune[3] dont nous avons parlé plus haut[4], avait déjà vécu plusieurs années avec lui et n'avait pas d'enfants. Or, l'homme saint se trouvait près du roi et travaillait pour conclure une certaine paix, tandis que la reine s'efforçait de le contrecarrer. Comme il l'engageait à se désister de son entreprise et à donner au roi de meilleurs conseils, elle commença dans la conversation à se plaindre de sa stérilité, le priant humblement de lui obtenir un accouchement de la part du Seigneur. Et lui de dire : « Si tu fais ce que je te recommande, moi aussi je supplierai le Seigneur pour qu'il exauce ta requête. » Elle acquiesça, et la paix ne tarda pas à se conclure[5]. Après que celle-ci eut été rétablie, ledit roi – car la reine lui avait rapporté ce propos – exigeait humblement *de l'homme de Dieu*[a] qu'il tînt sa promesse.

---

cf. les pages très équilibrées et pertinentes de dom J. Leclercq, *La Femme et les femmes dans l'œuvre de Saint Bernard*, Paris 1982, p. 62-67, qui font justice de bien des clichés répandus par une certaine littérature pseudo-historique dont « l'information égale l'imagination », écrit avec humour le grand médiéviste (*ibid.*, p. 63). Gastaldelli a montré que la *Lettre* 511 de Bernard *Ad reginam Francorum* n'est pas adressée à la reine Adelaïde de Maurienne, épouse de Louis VI, comme on le lit dans *SBO* VIII (p. 470), mais à la reine Aliénor (*Opere di san Bernardo*, t. 6/2, p. 678-679 et n. 1).

4. Voir *Vp* IV, 11 (*supra*, p. 142, l. 19).

5. La paix entre Louis VII et Thibaud IV comte de Champagne : voir *Vp* IV, 12 (*supra*, p. 142-145).

autem tam celeriter est impletum, ut circa idem tempus anno altero eadem regina pepererit.

19. Dominus abbas Rainardus Cisterciensis, quem ex Claravalle assumptum pater sanctus et ut filium amplectebatur, et reverebatur ut patrem, ob quorumdam monasteriorum ordinationem Provinciae partes intraverat.
5 De quo *vir Dei*[a] in Claravalle consistens, dum fratri cuidam loqueretur, subita inspiratione permotus : « Dominus », ait, « Cisterciensis, aut mortuus est, aut in proximo moriturus ». Nec parum ille frater miratus est audiens verbum ; magis tamen obstupuit, cum eiusdem abbatis post dies paucos
10 audiret obitum nuntiari.

172 |**20.** Eodem anno, quo de hac vita pater sanctus fuerat exiturus, tres adolescentes de proximo oppido, quod Barrum dicitur super Albam, monasterium Claraevallis gratia conversionis intraverant. Quorum tertius, suadente maligno,
5 *ad vomitum est reversus*[a]. Qua ex re pro duobus aliis magis solliciti fratres, ipsis quoque praesentibus, patri sancto super hoc loquebantur. At ille intuens in eos : « Hic », inquit,

19. a. Cf. 1 S 9, 6 et //
20. a. Pr 26, 11 ≠ ; 2 P 2, 22 ≠

1. La reine enfanta une fille, Marie de France. Cette fille aînée de Louis VII et d'Aliénor épousera en 1164 Henri de Champagne, fils du comte Thibaud (VACANDARD, *Vie*, t. II, p. 199, n. 2). Puisque la paix fut conclue le 31 mai 1144 (cf. n. ci-dessus), il est permis de penser que la princesse Marie naquit au début de mars 1145.

2. Rainard, fils du comte Milon de Bar-sur-Seine, se fit moine à Clairvaux et fut élu abbé de Cîteaux en 1133 ; il mourut le 16 décembre 1150. Selon BREDERO (*Bernard de Clairvaux*, p. 251-252), Bernard pesa de tout son poids sur cette élection, ce qui est tout à fait vraisemblable. Dans une lettre au pape Innocent II (*Ep* 98, *Letters* I, p. 258-259), Pierre le Vénérable rapporte que Rainard fut l'artisan de la réconciliation entre Abélard et Bernard après le concile de Sens (cf. *Vp* III, 13-14, *supra*, p. 56-63). Tandis qu'Abélard se trouvait à Cluny, accueilli par Pierre, et attendait la

Celle-ci s'accomplit si promptement que l'année suivante, à peu près à la même époque, la reine enfanta[1].

Bernard prédit la mort de Rainard, abbé de Cîteaux

19. Le seigneur abbé de Cîteaux, Rainard, qui venait de Clairvaux[2] et que le père saint chérissait comme un fils et vénérait comme un père, s'était rendu dans les contrées de la Provence pour mettre de l'ordre dans certains monastères. *L'homme de Dieu*[a], qui se trouvait alors à Clairvaux, parlant de lui avec un frère, s'écria, touché d'une inspiration soudaine : « Le seigneur abbé de Cîteaux est mort, ou va bientôt mourir ». Ce frère ne fut pas peu étonné d'entendre cette parole ; mais il resta bien plus interdit lorsque, quelques jours plus tard, il entendit annoncer le décès de ce même abbé.

Prophétie de Bernard concernant deux jeunes moines originaires de Bar-sur-Aube[3]. Vision de Bernard pendant son oraison

20. L'année même où le père saint allait sortir de cette vie, trois jeunes gens d'un village voisin, appelée Bar-sur-Aube, étaient entrés au monastère de Clairvaux pour se faire moines. Le troisième d'entre eux, persuadé par le Malin, *retourna à son vomissement*[a]. C'est pourquoi les frères, assez inquiets pour les deux autres, en leur présence même en parlaient au père saint. Et lui, en regardant les deux jeunes :

---

sentence du pape, Rainard le rejoignit et lui proposa de rencontrer Bernard à Clairvaux pour se réconcilier avec lui. Encouragé par Pierre, Abélard accepta et se rendit avec Rainard à Clairvaux, où il fit la paix avec Bernard, « grâce à la médiation de l'abbé de Cîteaux », écrit Pierre. Voir aussi *Opere di san Bernardo*, t. 6/2, p. 213-216, la n. 2 de GASTALDELLI à la *Lettre* 270, où Bernard annonce la mort de Rainard au pape Eugène III (*Ep* 270, 3).

3. La première partie de ce chap. 20 *(Eodem anno... tentatione vincendum)* a été supprimée dans la recension B.

« nulla umquam tentatione laborabit ; iste vero, multa ;
sed tamen praevalebit ». Utrumque *sicut audivimus, sic*
10   *vidimus*[b] : adeo ut frequentius alteri obiceremus, cum aliquoties in tentatione pene deficeret, et inciperet iam abire,
impossibile esse ut vinceretur, quem vir sanctus praedixerat
nulla tentatione vincendum.

Pernoctabat aliquando *Dei famulus*[c] in oratione, in suo
15   Claraevallensi coenobio constitutus, et solita intentione
Dominum precabatur. Contigit autem eadem hora pauperem quemdam, et vere *pauperem spiritu*[d], in cella hospitum
mori. Cuius animam cum vocibus canoris in caelum deferri
pater sanctus audivit. Et interrogatis mane fratribus, qui
20   adfuerant, illam fuisse horam obitus eius comperit, qua
praedictas audierat in sublime tendentium voces.

21.   Cum beatus episcopus Malachias, cuius vitam virtutibus plenam vir sanctus studiose descripsit, iuxta desiderium
cordis sui in Claravalle beatam caelo animam reddidisset,
offerens pro eius transitu venerabilis abbas *hostiam saluta-*
5   *rem*[a], gloriam eius Domino revelante cognovit, et eodem

---

b. Ps 47, 9   c. 2 Ch 1, 3 ≠   d. Mt 5, 3 ≠
21. a. 2 M 3, 32 ≠

1. Malachie O' Morgair : cf. *Vp* II, 49 (*SC* 619, p. 510-511, n. 3) ; III, 1
(*supra*, p. 19, n. 3) ; V, 23-24 (*infra*, p. 308-313). En 1148, Malachie, délégué
par les évêques irlandais, s'était rendu en France, où le pape Eugène III
demeura jusqu'au mois de mai, afin de lui demander le pallium (cf. *Vp* II, 9,
SC 619, p. 400, n. 1) pour les archevêques d'Armagh et de Cashel, les deux
sièges primatiaux de son île. Il avait déjà présenté cette requête au pape
Innocent II lors de son voyage à Rome huit ans plus tôt (cf. *Vp* II, 49, n. cit.),
mais il n'en avait obtenu que la promesse. Malachie débarqua en France
après un voyage long et pénible, qui éprouva durement sa santé, déjà assez
délabrée, et ne put rencontrer le pape, déjà reparti pour l'Italie. Épuisé,
il se présenta à Clairvaux à la mi-octobre. Il y fut accueilli à bras ouverts
par Bernard, et y mourut une quinzaine de jours plus tard.

« Celui-ci, dit-il, ne souffrira jamais d'aucune tentation ; quant à celui-là, il en souffrira beaucoup, mais il aura néanmoins le dessus. » Ces deux choses, *telles que nous les avons entendues, nous les avons vues*[b]. Ainsi, toutes les fois que le deuxième jeune homme succombait presque à la tentation, et s'apprêtait déjà à partir, nous lui objections bien souvent qu'il était impossible que fût vaincu celui dont l'homme saint avait prédit qu'il ne serait vaincu par aucune tentation.

Une fois, *le serviteur de Dieu*[c] passait la nuit en oraison, alors qu'il se trouvait dans son monastère de Clairvaux, et priait le Seigneur avec son recueillement habituel. Or, il arriva qu'à cette heure même un pauvre, un vrai *pauvre en esprit*[d], mourut dans le logement des hôtes. Le père saint entendit que son âme était portée au ciel dans un concert de voix mélodieuses. Le matin, ayant interrogé les frères qui avaient assisté au trépas de cet homme, il apprit que l'heure de son décès avait été celle où il avait entendu lesdites voix de ceux qui s'élevaient vers le ciel.

Révélations reçues par Bernard pendant qu'il célébrait la messe des défunts pour les évêques Malachie d'Armagh et Albéric d'Ostie

21. Lorsque le bienheureux évêque Malachie[1], dont l'homme saint a écrit avec soin la vie[2] pleine de miracles, eut, selon le désir de son cœur, rendu dans Clairvaux son âme bienheureuse au ciel[3], le vénérable abbé, *en offrant* pour son trépas *le sacrifice du salut*[a], connut sa gloire par une

---

2. BERNARD DE CLAIRVAUX, *MalV.*

3. Malachie mourut à Clairvaux le matin du 2 novembre 1148 (cf. *SC* 367, p. 376, n. 2). Bernard a décrit sa mort, nimbée d'une lumière pascale, dans *MalV* 72-74 (p. 369-375), et dans son sermon *In transitu sancti Malachiae episcopi* (*Lors du passage de l'évêque saint Malachie vers la vie*), *SC* 367, p. 381-399.

inspirante, sacrificio iam expleto, formam mutavit orationis, et collectam intulit, quae ad sanctorum pontificum celebritates, non ad commendationes defunctorum pertinet, ita dicens : « Deus, qui beatum Malachiam pontificem sanctorum tuorum meritis coaequasti, tribue, quaesumus, ut qui *pretiosae mortis*[b] eius festa agimus, vitae quoque imitemur exempla. » Deinde reverenter accedens, sacra eius vestigia devotissime osculabatur. Modum tamen aut seriem visionis nec cuiquam aperire, nec in eiusdem episcopi *Vita* scribere acquievit : hoc tantum respondens, cum plurimum super hoc rogaretur, nimis ad propriam sui ipsius pertinuisse personam.

Nec sane dubium plura eum similia occultasse similiter, quaecumque | videlicet passus est Dominus occultari. Nam et Verduni aliquando, quae est civitas Lotharingorum, cum ad tumulum reverendissimi viri Alberici episcopi Ostiensis, noviter ante defuncti, pro commendatione eius *sacrificium laudis*[c] offerret, collectam similiter in fine mutavit. De quo tamen quid vidisset, nec interrogatus est, nec confessus, cum sine certa revelatione id fecisse minime videatur.

----

b. Ps 115, 15 ≠   c. Ps 49, 15. 23

1. Malachie fut canonisé par le pape Clément III quarante-deux ans plus tard, le 6 juillet 1190, mais Bernard a utilisé la collecte pour la commémoraison des saints pontifes, tant il était sûr de la sainteté de son ami et de sa future canonisation.

2. L'oraison récitée ici par Bernard semble dérivée de la postcommunion de la messe en l'honneur de saint Grégoire le Grand : *Deus, qui beatum Gregorium pontificem sanctorum tuorum meritis coaequasti, concede propitius, ut qui commemorationis eius festa percolimus, vitae quoque imitemur exempla.* Cf. *Corpus orationum*, t. II, éd. E. MOELLER, J. M. CLÉMENT, B. COPPIETERS'T WALLANT, *CCSL* 109A, 1993, p. 256, n° 1444. La collecte de l'office de saint Malachie dans le *Breviarium cisterciense*,

révélation du Seigneur. Poussé par une inspiration divine, une fois le saint sacrifice terminé, il changea la formule de l'oraison, et récita la collecte propre aux fêtes des saints pontifes, et non à la recommandation des défunts[1], en disant ceci : « Dieu, qui as rendu le bienheureux pontife Malachie égal aux mérites de tes saints, accorde, nous t'en prions, à nous qui célébrons la solennité *de sa précieuse mort*[b], d'imiter aussi les exemples de sa vie[2]. » Puis, s'approchant respectueusement, il baisait ses saintes reliques avec la plus ardente ferveur. Il ne consentit cependant ni à révéler à qui que ce fût le genre ou la teneur de cette vision, ni à la relater dans la *Vie* dudit évêque ; lorsqu'on l'interrogeait avec insistance à ce sujet, il répondait seulement qu'elle touchait de trop près à sa propre personne.

[3]Il n'est certes pas douteux qu'il a pareillement tenu secrets plusieurs faits semblables, c'est-à-dire tous ceux que le Seigneur a permis qu'ils demeurent secrets. En effet, à Verdun aussi, ville de Lorraine, un jour qu'il offrait *le sacrifice de louange*[c] sur le tombeau du très révérend Albéric, évêque d'Ostie, récemment décédé[4], pour recommander son âme, il changea pareillement la collecte finale. Il ne fut cependant pas interrogé à ce propos sur ce qu'il avait vu, et n'en fit aucune confidence, bien qu'il ne paraisse guère vraisemblable qu'il ait agi ainsi sans révélation certaine.

---

au 3 novembre (*Pars autumnalis*, Westmalle 1878, p. 436-437), orchestre le thème de l'amitié entre Malachie et Bernard. Je dois ces informations à la courtoisie du R. P. Vincent Desprez, o.s.b., moine de Ligugé, qui a eu l'amabilité de me les communiquer. Qu'il en soit ici vivement remercié.

3. La deuxième partie de ce chap. 21, concernant l'évêque Albéric d'Ostie *(Nec sane dubium... minime videatur)*, a été supprimée dans la recension B.

4. Voir *Vp* III, 17 (*supra*, p. 70-71, n. 2).

22. Super his quae ad gratiam pertinent sanitatum, tam multa insignia per hunc famulum suum operatus est Christus, ut in eo quoque videretur exhiberi, quod de ipso Ioannes evangelista testatur : *Si omnia scriberentur,*
5   *ne ipsum quidem mundum capere eos, qui scribendi sunt, libros*[a]. Ceterum nos saltem pauca de pluribus exempli gratia proferamus.

Castrum Villanum accolae vocant, quod a Claravalle, ut aiunt, sex miliariis distat. Ubi mulier praegnans tem-
10   pus omne transierat pariendi, et aliquantis mensibus iam decursis, cum necdum pareret, amplius mirabatur. Cuius eo usque dilatus est partus, ut tam sibi quam ceteris quibusque vicinis morbus potius videretur, nec iam crederetur esse praegnans sed tumens. Quis enim credere posset
15   infantulum anno integro posse visceribus maternis teneri ? Desperata igitur mulier ad monasterium *viri Dei*[b] ducitur sic se habens. Sistitur ad portam misera, et portario fratri causa tam miserabilis intimatur. Rogatus ille et inaudito compassus incommodo, supplex adiit patrem sanctum,
20   fideliter ei necessitatem indicans mulieris, fideliter explens negotium susceptae legationis. Et, o mira divinae virtutis operatio, mirabilius accelerantis quod mirabiliter tardabatur ! Tamquam enim hoc solum tanto tempore nasciturus infans exspectaverit, hora eadem femina peperit, et praecur-
25   rente remedio, ad portam rediens frater ille incommodum quod nuntiaverat, non invenit.

22. a. Jn 21, 25 ≠   b. Cf. 1 S 9, 6 et //

22. Quant aux faits qui regardent la grâce des guérisons, le Christ a accompli tant de merveilles par son serviteur, qu'en lui aussi paraissait se manifester ce que Jean l'évangéliste atteste du Christ lui-même : *Si on les mettait toutes par écrit, le monde même ne suffirait pas à contenir les livres qu'il faudrait en écrire*[a]. Mais citons-en au moins quelques-unes, choisies entre plusieurs à titre d'exemple.

Une femme enceinte parvient à accoucher grâce à sa confiance en Bernard

Il est un lieu que les habitants nomment Châteauvillain et qui se trouve, disent-ils, à six mille de distance de Clairvaux. Là-bas, une femme enceinte avait dépassé de beaucoup le temps où elle aurait dû accoucher ; déjà plusieurs mois s'étaient écoulés et, puisqu'elle n'accouchait toujours pas, on s'en étonnait de plus en plus. Son accouchement fut retardé au point que sa grossesse paraissait plutôt une maladie, aussi bien à elle qu'à tous les autres voisins, et que désormais on ne la croyait plus enceinte, mais hydropique. Car qui pourrait croire qu'un petit enfant puisse être retenu une année entière dans le sein de sa mère ? Aussi la femme, en désespoir de cause, se fait-elle conduire dans cet état au monastère de *l'homme de Dieu*[b]. La malheureuse s'arrête près de la porte, et l'on explique son triste cas au frère portier. Celui-ci, prié et touché de compassion pour cette maladie inouïe, se rendit en suppliant chez le père saint et lui rapporta fidèlement la détresse de la femme, remplissant fidèlement la tâche d'ambassadeur qui lui avait été confiée. Ô étonnante opération de la puissance divine, qui accéléra de façon encore plus étonnante ce qui tardait étonnamment à venir ! Car, comme si l'enfant n'avait si longtemps attendu que cela pour naître, à cette heure même la femme accoucha, et le frère, devancé par le remède, en revenant à la porte ne trouva plus trace de la maladie qu'il était allé annoncer à son abbé.

23. Alio tempore in territorio Autissiodorensi, apud oppidum quod Cona vocatur, mulier quaedam mirabiliter laborans periclitabatur multis diebus, *quod venisset filius usque ad partum, et vires non haberet parturiens*[a]. Cumque supervenisset interim *servus Christi*[b], postulanti benedictionem, aquam benedictam misit. Gustavit mulier, et confestim natus est puer. Quem venerabilis episcopus Carnotensis Gaufridus baptizavit, Bernardi *ei nomen imponens*[c].

In eodem itinere et in territorio eodem, dum febricitantium multitudo, sicut ubique solebant, a *Dei homine*[d] panem peterent benedictum, Gerardus quidam clericus ex castro, cui nomen est Clamiceium, male sciolus et subsannans fidem populi blasphemabat. In ipsis autem verbis blasphemiae gravissima febre correptus, usque Autissiodorum abeuntem sequi coactus est *virum Dei*[e] ; et paenitentiam agens apud eum, ipsam cui detraxerat multis obtinuit precibus benedictionem. Nam multis vero gustata eiusmodi benedictio reddidit sanitatem, ut solius Dei, cuius haec virtute fiebant, possent notitia comprehendi.

24. Vidimus in Meldensi territorio militem devotissimas referentem gratias *viro Dei*[a], quod ad primum gustum panis ab eo benedicti, plenam receperit sospitatem a febre quartana, qua sic graviter laboraverat mensibus ferme decem et octo, ut in hora accessionis, quasi phreneticus, nec matrem

---

23. a. 2 R 19, 3 ≠ ; Is 37, 3 ≠   b. Rm 1, 1 ; Col 4, 12   c. Tb 1, 9 ≠
d. Cf. Dt 33, 1 et //   e. Cf. 1 S 9, 6 et //
24. a. Cf. 1 S 9, 6 et //

1. Cet *oppidum quod Cona vocatur* est identifié avec Cosne-sur-Loire dans la Nièvre par GASTALDELLI sur la base d'une documentation rigoureuse (cf. « Le più antiche », p. 56-57 et les notes).

2. Geoffroy de Lèves : cf. *Vp* II, 4 (*SC* 619, p. 386-387, n. 1).

3. À 115 km d'Auxerre.

Bénédiction pour un accouchement difficile et châtiment d'un clerc railleur

23. Une autre fois, dans le territoire d'Auxerre, près de la place forte qui s'appelle Cosne[1], une femme en travail s'efforçait plusieurs jours durant – chose étonnante – *d'amener son fils jusqu'à l'accouchement, et elle n'avait pas la force d'enfanter*[a]. Survenu entre temps, *le serviteur du Christ*[b] envoya de l'eau bénite à cette femme qui lui demandait sa bénédiction. La femme en goûta, et l'enfant naquit à l'instant même. Le vénérable évêque de Chartres, Geoffroy[2], le baptisa *en lui donnant le nom*[c] de Bernard.

Dans le même voyage et dans le même territoire, tandis qu'une foule de fébricitants, comme ils avaient coutume de le faire partout, demandaient du pain bénit à *l'homme de Dieu*[d], un certain Gérard, clerc originaire d'un bourg nommé Clamecy[3], qui se croyait savant pour sa perte, outrageait avec des railleries la foi du peuple. Or, au milieu même de ses outrages, il fut saisi d'une très grave fièvre et contraint de suivre jusqu'à Auxerre *l'homme de Dieu*[e] qui s'en allait. Lui exprimant son repentir, il obtint avec beaucoup de prières cette même bénédiction qu'il avait dénigrée. En effet, une telle bénédiction rendit la santé à une foule de gens qui la reçurent, si bien que leur nombre pouvait être connu de Dieu seul, dont la puissance opérait ces guérisons.

Deux guérisons obtenues grâce à du pain bénit par Bernard. Les pains bénits par lui ne se corrompent pas

24. Nous avons vu, dans le territoire de Meaux, un chevalier qui rendait grâce *à l'homme de Dieu*[a] avec la plus grande ferveur parce que, aussitôt après avoir goûté du pain bénit par lui, il avait complètement guéri de la fièvre quarte, dont il avait souffert pendant presque dix-huit mois si violemment que, à l'heure de l'accès, tel un fou, il ne reconnaissait

agnosceret suam. Virum quoque venerabilem Geraldum, Lemovicensem episcopum, testantem audivimus, iuvenem quemdam de familia sua lethaliter in capite saucium, cum iaceret spumans et impos mentis, immissa sibi in os buccella
10 panis, quem benedixerat *homo Dei*[b], tam celerem sensisse virtutem, ut incolumis surgeret ipsa hora.

Neque illud tacendum, quod ipsam quoque substantiam panis ab omni corruptionis iniuria eadem benedictio vindicabat ; adeo ut plures viderimus, qui per septennium
15 et ultra eosdem servaverant panes, nec colore, nec sapore mutato. Ante hos paucos dies, venerabiles abbates, Gerardus et Henricus, de Sueciae partibus venientes, dum super his conferremus, testati sunt nobis panem ante annos undecim eius benedictione signatum manere adhuc apud se penitus
175 20 incorruptum. Nec dissimilem apud aliquos nostrorum usque hodie novimus, et apud alios multos credimus esse repositum. Et nunc idoneum satis et evidens huius rei testimonium proferamus.

---

b. Cf. Dt 33, 1 et //

1. Gérald-Hector de Cher, évêque de Limoges de 1138 à 1177. Bernard lui adressa la *Lettre* 329 (*SBO* VIII, p. 265-266). Cf. DE WARREN, « Bernard et l'épiscopat », p. 637. Voir *Vp* IV, 29 (*infra*, p. 186, l. 19-20).

2. Il s'agit sans doute de Gérard de Maastricht (*de Traiecto* : on peut aussi comprendre « d'Utrecht »), d'abord moine de Clairvaux, puis envoyé par Bernard en Suède en 1143 avec le groupe des fondateurs du monastère d'Alvastra, où il fut prieur et cellérier, avant d'en devenir l'abbé en 1153. Après quarante ans d'abbatiat, il se démit de sa charge et revint mourir à Clairvaux, comme Bernard le lui avait promis, en 1193. Cf. CONRAD D'EBERBACH, *Le Grand Exorde* IV, 28, v. 9-15 (p. 261-262) ; 29, v. 17-22, p. 265-266. Voir aussi DIMIER, « Mourir à Clairvaux ! », p. 274-275 ; ID., *Saint Bernard « pêcheur de Dieu »*, p. 183 ; ID., la notice « Gérard », *DHGE* 20, 1984, col. 715-716 ; DEBUISSON, « La provenance », p. 77-78.

plus même sa mère. Nous avons aussi entendu Gérald, évêque de Limoges[1], homme vénérable, attester qu'un jeune homme de sa maisonnée, mortellement blessé à la tête, gisait écumant et sans connaissance. On lui introduisit dans la bouche un morceau de pain que *l'homme de Dieu*[b] avait béni : il en ressentit si promptement l'efficacité, qu'à l'heure même il se leva sain et sauf.

Il ne faut pas non plus passer sous silence le fait que ladite bénédiction préservait la substance même du pain de toute atteinte de corruption, au point que nous avons vu plusieurs personnes qui pendant sept ans et plus avaient conservé ces pains, sans que rien de leur couleur et de leur saveur se perde. Il y a peu de jours, les vénérables abbés Gérard[2] et Henri[3], venant des régions de la Suède, nous ont attesté, pendant que nous nous entretenions ensemble de ces faits, qu'un pain bénit onze ans auparavant par Bernard se gardait encore chez eux parfaitement intact. Nous savons qu'il y en a de semblables chez quelques-uns des nôtres ; et nous croyons qu'il s'en trouve chez beaucoup d'autres gens. Et maintenant, citons un témoignage convaincant, et très solide, de ce fait.

3. Jeune noble originaire d'Allemagne, il suivit Bernard probablement à la suite de la guérison de sa belle-sœur opérée par celui-ci à Cologne (voir *Vp* IV, 33, *infra*, p. 198-199) et entra à Clairvaux dans les années 1140. Il fit partie du groupe qui fonda le premier monastère cistercien suédois, Alvastra, en 1143. Il fut le premier abbé de Varnhem, fondé par Alvastra en 1150 ; en 1158, il devint le premier abbé de Vitsköl *(Vitae schola)* au Danemark, fondation d'Esrom *(Sancta Roma)*, la première abbaye claravallienne danoise qui, elle, avait été fondée en 1151 (voir *infra*, p. 174-175, n. 2). Cf. une anecdote le concernant dans CONRAD D'EBERBACH, *Le Grand Exorde* VI, 10, v. 11-13 (p. 398-399). Voir aussi DIMIER, *Saint Bernard « pêcheur de Dieu »,* p. 187 ; DEBUISSON, « La provenance », p. 89 ; la notice « Henri » par B. P. MC GUIRE, *DHGE* 23, 1990, col. 1248-1249.

25. Vir magnus et magnifice honorandus, Danorum archiepiscopus Eskilus patrem sanctum unico venerabatur affectu, unica devotione colebat. Nec contentus est in filiis eum videre, cum novum coenobium exstruxisset, et impe-
5   trasset ab eo desideratum sacrae congregationis examen. Praevaluit apud eum desiderium vehemens, ut homo tantae auctoritatis, et in insulis illis tam ecclesiastica quam saeculari auctoritate singulariter potens, expositis suis omnibus, etiam semetipsum periculis multis traderet et labori. Nam de
10   expensis dicere non est magnum, quamvis eumdem audierimus protestantem, quod expenderit in itinere ipso argenti marcas amplius quam sexcentas.

Venit ergo Claramvallem persona humilis et sublimis, quem *a finibus terrae* non curiositas *audiendae sapientiae*[a],

---

25. a. Mt 12, 42 ≠ ; Lc 11, 31 ≠

1. Eskil (vers 1100 - †1182), évêque de Roskilde en 1134 puis, à partir de 1138, archevêque de Lund, dans le Danemark d'alors, aujourd'hui en Suède, primat des Églises scandinaves et légat pontifical pour les pays du Nord. Grand ami et bienfaiteur de saint Bernard, il introduisit les moines cisterciens dans son pays. À la suite de dissensions entre sa famille et le roi du Danemark, Valdemar Ier, il résigna sa charge en 1177. Il passa ses dernières années comme moine à Clairvaux, où il mourut en 1182. Il est vénéré comme bienheureux dans l'ordre cistercien. Bernard lui adressa sa *Lettre* 390 (*SBO* VIII, p. 358-359), qui témoigne d'une amitié et d'une affection profondes. Peu de temps après la mort de Bernard, Geoffroy d'Auxerre écrivit à Eskil une longue lettre, où il lui raconte les derniers mois de la vie de son abbé, sa mort et son enterrement près du tombeau de Malachie. Le livre V de la *Vita prima* est une refonte de cette lettre (voir Introduction, *SC* 619, p. 19 et les notes). Sur Eskil, voir l'étude de A. SCHONSGAARD, « Un ami de saint Bernard : l'archevêque Eskil, de Lund », dans *Saint Bernard et son temps* II, p. 231-247, et la notice « Eskil » par S. KROON, *DHGE* 15, 1963, col. 884-885.

2. Presque assurément l'abbaye d'Esrom, fondée en 1151 par Clairvaux au diocèse de Roskilde dans un riche domaine offert à saint Bernard par

Eskil, archevêque des Danois, en visite à Clairvaux

25. Eskil, archevêque des Danois[1], homme grand et hautement honorable, vénérait le père saint avec une affection sans pareille et lui montrait une déférence toute particulière. Après avoir bâti un nouveau monastère[2] et avoir obtenu de lui, selon son souhait, un essaim de moines venant de sa sainte communauté, il ne se contente pas de le voir dans ses fils. Son véhément désir devint si fort en lui, que cet homme revêtu d'une si grande autorité, et extraordinairement puissant dans ces îles-là par son autorité tant ecclésiastique que civile, mit de côté toutes ses affaires et s'exposa lui-même à bien des dangers et des fatigues. Quant à ses frais, ce n'est pas la peine d'en parler, bien que nous l'ayons entendu déclarer lui-même qu'il dépensa dans ce voyage plus de six cents marcs d'argent.

Ainsi cet humble et noble personnage *vint* à Clairvaux[3], attiré *des extrémités de la terre* non par la curiosité *d'entendre des discours de sagesse*[a], mais par le zèle de la foi et la plénitude

---

l'archevêque Eskil. Cf. la notice « Esrom » par A. Dimier, *DHGE* 15, 1963, col. 1000-1002. Bredero (*Études, ASOC* 18/1-2, 1962, p. 7, n. 2) pense qu'il s'agit de l'abbaye de Varnhem, fondée par Alvastra en 1150 (cf. *Vp* 24, *supra*, p. 173, n. 3), mais cela n'est guère possible, puisque Geoffroy affirme ici que le groupe des fondateurs venait de Clairvaux.

3. La visite d'Eskil à Clairvaux eut lieu en 1151, d'après Vacandard, *Vie*, t. II (p. 405 et n. 2). Elle a été mise en doute par P. Verdeyen (*CCCM* 89B, p. 229, n. aux l. 573-574), arguant du fait que, dans sa *Lettre* 390, 2, Bernard exprime à Eskil son regret de ne pouvoir lui parler face à face, mais d'être obligé de recourir à l'écrit. Or, F. Gastaldelli a démontré que la date de la *Lettre* 390 doit se situer vers le milieu de l'année 1152, c'est-à-dire après qu'Eskil était déjà parti de Clairvaux (voir *Opere di san Bernardo*, t. 6/2, p. 502-505, n. 1). Dès lors, l'hypothèse de P. Verdeyen n'est guère recevable, d'autant plus que, lorsque Geoffroy écrivit cette page de la *Vita prima*, Eskil et bien d'autres témoins de l'événement étaient encore en vie et auraient pu démentir son récit.

15   sed fidei zelus et plenitudo devotionis attraxerat. Ubi quan-
     tum fleverit, qualem sese non modo erga eum, quem tam
     unice suspiciebat, sed etiam erga minimos quoslibet fratrum
     exhibuerit, non est facile dictu. Demum rediturus ad pro-
     pria, ut benedictum a *Dei famulo* ᵇ panem referre possit, et
20   diutius conservare, humano sensu praecipit ut in clibano
     recoquatur, sicut solent qui maria transeunt panem referre
     bis coctum. Audiens autem sanctus ille non est passus errare
     tam devotum, sed amicabiliter arguens in hac parte *fidem*
     eius *modicam* ᶜ inveniri : « Itane », inquit, « non poterit
25   panem ipsum benedictio magis quam recoctio conser-
     vare ? » Et non acquievit benedicere illum, sed communem
     sibi panem praecipiens exhiberi, benedixit, et dixit : « Ecce
     hunc tolle tecum, nihil deinceps de corruptione sollicitus. »
     Tulit, et ad suos per multa quidem maria prospere rediens
30   usque hodie gloriatur fidei suae defectum evidentissima rei
     veritate convinci.

     Nec enim passus est patris sancti non visitare sepulcrum,
     nec minus erga eum nunc afficitur, nec minus quam olim in
     vivente confidit, nimirum quem verius vivere omnino non
35   ambigit. Confessus est etiam nobis de pane quem retulit,
     quod nunc usque, cum iam tertius annus transierit, illaesum
     eum beati viri fides et benedictio custodivit.

---

b. 2 Ch 1, 3 ≠   c. Mt 8, 26 ≠

1. Cette deuxième visite d'Eskil à Clairvaux dut avoir lieu en 1154,
puisque la première s'était déroulée en 1151 (cf. n. ci-dessus), et que trois
ans s'étaient écoulés depuis (voir la fin de ce chapitre).

de la ferveur. Combien il pleura, et quel il se montra, non seulement à l'égard de celui qu'il regardait avec une admiration si unique, mais aussi à l'égard des moindres frères, quels qu'ils fussent, il n'est pas facile de le dire. Finalement, sur le point de retourner chez lui, afin de pouvoir emporter et conserver plus longtemps un pain bénit par *le serviteur de Dieu*[b], il ordonne, poussé par un jugement tout humain, de le faire cuire une deuxième fois dans le four, de la même manière que ceux qui traversent les mers ont coutume d'emporter du biscuit. Entendant cela, le saint ne souffrit pas qu'un homme si pieux se trompe. Lui reprochant amicalement que, sur ce point, sa *foi* se soit révélée *bien faible*[c], il lui dit : « Ainsi, penses-tu que la bénédiction ne puisse pas conserver ce pain mieux qu'une double cuisson ? » Et il ne consentit pas à bénir ce pain-là, mais il ordonna qu'on lui apporte du pain ordinaire ; il le bénit et dit : « Voilà : prends celui-ci avec toi, et n'aie aucune crainte qu'il se corrompe désormais. » Il le prit et, revenu heureusement chez lui après une longue traversée, il se félicite aujourd'hui encore de voir son manque de foi prouvé de façon si évidente par la vérité des faits.

Car il n'a pas pu résister au désir de visiter le tombeau du père saint[1], et n'éprouve pas maintenant pour lui une moindre affection, n'a pas en lui une confiance moindre que jadis, lorsqu'il était vivant, ne doute point qu'il ne vive d'une vie plus vraie. Il nous a aussi déclaré, au sujet du pain qu'il emporta, que jusqu'à présent, bien que trois ans déjà se soient écoulés, la foi et la bénédiction du bienheureux l'ont conservé intact.

176 | **26.** Narravit etiam nobis idem venerandus antistes miraculum dignum memoria nuper factum in coenobio, quod, ut supra meminimus, in terra sua ipse fundavit. « Erat », inquit, « in regione nostra adolescens nobilis, meus quoque
5 *secundum carnem*[a] propinquus, sed ob multa sua flagitia minus carus. Correptus autem gravissima valetudine, vix impetravit visitationem meam, et per manum meam ad praedictum se contulit monasterium. Ubi et cum maxima cordis compunctione renuntians saeculo, per dies aliquot
10 in humili et fidelissima confessione persistens, magis ac magis eadem aegritudine laborabat. Qua demum invalescente exitum sibi imminere cognoscens, abbatis et fratrum praesentiam miro amplectebatur affectu, mira eos devotione monebat, ut spiritualia arma[b] corriperent, egressuram pro
15 tinus animam sibi commendatam efficaciter protecturi, et exhibituri fideliter necessarium prorsus inter imminentium hostium crudelissima tela conductum. Cumque in huiusmodi supplicatione divinis iam sacramentis munitus, et de eorumdem *servorum Dei*[c] patrocinio, et Domini miseratione
20 piissima devotione praesumens, ac perinde circumstantibus omnibus multam suae salutis relinquens fiduciam exspirasset, *offerebant* fratres pro commendatione animae eius, quam devotissime poterant, dominici corporis *hostiam salutarem*[d].

---

26. a. Rm 1, 3   b. Cf. 2 Co 10, 4   c. Ac 16, 17 ≠ ; 1 P 2, 16 ≠ ; Ap 7, 3
d. 2 M 3, 32 ≠

1. Dans la recension B, Geoffroy a remplacé cette expression par : « des religieux qui étaient venus avec ce même archevêque ». De même, un peu plus loin, les expressions : « qui était mon parent... que j'aille le visiter et, conduit par moi » ont été remplacées par : « qui était parent dudit archevêque... qu'il aille le visiter et, conduit par lui ». D'après BREDERO (*Études, ASOC* 18/1-2, 1962, p. 31), ces corrections ont été effectuées par Geoffroy

Eskil raconte un miracle arrivé dans le monastère cistercien fondé par lui au Danemark

26. Le même vénérable prélat[1] nous a aussi raconté un miracle digne de mémoire, récemment arrivé dans le monastère qu'il a lui-même fondé dans son pays, comme nous l'avons rappelé plus haut[2]. « Il y avait, dit-il, dans notre contrée un jeune noble, qui était aussi mon parent *selon la chair*[a], mais moins aimé à cause de ses nombreux désordres. Or, atteint d'une maladie très grave, il obtint non sans peine que j'aille le visiter et, conduit par moi, il se rendit dans ledit monastère. Là-bas, il renonça au monde avec la plus grande contrition du cœur ; persévérant plusieurs jours dans une humble et très confiante confession de ses péchés, il était de plus en plus tourmenté par cette maladie. Finalement, comme celle-ci s'aggravait, conscient que sa fin était imminente, il embrassait d'un regard plein d'une extraordinaire affection l'abbé et les frères présents autour de lui ; il les engageait avec une extraordinaire ferveur à saisir les armes spirituelles[b] pour protéger efficacement son âme, à eux confiée, qui allait bientôt sortir, et pour lui fournir fidèlement l'escorte nécessaire au milieu des traits acérés des ennemis menaçants. Tandis qu'il suppliait ainsi, déjà muni des sacrements divins, confiant avec une ferveur ardente dans l'intercession de ces *serviteurs de Dieu*[c] et dans la miséricorde du Seigneur, il expira, laissant à tous les assistants la ferme assurance de son salut. Les frères, pour recommander son âme, *offrirent*, avec toute la ferveur possible, *le sacrifice salutaire*[d] du corps du Seigneur.

---

dans l'intention de prévenir une éventuelle enquête romaine auprès d'Eskil pour s'assurer de la véracité du miracle : cf. *Vp* IV, 13 (*supra*, p. 146, n. 1).

2. L'abbaye d'Esrom : cf. *Vp* IV, 25 (*supra*, p. 174-175, n. 2).

27. Cum subito inimicus humanae salutis, ex eiusdem, sicut indubitabile esse videtur, liberatione animae, quam ex multis diebus irreparabiliter sese occupasse credebat, iram magnam concipiens, et eamdem, permittente Deo, crudeliter
5 nimis exercens, unum e fratribus repentino furore pervasit. Clamabat igitur horrendis vocibus miserabilis homo, et vix multorum manibus tenebatur. Demum cum maximo quidem labore asportatus, et in lectulo religatus, tam sua quam astantium membra dentibus appetens, dirissime vexa-
10 batur. Nec ulla quam prius nosset lingua, sed nova quadam, quam nec astantium quisquam noverat, loquebatur. Et cum nihil quod diceret intelligerent, tam libere tamen et sine offendiculo non inconcinnas eum audiebant edere voces, ut indubitanter crederent quod lingua aliqua loqueretur.

15 Post aliquantas igitur horas, cum vehementer confusi fratres quid agere possent anxie cogitarent, unus ex ipsis
177 salubre consilium | Domino inspirante concipiens, sacra pignora a me ipso nuper ibidem commendata, videlicet de capillis et barba, et dentem unum domini mei sancti Bernardi
20 afferri monet, et eius pectori superponi. Quod ut factum est, Germanica lingua per os illius coepit horrendis vocibus *nequam spiritus*[a] exclamare : « Tollite, tollite, amovete Bernardum ! » Et dicebat : « Heu, quam onerosus factus es, Bernarde ! Quam gravis, quam intolerabilis factus es mihi ! »

---

27. a. 1 S 16, 14 ≠ ; Ac 19, 12 ≠. 15 ≠

1. Dans la recension B, l'expression : « que moi-même j'avais récemment déposées » a été remplacée par : « que ledit archevêque avait déposées cette même année » (cf. *Vp* IV, 26, *supra*, p. 178-179, n. 1). Les événements racontés dans les chap. 26 et 27 se situent donc entre la mort de Bernard, le 20 août 1153, puisque Eskil possédait des reliques de son corps (nous ignorons comment il les avait obtenues), et la deuxième visite d'Eskil à Clairvaux en 1154, lorsqu'il fit le récit ici rapporté (cf. *Vp* IV, 26).

Suite du récit d'Eskil : autre miracle dans le même monastère, obtenu grâce à des reliques de Bernard

27. Aussitôt, l'ennemi du salut des hommes, voyant la délivrance, apparemment indubitable, de cette âme dont il croyait s'être emparé sans retour depuis longtemps, en conçut une violente colère et la déchargea, avec la permission de Dieu, d'une façon très cruelle : il remplit d'une fureur subite l'un des frères. Aussi le malheureux homme poussait-t-il des cris effroyables, et c'est à peine s'il pouvait être retenu par les mains de plusieurs. Enfin, transporté avec beaucoup de mal et attaché sur son lit, il cherchait à déchirer avec ses dents ses membres et ceux des assistants ; il était très âprement tourmenté. Et il ne parlait pas une langue connue de lui jusqu'alors, mais une langue nouvelle qu'aucun des présents ne connaissait non plus. Sans rien comprendre de ce qu'il disait, ils l'entendaient néanmoins prononcer si aisément, et avec si peu de difficulté, des mots non dépourvus d'harmonie, qu'ils croyaient sans le moindre doute qu'il s'exprimait dans une vraie langue.

Après quelques heures, comme les frères, profondément troublés, songeaient avec inquiétude à ce qu'ils pourraient faire, l'un d'eux, inspiré par le Seigneur, eut une idée salutaire. Il conseille d'apporter les saintes reliques que moi-même j'avais récemment déposées[1] dans ce monastère – des cheveux, des poils de la barbe et une dent de mon seigneur saint Bernard – et de les placer sur la poitrine du possédé. Ce qui fut fait. Aussitôt, *le mauvais esprit*[a] commença à crier par la bouche de l'homme, en langue allemande, avec des vociférations effroyables : 'Ôtez, ôtez, retirez Bernard !' Et il disait : 'Ah, que tu es devenu pesant, Bernard ! Que tu es devenu lourd et insupportable pour moi !'

25 Cum haec et his similia aliquamdiu clamitans loqueretur, *factum est* breve *silentium*[b], et subito frater idem Domino miserante purgatus, aperuit oculos, ac velut de gravi somno evigilans, circumstantes fratres et sua plurimum vincula mirabatur, verecunde satis quidnam sibi vellent haec, vel 30 quid accidisset interrogans. Ex ea igitur hora pristinam sanitatem mentis et corporis per beati patris merita sancta recepit, nil penitus quod in illo tam gravi casu fecerit aut locutus fuerit recordatus. »

Haec quidem a nobis de testimonio viri reverendissimi 35 Eskili Danorum archiepiscopi ex occasione panis a *Dei homine*[c] benedicti, non sine quadam anticipatione sunt dicta. De cetero iam ex ordine reliqua prosequamur.

28. Non modo autem hominibus, sed pecoribus etiam et armentis tam frequenter eius benedictio profuit, ut monasterii sui cellerarium dure aliquando increparit, quod sibi non indicans mori animalia permisisset, unde fuerant Christi 5 pauperes sustentandi. Dehinc ut solitus erat, benedixit sal et animalibus iussit apponi, et protinus lues orta cessavit. Quod in aliis quoque monasteriis vidimus et cognovimus, ut audiens fratrum animalia mori, interdum etiam non rogatus, sed ipse prior admonens illos eodem remedio subveniret.

---

b. Ap 8, 1 ≠   c. Cf. Dt 33, 1 et //

1. L'édition critique oublie de fermer ici les guillemets ouverts au chap. 26.

2. Cf. *Vp* IV, 25 (*supra*, p. 176, l. 35-37).

Quand il eut répété ces mots et d'autres semblables en criant pendant quelque temps, *il se fit un* bref *silence*[b], et soudain ce frère, délivré par la miséricorde du Seigneur, ouvrit les yeux et, comme se réveillant d'un lourd sommeil, il était tout étonné de voir les frères autour de lui et les liens qui l'attachaient ; il demandait non sans une certaine honte qu'est-ce que cela voulait dire, et que s'était-il passé. À partir de cette heure, il recouvra l'ancienne santé d'esprit et de corps par les saints mérites du bienheureux père, sans aucunement se souvenir de ce qu'il avait fait ou dit dans sa si grave infortune[1]. »

Ces faits, que nous avons appris par le témoignage d'Eskil, archevêque des Danois, homme très vénérable, à propos du pain bénit par *l'homme de Dieu*[c2], nous les avons un peu anticipés dans notre récit. Maintenant, reprenons dans l'ordre ce qui nous reste à dire.

28. Or, ce n'est pas seulement aux hommes, mais aussi aux bêtes et aux troupeaux que sa bénédiction profita si souvent, qu'une fois il tança vertement le cellérier de son monastère parce que, sans rien lui dire, il avait laissé mourir des animaux, dont

Guérisons d'animaux et de troupeaux. Guérison d'un jeune homme boiteux et d'une femme sujette à des accès de folie

les pauvres du Christ auraient dû être nourris. À partir de ce moment-là, comme il avait coutume de le faire, il bénit du sel et ordonna de le donner aux animaux ; aussitôt, l'épidémie qui s'était déclarée cessa. Nous avons vu et appris cela aussi dans d'autres monastères : lorsqu'il entendait que les animaux des frères mouraient, il les secourait par ce remède, parfois même sans être sollicité, mais les avertissant lui-même de sa propre initiative.

10   Gaudum dicitur locus quidam Caziacensium monachorum. Ubi vir sanctus cum aliquando pernoctaret, exhibitum
sibi iuvenem claudum oratione et benedictione salvavit,
ita ut post dies paucissimos per eumdem locum redeunti
incolumis et devotus astaret.

15   In eisdem partibus, vico cui nomen Algorrium est, mulie-
rem phreneticam populus obtulit transeunti. *Cui manus
imponens*[a] et ⌐ orans sanam dimisit et abiit. Hancque in
eodem vico postea vidimus, *viro Dei*[b] cum gratiarum actio-
nibus occurrentem.

29. In remotis etiam regionibus, quocumque eum
Ecclesiae sanctae necessitas traxit, virtus est prosecuta
signorum. Apud Viride Folium (sic enim dicitur castrum
territorii Tolosani, quod, ut superiore libro meminimus,
5   aliquando pater sanctus introiens, multis ibidem virtutibus
claruit) puer mancus et *claudus ex utero matris suae*[a], ad
cuiusdam memoriam martyris, utriusque pedis et alterius
manus receperat sospitatem. Huius alteram manum adhuc
invalidam, tamquam divinitus servatam sibi, pater sanctus
10   benedicendo sanavit, ut sanctorum innotesceret particeps
esse virtutis.

178 (margin, left)

---

28. a. Lc 4, 40 ≠ ; Ac 9, 17 ≠   b. Cf. 1 S 9, 6 et //
29. a. Ac 3,2 ; 14, 7

---

1. L'abbaye bénédictine de Chézy-sur-Marne : cf. la notice « Chézy-
sur-Marne » par M. Prevost, *DHGE* 12, 1953, col. 654-655. Dans sa
Lettre 263, adressée à l'évêque Josselin de Soissons (voir *Vp* I, 67, *SC* 619,
p. 348, n. 1), Bernard prit la défense de Simon, abbé de Chézy, qui avait
été déposé par l'évêque (cf. *Opere di san Bernardo*, t. 6/2, p. 198-200).

2. Le mot *gualdus* (= *gaudus* ; cf. l'allemand *wald*), avec le sens de
« forêt », est attesté dans le latin médiéval : cf. Blaise, *Lexicon*, p. 429.
Dans son commentaire aux *Fragmenta Gaufridi*, C. Vande Veyre
(*CCCM* 89B, p. 315, n. aux lignes 808-809) émet l'hypothèse que ce

Un lieu, appartenant aux moines de Chézy[1], est appelé *Gaudum*[2]. Une fois que l'homme saint y passait la nuit, il guérit par sa prière et sa bénédiction un jeune homme boiteux qui lui était présenté, si bien que, très peu de jours après, celui-ci se tenait debout, bien portant et plein de gratitude, devant lui qui revenait par le même lieu.

En ces mêmes contrées, dans un village nommé Augour[3], le peuple lui amena, lors de son passage, une femme sujette à des accès de folie. *En lui imposant les mains*[a] et en priant, il la renvoya en bonne santé et alla son chemin. Nous l'avons vue ensuite, dans le même village, courir au-devant *de l'homme de Dieu*[b] avec actions de grâces.

Plusieurs guérisons opérées par Bernard en divers lieux de France

29. Même dans des régions reculées, partout où les besoins de la sainte Église l'appelèrent, le pouvoir d'opérer des miracles l'accompagna. Près de Verfeil (ainsi se nomme un château-fort du territoire de Toulouse où, comme nous l'avons rappelé dans le livre précédent, le père saint se rendit une fois et s'illustra par de nombreux miracles[4]), un enfant, *perclus* des mains et *des pieds dès le sein de sa mère*[a], avait obtenu la guérison des deux pieds et d'une main près du tombeau d'un martyr. Quant à son autre main encore infirme, le père saint, comme si elle lui avait été réservée par la volonté divine, la guérit par sa bénédiction, afin qu'il devînt manifeste à tous qu'il avait part au pouvoir des saints[5].

---

domaine appartenant aux moines de Chézy était situé dans la forêt du Gault, plus précisément à Le Gault-la-Forêt/Le Gault-Soigny.

3. Augour, lieudit dans la région de Chézy : cf. P. Verdeyen, *CCCM* 89B, p. 229, n. à la l. 665.

4. Cf. *Vp* III, 17 (*supra*, p. 70-73).

5. Geoffroy mentionne ce miracle aussi dans sa *Lettre à Archenfroy* 9 (*PL* 185, 414B) : voir *Vp* III, 17 (*supra*, p. 70, n. 1).

Caturcium dicitur civitas Aquitaniae, per quam *viro Dei*[b] ipso tempore transitus fuit. Ibi praeter alia beneficia quae praestitit infirmantibus multis, unus de pueris episcopi
15 civitatis ipsius, qui ex vulnere gravi alterius oculi lumen amiserat, sub manu eius visum recepit.

In pago quoque Engolismensi, loco cui nomen est Castellare, post oblationem *hostiae salutaris*[c], astantibus venerabilibus episcopis, Lamberto Engolismensi et Geraldo
20 Lemovicensi, puerum *ex matris utero claudum*[d] et mancum, cuius in modum pilae cubiti cum genibus umbilico, pedes autem natibus adhaesissent, *Dei famulo*[e] offerebant. At ille singula membra, edito prius signo crucis, attrectans, mira facilitate extendit protinus et sanavit. Apprehendens
25 denique manum eius erexit illum et dimisit libere gradientem. Populus autem pro tantis nimirum virtutibus, magnis vocibus Dominum collaudabat.

Nam et die sequenti in pago Lemovicensi, in vico quem Sancti Geniani nomine vocant, signa per eum plurima cla-
30 ruerunt. Undique enim confluebant qui incommodis variis laborabant, et virtus erat Domini ad sanandum eos. Ubi inter ceteros puer ferme decennis, caecus *ex utero matris suae*, coram omni populo oblatus est *viro Dei*. Qui in digitos suos *exspuens et liniens oculos eius*[f], brevem fecit orationem
35 et in nomine Christi *aperuit oculos*[g] caeci nati.

b. Cf. 1 S 9, 6 et //   c. 2 M 3, 32 ≠   d. Ac 3, 2 ≠ ; 14, 7 ≠   e. 2 Ch 1, 3 ≠
f. Jn 9, 6 ≠   g. Nb 22, 31 ≠

1. Châtelars de Cherves, doyenné de Montemboeuf : cf. DE WARREN, « Bernard et l'épiscopat », p. 628.

2. Lambert de la Palud succéda à Gérard (cf. *Vp* II, 32, *SC* 619, p. 456-457, n. 2) sur le siège d'Angoulême en 1136, et y resta jusqu'à sa mort, le 13 juin 1148. Bernard le mentionne en des termes élogieux dans sa *Lettre* 268 au pape Eugène III (*SBO* VIII, p. 177, l. 12-13) : « l'évêque

On appelle Cahors une ville d'Aquitaine, par laquelle passa à la même époque *l'homme de Dieu*[b]. Là-bas, en plus des autres bienfaits qu'il prodigua à beaucoup d'infirmes, un des serviteurs de l'évêque de cette ville, qui à la suite d'une grave blessure avait perdu la lumière d'un œil, en recouvra l'usage sous la main de Bernard.

Dans le territoire d'Angoulême, au lieudit Châtelars[1], après l'offrande *de l'hostie salutaire*[c], en présence des vénérables évêques Lambert d'Angoulême[2] et Gérald de Limoges[3], on présentait *au serviteur de Dieu*[c] un enfant *perclus des pieds* et des mains *dès le sein de sa mère*[d] : ses coudes, formant une sorte de boule avec ses genoux, adhéraient à son nombril, tandis que ses pieds étaient collés aux fesses. Et lui, après avoir d'abord tracé le signe de la croix sur chacun de ses membres, les saisit, les étira sur-le-champ avec une admirable aisance et les guérit. Puis, prenant la main de l'enfant, il le releva et le laissa aller : celui-ci marchait librement, tandis que le peuple louait à grands cris le Seigneur pour de si grands miracles.

Le jour suivant, dans le territoire de Limoges, en un village nommé Saint-Genis, beaucoup de prodiges éclatants s'accomplirent par les mains de Bernard. Car de toutes parts affluaient ceux qui souffraient de diverses maladies, et la puissance du Seigneur était à l'œuvre pour les guérir. Là-bas, parmi les autres, un enfant de presque dix ans, aveugle *dès le sein de sa mère*, fut amené en présence de tout le peuple *à l'homme de Dieu*. Celui-ci, *crachant* sur ses doigts *et lui frottant les yeux*[f], fit une courte prière et, au nom du Christ, *ouvrit les yeux*[g] de l'aveugle-né.

Lambert de sainte mémoire ». Cf. le commentaire de cette lettre par F. GASTALDELLI, *Opere di san Bernardo*, t. 6/2, p. 208-211, n. 2.

3. Gérald-Hector de Cher : voir *Vp* IV, 24 (*supra*, p. 172, n. 1).

179 |**30.** Regnum quoque Germaniae cum introisset aliquando
vir beatus, tam excellenter enituit in gratia sanitatum, ut nec
verbis exprimi, nec credi valeat si dicatur. Nam et testati sunt
qui adfuere in territorio Constantiensi, circa vicum quem
5   Doniguen nominant, ex his qui diligentius vestigaverunt et
viderunt oculis suis, una die illuminatos ad eius impositionem
manus caecos undecim, sanatos etiam mancos decem et
claudos decem et octo. Ceterum ne fecisse nos inopes copia
videatur, ex innumera multitudine saltem pauca memoriae
10   commendamus, quae in locis celebrioribus facta noscuntur.

Cum venisset Constantiam *homo Dei*[a], et undique se virtutum eius fama diffunderet, abbas Augiensis (quod inter
lacum Lemanum antiquum exstat et nobile monasterium)
caecum hominem, quem suis eleemosynis sustentabat, misit
15   ad eum, et confestim videntem illum recepit.

---

30. a. Cf. Dt 33, 1 et //

1. Les miracles racontés dans *Vp* IV, 30-34 ; 47-48, eurent lieu en 1146 et
en 1147, lorsque Bernard entreprit deux voyages successifs dans les Flandres
et en Allemagne, respectivement pour prêcher la deuxième croisade en 1146
et pour se rendre à la diète de Francfort en mars 1147 (cf. *Vp* IV, 31, *infra*,
p. 192, n. 1). Ils furent d'abord consignés dans le recueil intitulé *Historia
miraculorum in itinere Germanico patratorum*, l'un des textes préparatoires
de la *Vita prima*, rédigé par Geoffroy lui-même et par d'autres auteurs, qui
accompagnaient Bernard dans son voyage : cf. *Vp* III, 9 (*supra*, p. 48-49,
n. 1) ; IV, 32 (*infra*, p. 194-195, n. 4). Grâce aux précisions données par ce
recueil, nous pouvons dater avec une remarquable exactitude les miracles
ici rapportés.

2. Cf. *Hm* I, ii, 6 (*PL* 185, 377A-B).

Guérisons
opérées à
Constance, à
Heitersheim,
à Bâle

30. Le bienheureux, étant un jour entré dans le royaume d'Allemagne, y brilla d'un éclat si vif par la grâce des guérisons[1] que, si l'on en faisait le récit, on ne pourrait ni l'exprimer par des mots, ni le croire. En effet, des gens qui y assistèrent, parmi ceux qui s'en enquirent avec le plus de soin et les virent de leurs yeux, ont attesté que, dans le territoire de Constance, aux environs du village nommé Donningen, en un seul jour, par l'imposition de ses mains, onze aveugles recouvrèrent la vue ; dix hommes perclus aussi et dix-huit boiteux furent guéris[2]. D'ailleurs, pour ne pas donner l'impression qu'une telle abondance a rendu pauvre notre récit, confions à la mémoire de la postérité, en les choisissant dans cette multitude innombrable, au moins quelques miracles, connus pour avoir été accomplis dans des endroits particulièrement célèbres.

Lorsque *l'homme de Dieu*[a] fut arrivé à Constance[3], et que la renommée de ses miracles se fut répandue partout, l'abbé de Reichenau, ancien et noble monastère dans une île du lac Léman[4], lui envoya un aveugle, qu'il soutenait de ses aumônes, et le recouvra sur-le-champ voyant clair[5].

3. Bernard séjourna à Constance du 12 au 14 décembre 1146. Cf. Vacandard, *Vie*, t. II, p. 287, n. 1.

4. L'abbaye bénédictine de Reichenau *(Augia Dives)*, située sur l'île homonyme du lac de Constance, que Geoffroy appelle ici « lac Léman » (tandis qu'en *Vp* III, 4 [*supra*, p. 32, l. 24-25] il donne à ce dernier le nom de « lac de Lausanne »), fut fondée le 25 avril 724 et sécularisée en 1802. Prospère et puissante jusque vers le milieu du XIIIe siècle, cette abbaye fut aussi un foyer rayonnant de culture, doté d'une très riche bibliothèque et d'un scriptorium d'où sortirent de précieux manuscrits. Voir les notices « Reichenau » respectivement dans *DACL* XIV/2, 1948, col. 2197-2213, par H. Leclercq, et dans *Cath* XII, 1990, col. 740-741, par T. de Morembert.

5. Cf. *Hm* I, iii, 10 (*PL* 185, 378C).

Heyteresheim dicitur locus ad eiusdem dioecesim perti-
nens civitatis, sed plurimum a civitate remotus. Ibi quoque,
sicut et in ceteris illius provinciae per quae transiit locis,
multis in servo suo miraculis glorificatus est Deus. Ubi
20 etiam caecus natus sub manu eius visum recepit. Item alteri
a nativitate surdo et muto auditus redditus est et loquela.

In civitate etiam Basileia cum ex more sermonem habuisset
ad populum, ut impleretur in eo quod de sanctis apostolis
legitur, qui videlicet *profecti praedicaverunt ubique, Domino*
25 *cooperante et sermonem confirmante sequentibus signis*[b],
oblata est ei femina muta et confestim orante eo locuta est ;
oblatus est ei claudus et ambulavit ; oblatus est caecus et vidit.

31. Apud Spirensium civitatem, praesente Romanorum
rege Conrado, qui *Dei hominem*[a] ab ecclesia ad hospi-
tium devotissime deducebat, offerebant puerum claudum,
rogantes ut *ei manum imponere*[b] dignaretur. Quem signatum
5 protinus erigens super pedes statuit et libere gradiebatur, in
Dei laudem acclamantibus universis.

Item in capella episcopi civitatis ipsius, rege ipso vidente,
visum reddidit caecae cuidam mulieri, et claudo nato gressum

---

b. Mc 16, 20
31. a. Cf. Dt 33, 1 et //   b. Lc 4, 40 ≠ ; Ac 9, 17 ≠

1. Un peu au sud de Staufen, le château éponyme des Hohenstaufen.
Bernard s'arrêta à Heitersheim le 5 décembre 1146. Cf. VACANDARD,
Vie, t. II, p. 287, n. 1.

2. Cf. *Hm* I, II, 3 (*PL* 185, 377B-C).

3. Bernard s'y arrêta le 6 décembre 1146. Cf. VACANDARD, *Vie*, t. II,
p. 287, n. 1. Il passa de nouveau par cette ville les 18-19 décembre, en route
vers Spire (VACANDARD, *ibid.*, p. 288, n. 1).

4. Cf. *Hm* I, II, 5 (*PL* 185, 376B).

5. Conrad III de Hohenstaufen, roi des Romains et empereur du Saint
Empire germanique : cf. *Vp* IV, 14 (*supra*, p. 150-151, n. 4). Bernard réussit à le persuader de se croiser par le sermon enflammé qu'il prononça le

On appelle Heitersheim[1] un lieu appartenant au diocèse de cette même ville, mais très éloigné de la cité. Là encore, comme aussi dans les autres lieux de cette province qu'il traversa, Dieu fut glorifié dans son serviteur par beaucoup de miracles. Là aussi, un aveugle-né recouvra la vue sous sa main. De même, l'ouïe et la parole furent rendues à un autre homme, sourd-muet depuis sa naissance[2].

Dans la ville de Bâle[3] aussi, puisque, selon son habitude, il avait adressé un sermon au peuple, pour que s'accomplît en lui ce qui est écrit des saints apôtres, c'est-à-dire *qu'ils s'en allèrent prêcher en tout lieu, le Seigneur agissant avec eux et confirmant la parole par les signes qui l'accompagnaient*[b], on lui présenta une femme muette, et sur-le-champ, grâce à sa prière, elle parla ; on lui présenta un boiteux et il marcha ; on lui présenta un aveugle et il vit[4].

Autres miracles de Bernard à Spire, à Francfort, à Boppard

31. Près de la ville de Spire, en présence du roi des Romains, Conrad[5], qui accompagnait avec la plus grande dévotion *l'homme de Dieu*[a] de l'église à son logement, les gens lui amenaient un enfant boiteux, en le suppliant de bien vouloir *lui imposer les mains*[b]. Après avoir tracé sur lui le signe de la croix, il le releva aussitôt et le remit debout sur ses pieds ; l'enfant marchait aisément, tandis que tous poussaient des cris d'acclamation à la louange de Dieu[6].

De même, dans la chapelle de l'évêque de cette ville, sous les yeux dudit roi, il rendit la vue à une femme aveugle, et

27 décembre 1146 dans la cathédrale de Spire : cf. *Vp* III, 9 (*supra*, p. 48-49, n. 1) ; voir AUBÉ, *Saint Bernard*, p. 521. Bernard séjourna à Spire du 24 décembre 1146 au 3 janvier 1147 : cf. VACANDARD, *Vie*, t. II, p. 288, n. 2 ; p. 290.

6. Cf. *Hm* I, IV, 15 (*PL* 185, 382B).

donavit. Multa quidem et alia in manu eius ibidem Christus
10   effecit, sed ad exemplum pauca sufficiant. Nonnullos enim
180   pauper|culos etiam pueros rex ipse devotus suis illi manibus
offerens, de multorum curatione meruit gratulari.

Nec modo apud praedictam Spirensium urbem, sed et
apud Francovadum Moguntinae dioecesis locum, innumeris
15   virtutibus idem *Dei servus*[c] effulsit. De tota siquidem regione
quotquot patiebantur, *afferebant ad eum*[d], et tantus erat
concursus, ut praedictus rex cum aliquando populum com-
primentem coercere non posset, deposita chlamyde virum
sanctum in proprias ulnas suscipiens, de basilica asporta-
20   rit. Inter plurimos sane qui ibidem adepti sunt sanitatem,
senex quidam paralyticus de vicinia illa, homo notus et
honoratus, multis suorum precibus et non sine multo labore
introductus est ad *hominem Dei*. A quo post brevissimam,
ut solebat, orationem erectus protinus et sanatus, non modo
25   incolumis sed et fortis apparuit, ut posses credere, si videres,
non tam alteratum hominem esse quam alterum. Iamque
eo viriliter procedente parabant alii tollere lectum eius in
quo advectus erat, cum revocans eum unus ex circumstantibus Hugo Tulliensis Ecclesiae archidiaconus, evangelici
30   illius paralytici memor : « Non sic », ait, « non sic vacuus
reverteris, *tolle grabatum tuum et ambula*[e] ». Et imponens
in humeros eius, dimisit eum libere procedentem. Sed *et
omnis plebs, ut vidit, dedit laudem Deo*[f].

c. Cf. 1 Ch 6, 49 et //   d. Mc 1, 32   e. Jn 5, 8 ≠.11 ≠.12 ≠   f. Lc 18, 43

1. Francfort-sur-le-Main. Ces miracles eurent lieu pendant la diète convoquée à Francfort en mars 1147 par l'empereur Conrad III pour préparer une
croisade contre les Wendes : cf. *Vp* III, 9 (*supra*, p. 48-49, n. 1). Bernard, convoqué lui aussi, était présent à la diète. Voir VACANDARD, *Vie*, t. II, p. 297-299.

2. Bernard mentionne ce personnage dans sa *Lettre* 176, 1, adressée au
pape Innocent II au nom d'Albéron archevêque de Trèves. L'archidiacre
Hugues de Toul était le porteur de cette lettre (*SBO* VII, p. 394, l. 13).

fit marcher un boiteux de naissance. Dans le même endroit, le Christ accomplit beaucoup d'autres miracles par ses mains, mais qu'il suffise d'en avoir cité quelques-uns à titre d'exemple. En effet, le pieux roi lui-même, lui ayant présenté de ses propres mains plusieurs enfants pauvres, mérita de le féliciter pour la guérison de beaucoup.

Et non seulement près de ladite ville de Spire, mais aussi près de Francfort[1], lieu du diocèse de Mayence, le même *serviteur de Dieu*[c] s'illustra par des miracles innombrables. Car de toute la région *on lui amenait*[d] tous ceux qui souffraient, et l'affluence était telle qu'un jour ledit roi, ne pouvant pas contenir le peuple qui serrait de près l'homme saint, déposa son manteau, prit Bernard dans ses bras et l'emporta hors de la basilique. Dans la foule de ceux qui là même obtinrent la guérison, un vieillard paralytique du voisinage, homme connu et honorable, fut présenté à *l'homme de Dieu* grâce à bien des supplications des siens et non sans beaucoup de peine. Celui-ci, selon son habitude, fit une très courte prière, et le releva aussitôt, parfaitement guéri. Le vieillard apparut non seulement bien portant, mais aussi plein de force, si bien que, en le voyant, on pouvait croire que c'était un autre homme plutôt qu'un homme rétabli. Comme déjà il s'en allait d'un pas alerte, les autres se préparaient à emporter le lit où il avait été amené, lorsqu'un des présents, Hugues, archidiacre de l'Église de Toul[2], se souvenant du paralytique de l'Évangile, le rappela et dit : « Ce n'est pas comme ça, pas comme ça, les mains vides, que tu vas revenir : *prends ton grabat et marche*[e]. » Et, lui mettant le lit sur les épaules, il le renvoya ; l'autre marchait aisément. *À cette vue, tout le peuple chanta des louanges au Seigneur*[f][3].

3. Cf. *Hm* III, XVI, 57 (*PL* 185, 409A-B).

Ibidem etiam puer surdus et mutus *ex utero matris suae*[g],
35 sublevatus per scalam et fenestram accedens ad *virum Dei*[h],
sub manu eius auditum recepit pariter et loquelam. Sed et
paralytica quaedam mulier de eadem regione, dives et honorata, ibidem recepit amissam ex multo tempore sospitatem.
Dumque exsiliens ambularet, omnes quidem laetati sunt qui
40 videbant, sed prae ceteris exsultavere milites qui attulerant
et obtulerant eam. Nam et ipsius sibi particeps esse virtutis
religiosa devotio videbatur.

Per idem tempus transeunte sancto prope vicum in littore
Rheni positum, quem Bobardum vocant, et *varios* per uni-
45 versam provinciam *curante languores*[i], oblatus est paralyticus
in grabato[j]. Audita siquidem fama virtutum, a praedicto
vico in occursum eius se fecerat asportari. *Cui* in medio
populi *manus imponens*[k], erexit hominem, incolumemque
remisit ad propria.

181 |**32.** Eodem anno ingredienti urbem Treverensium *servo
Christi*[a] ex more obviam ruit populus universus. Offerunt
autem ei sorores duas, quae ab annis quatuor amborum
lumen amiserant oculorum. Quarum ille utrique imprimens
5 signum crucis, visum reddidit lucis, et videntes *virum Dei*[b]
cum ceteris sequebantur.

g. Lc 1, 15 ; Ac 3, 2 ; 14, 7 et //   h. Cf. 1 S 9, 6 et //   i. Mc 1, 34 ≠
j. Cf. Mc 2, 4   k. Lc 4, 40 ≠ ; Ac 9, 17 ≠
32. a. Rm 1, 1 ≠ ; Col 4, 12 ≠   b. Cf. 1 S 9, 6 et //

1. Cf. *Hm* III, xvi, 56 (*PL* 185, 408C – 409A).

2. Petite ville allemande sur la rive gauche du Rhin entre Coblence et
Bingen. Bernard passa à Boppard et à Coblence (cf. chap. 32) les 8 et 9 janvier 1147, sur la route qui le menait de Spire à Cologne (cf. *Vp* IV, 33, *infra*,
p. 196-201). Cf. VACANDARD, *Vie*, t. II, p. 291, n. 3.

3. Cf. *Hm* II, vii, 23 (*PL* 185, 388C).

4. Bernard s'arrêta à Trèves le 27 mars 1147 (cf. VACANDARD, *Vie*, t. II,
p. 299, n. 3), en regagnant Clairvaux après la diète de Francfort (cf. chapitre

Là encore, un enfant sourd-muet *dès le sein de sa mère*[g], soulevé sur une échelle et se présentant à *l'homme de Dieu*[h] par la fenêtre, recouvra sous sa main à la fois l'ouïe et la parole. Mais aussi une femme paralytique de cette même région, riche et honorée, recouvra au même endroit la santé qu'elle avait perdue depuis longtemps. Tandis qu'elle marchait en bondissant, tous ceux qui la voyaient furent remplis de joie, mais plus que tous les autres exultèrent les chevaliers qui l'avaient amenée et présentée. Car il leur semblait que leur ferveur religieuse était pour quelque chose dans ce miracle[1].

À la même époque, tandis que le saint passait près d'un village appelé Boppard[2], situé sur les rives du Rhin, et *qu'il guérissait diverses maladies*[i] dans toute la province, on lui amena un paralytique sur son grabat[j]. Car, ayant entendu la renommée de ses miracles, il s'était fait transporter dudit village à sa rencontre. *Lui imposant les mains*[k] au milieu du peuple, il releva cet homme, et le renvoya bien portant chez lui[3].

Autres guérisons à Trèves et à Coblence

32. La même année, tandis que *le serviteur du Christ*[a] entrait dans la ville de Trèves[4], tout le peuple, comme d'ordinaire, se précipite à sa rencontre. Ils lui amènent deux sœurs, qui depuis quatre ans avaient perdu la lumière des deux yeux. Lui, traçant sur l'une et sur l'autre le signe de la croix, leur rendit la vue de la lumière, et elles, voyant maintenant *l'homme de Dieu*[b], le suivaient avec la foule.

---

précédent et p. 192, n. 1). Dans sa présentation des miracles accomplis par Bernard, Geoffroy ne respecte pas l'ordre chronologique des deux voyages successifs que Bernard fit en Allemagne, respectivement pour prêcher la deuxième croisade en Terre Sainte (octobre 1146 – janvier 1147) et pour donner son soutien à la croisade contre les Wendes proclamée par l'empereur Conrad III (mars 1147) : il mélange les miracles qui eurent lieu dans ces deux circonstances différentes.

In eiusdem basilica civitatis, cum ad altare beati Petri apostoli vir apostolicae gratiae immortalem hostiam immolasset, oblatus est ei claudus et ambulavit, oblatus est ei caecus et
10 vidit, oblata est ei surda mulier et audivit. Haec in somnis admonitam se esse dicebat, ut *Dei hominem*[c] peteret, cuius beneficio receptura esset auditum.

Apud Confluentiam, Trevirensis dioecesis nobile castrum ad Mosellam fluvium, qui ibidem in Rhenum labitur,
15 *Dei famulus*[d] pertransibat. Cumque paululum processisset, oblatum sibi et signatum hominem claudum, deponi iussit et ambulare, sed non fuit qui oboediret. Nec mora, claudus idem retractum prius femoris nervum clamat sponte laxari, et dum nescit, extendi velut ab altero genu suum, quod quamli-
20 bet ante conatus, nullo modo potuisset. Mirantur omnes, probatur sub omni velocitate quod dicitur : deponitur illico, illico graditur, illico sanus et incolumis innotescit.

33. Non est nobis Colonia transeunda. Magna est civitas, magna illic *Dei famulo*[a] virtus adfuit, magna illum devotio coluit populorum. Ostenditur usque hodie in claustro beati Petri, sicut a personis veridicis nuper accepimus, adolescens
5 olim claudus, nunc libere gradiens, qui oblatus *viro Dei*[b], ad impositionem manus eius gressum recepit, unde etiam filius eius publice cognominabatur.

c. Cf. Dt 33, 1 et //   d. 2 Ch 1, 3 ≠
33. a. 2 Ch 1, 3 ≠   b. Cf. 1 S 9, 6 et //

1. Cf. *Hm* III, xvi, 54 (*PL* 185, 407C-D).
2. Cf. chap. précédent, p. 194, n. 2.
3. Cf. *Hm* II, vii, 24 (*PL* 185, 389A).
4. Bernard, sur la route qui le ramenait à Clairvaux, séjourna à Cologne du 10 au 13 janvier 1147. Cf. VACANDARD, *Vie*, t. II, p. 291, n. 3.
5. Cf. ci-dessous, « la basilique du bienheureux Pierre ».
6. Cf. *Hm* II, viii, 26 (*PL* 185, 390C).

Dans la basilique de la même cité, comme l'homme rempli de grâce apostolique avait immolé la victime immortelle à l'autel du bienheureux apôtre Pierre, on lui amena un boiteux, et il marcha ; un aveugle, et il vit ; une femme sourde, et elle entendit. Celle-ci disait qu'elle avait été avertie en songe d'aller trouver *l'homme de Dieu*[c], grâce auquel elle recouvrerait l'ouïe[1].

Le serviteur de Dieu[d] passait près de Coblence[2], noble bourg fortifié du diocèse de Trèves sur les bords de la Moselle, qui là même se jette dans le Rhin. Comme il avait déjà un peu dépassé cet endroit, on lui amena un homme boiteux et il traça sur lui le signe de la croix ; il ordonna de le déposer à terre et de le laisser marcher, mais personne n'obéissait. À l'instant, ledit boiteux s'écrie que le nerf de sa cuisse, qui était jusqu'alors contracté, vient de se détendre spontanément et que son genou, sans qu'il sache comment, vient d'être étiré comme par quelqu'un d'autre, ce que lui-même n'avait pu faire d'aucune façon, malgré tous ses précédents efforts. Tous s'étonnent ; on veut avoir sur-le-champ la preuve de ce qu'il dit : il est aussitôt déposé à terre, aussitôt il marche, aussitôt il se montre sain et parfaitement guéri[3].

33. Nous ne devons pas passer Cologne sous silence. Grande est cette ville ; grande fut la puissance que *le serviteur de Dieu*[a] y déploya[4] ; grande la vénération que lui témoigna le peuple. On montre jusqu'aujourd'hui, dans le cloître du bienheureux Pierre[5], comme nous l'avons récemment appris par des personnes véridiques, un jeune homme jadis boiteux, qui maintenant marche sans difficulté. Présenté *à l'homme de Dieu*[b], il recouvra la faculté de marcher par l'imposition de ses mains[6] ; c'est pourquoi, il était aussi surnommé par tout le monde : « le fils de Bernard ».

Guérisons à Cologne...

Abbas Henricus de Suecia, cuius nos supra fecimus mentionem, nuper retulit nobis, feminam nobilem, germani sui
10 olim uxorem, cum post obitum viri sui prae dolore phrene-
sim incurrisset, et multo tempore sic se habens, in vinculis
teneretur, eidem patri sancto in praefata urbe oblatam, et
vix tenuiter in turba circumstrepente signatam, dum ex
more ligata revehitur, mentem pristinam atque integram
15 recepisse salutem.

In eadem etiam civitate filiam surdam eidem patri
sancto parentes nobiles obtulerunt. Hanc aiebant a pue-
ritia traditam sanctimonialium monasterio feminarum,
ibidem amisisse prorsus auditum, et annos plures in eodem
182 20 incommodo peregisse. Cuius aures signo crucis edito | pater
sanctus attrectans, protinus et auditum ei, et parentibus
eam reddidit audientem.

Accedens inter haec mulier honorata, Coloniensis iti-
dem civis, quae alterius oculi lumen amiserat, plurima iam
25 per quinquennium inutiliter sese in medicos expendisse[c]
dicebat. Et ipsam quoque continuo per signum crucis
illuminans vir beatus, quod *gratis acceperat, gratis dedit*[d].
Sed et matronam alteram in beati Petri basilica oblatam in
lectulo, idem *Christi servus*[e] erexit protinus, et incolumem
30 suis pedibus abire praecepit. Huius ex multo tempore nervi
femorum fuerant sic retracti, ut nec erigi ullatenus posset,
nec consistere pedibus suis.

---

c. Cf. Mc 5, 26 ; Lc 8, 43   d. Mt 10, 8 ≠   e. Ga 1, 10 ; Jc 1, 1 ; Jd 1

1. Cf. *Vp* IV, 24 (*supra*, p. 173, n. 3).
2. Cf. *Hm* II, viii, 27 (*PL* 185, 390D – 391A).

L'abbé Henri de Suède, dont nous avons fait mention ci-dessus[1], nous a dernièrement rapporté qu'une noble femme, jadis épouse de son frère, après la mort de son mari était tombée dans la folie à cause du chagrin ; comme elle était restée longtemps dans cet état, on la gardait liée. Présentée au père saint dans ladite ville, dès que celui-ci eut esquissé sur elle le signe de la croix, au milieu de la foule qui criait tout autour, elle recouvra son ancien bon sens et une parfaite santé, pendant qu'on la ramenait chargée de liens comme de coutume.

Toujours dans la même ville, une fille sourde fut amenée par ses nobles parents au père saint. Ils disaient qu'elle avait été confiée, dès son enfance, à un monastère de moniales, et que là même elle avait entièrement perdu l'ouïe, et avait passé plusieurs années dans cette infirmité. Après avoir tracé sur elle le signe de la croix, le père saint toucha ses oreilles ; aussitôt il lui rendit l'ouïe, et la rendit à ses parents, entendant bien[2].

Sur ces entrefaites, survint une femme honorable, pareillement citoyenne de Cologne, qui avait perdu la lumière d'un œil ; elle disait avoir déjà dépensé en vain, depuis cinq ans, une grande quantité d'argent chez les médecins[c]. Lui rendant la vue sur-le-champ par un signe de croix, le bienheureux *donna gratuitement ce qu'il avait reçu gratuitement*[d3]. Mais aussi une autre matrone lui fut amenée sur sa civière dans la basilique du bienheureux Pierre ; *le serviteur du Christ*[e] la releva aussitôt, et lui ordonna de s'en retourner saine et sauve sur ses pieds. Depuis longtemps, les nerfs de ses cuisses s'étaient tellement contractés, qu'elle ne pouvait nullement se relever, ni se tenir debout sur ses pieds[4].

---

3. Cf. *Hm* II, VIII, 26 (*PL* 185, 390B).
4. Cf. *Hm* II, VII, 25 (*PL* 185, 389C-D).

Nam ex personis aliis perhibebant qui studiosius observarunt, ad eiusdem viri sancti orationem et manus
35 impositionem, in civitate praedicta, intra triduum quod ibi fecit, duodecim claudos erectos, mancos duos sanatos, quinque caecos illuminatos, loquelam redditam mutis tribus, et decem surdis auditum.

34. Aquisgrani sede regia, dum in illa famosissima toto Romanorum orbe capella vir beatus missarum sollemnia celebraret, claudo homini gressum, et caecis quatuor visum sub manu eiusdem servi sui, Rex summus et unicus repara-
5 vit. A personis autenticis nuper audivimus eiusdem claudi baculos, quibus inniti solebat, abeunte eo relictos in ipsa basilica hodieque monstrari, ante sanctum altare suspensos.

Eodem etiam tempore intra Leodiensium fines, praeter innumera alia, quae brevitatis studio praeterimus,
10 iuxta oppidulum quod Fontanas vocant, orante eo *aperuit Dominus oculos*[a] caeci nati. Huius non modo oculi caeci, sed etiam ipsae palpebrae clausae et emortuae erant. Quas sacratissimis digitis suis aperiens vir beatus, divino munere et vigorem palpebris et pupillis praestitit
15 claritatem. Confestim denique idem puer lucem miratus ignotam, maxima cum exsultatione clamabat : « Video diem, video omnes homines, video capillatos. » Plaudens

---

34. a. Nb 22, 31

1. Aix-la-Chapelle fut la résidence préférée de Charlemagne, qui fit construire la cathédrale. Ville impériale, elle resta le lieu traditionnel du couronnement du « roi des Romains ». Bernard s'y arrêta le 15 janvier 1147 ; du 16 au 21 janvier, il séjourna à Liège ; du 26 au 28 à Cambrai. Cf. VACANDARD, *Vie*, t. II, p. 292, n. 1.

Par ailleurs, entre autres personnes, ceux qui examinèrent les faits plus soigneusement attestaient que, par la prière et l'imposition des mains de l'homme saint, durant les trois jours qu'il passa dans ladite ville, douze boiteux furent redressés, deux perclus guéris, la lumière fut rendue à cinq aveugles, la parole à trois muets et l'ouïe à dix sourds.

... à Aix-la-Chapelle, à Chaudfontaine, à Cambrai

34. À Aix-la-Chapelle, demeure royale, tandis que le bienheureux célébrait la messe dans cette chapelle, la plus fameuse de tout le monde romain [1], le Roi unique et souverain, par l'imposition des mains de son serviteur, redonna la faculté de marcher à un homme boiteux et la vue à quatre aveugles. Nous avons récemment entendu, par des personnes dignes de foi, que les béquilles de ce boiteux, sur lesquelles il avait l'habitude de s'appuyer, furent laissées par lui, en s'en allant, dans ladite basilique, et qu'elles sont exposées aujourd'hui, suspendues devant le saint autel [2].

À la même époque aussi, dans la région de Liège, parmi d'autres innombrables miracles, que nous passons sous silence par souci de brièveté, près d'une petite ville qu'on appelle Chaudfontaine [3], *le Seigneur*, à la prière de Bernard, *ouvrit les yeux* [a] d'un aveugle-né. Non seulement ses yeux étaient aveugles, mais aussi ses paupières étaient closes et inertes. Le bienheureux, les ouvrant avec ses doigts très saints, par un don divin rendit vigueur aux paupières et, aux pupilles, la netteté de la vue. Aussitôt l'enfant, admirant enfin la lumière inconnue de lui, s'écriait dans un immense transport de joie : « Je vois le jour, je vois tous les hommes,

2. Cf. *Hm* II, IX, 31 (*PL* 185, 393C). La dernière phrase *(A personis... suspensos)* a été supprimée par Geoffroy dans la recension B.

3. Ville de Belgique, sur la Vesdre, au Sud-Est de Liège.

quoque manibus et tripudians : « Deus », inquit, « ex hoc
iam non offendam ad lapides pedes meos ! »

20   In urbe etiam Nerviorum quae dicitur Cameracus cele-
branti missarum sollemnia *viro Dei*[b] surdum et mutum a
183   nativitate puelrum offerebant. Quem audientem protinus
et loquentem, qui propius aderant, supra gradum ligneum
statuere, ut de loco eminentiori novo sermone populum
25   salutaret. Nec mirum quod mira plebis devotio, mira protinus vociferatio sit secuta.

Et haec quidem super his quae in regno Germaniae in
manu servi sui mirabiliter operatus est Deus, e pluribus
pauca sufficiant.

35. Nam et in Hispaniis, ubi praesens ipse non fuit,
sanctitatis Domini eius indicia claruerunt. Cum enim *fidelis servus et prudens*[a], pretiosum dominicae crucis fructum
undique colligeret, iterumque propagaret ubique, contigit
5   ut de filiis suis in Hispanias mitteret, in illis quoque sicut
et in ceteris gentibus fructum aliquem habere desiderans.
De quorum numero Albertus quidam faber in loco, cui
nomen est Superadum, gravissima valetudine occupatus, per
multum iam tempus *iacebat paralyticus in grabato*[b]. Interim

b. Cf. 1 S 9, 6 et //
35. a. Mt 24, 45   b. Mc 2, 4 ≠

1. Cf. *Hm* III, xi, 37 (*PL* 185, 397A-B).

2. Peuple de l'ancienne *Gallia Belgica*, entre l'Escaut et la Meuse, qui
fut vaincu et assujetti par Jules César. Cf. César, *Guerre des Gaules* II, xv-
xviii (éd. L.-A. Constans, t. I, *CUF*, 1958[6], p. 58-67).

3. Cf. *Hm* III, xii, 39 (*PL* 185, 398C-D).

4. Dans la recension B, Geoffroy a écrit simplement : « les preuves de
sa sainteté ».

je les vois avec leurs chevelures. » Battant aussi des mains et bondissant d'allégresse : « Dieu !, dit-il, désormais je ne me heurterai plus les pieds contre les pierres[1] ! »

De même, dans la ville des Nerviens[2] nommée Cambrai, pendant que *l'homme de Dieu*[b] célébrait la messe, on lui amenait un enfant sourd-muet de naissance. Aussitôt celui-ci entendit et parla. Ceux qui étaient plus près de lui le hissèrent sur un gradin de bois, afin que de ce lieu plus élevé il puisse saluer le peuple avec ses premières paroles. Il n'est pas étonnant qu'une étonnante ferveur populaire, une étonnante clameur en ait aussitôt résulté[3].

Quant aux merveilles que Dieu accomplit dans le royaume d'Allemagne par les mains de son serviteur, qu'il suffise d'avoir cité ce peu de faits parmi bien d'autres.

35. D'autre part, en Espagne aussi, où il ne fut jamais en personne, les preuves que le Seigneur donna de sa sainteté[4] éclatèrent. En effet, comme *le serviteur fidèle et avisé*[a] recueillait de toutes parts les précieux fruits de la croix du Seigneur[5], et les propageait de nouveau partout, il advint qu'il envoya plusieurs de ses fils en Espagne, désirant récolter là aussi quelques fruits, comme dans les autres nations. De leur nombre était un certain Albert, forgeron ; atteint d'une très grave maladie dans un lieu nommé Sobrado[6], *il gisait* déjà depuis longtemps *paralysé sur un grabat*[b]. Sur ces entrefaites,

Guérison à distance
d'un moine cister-
cien de Sobrado,
en Espagne

---

5. Cette expression désigne ici tous ceux qui entraient à Clairvaux pour s'y faire moines.

6. Fondé par Clairvaux le 14 février 1142 en Galice, à mi-chemin de Saint-Jacques-de-Compostelle et de Lugo, Sobrado fut, semble-t-il, la première fondation cistercienne proprement dite en terre espagnole. Voir M. do Rosario Barbosa Morujão, « La péninsule ibérique », dans *Clairvaux. L'aventure*, p. 115-116, ici p. 115.

10   per abbatem suum incommodum suum nuntiat patri sancto,
et ut sui misereatur exorat. Eadem autem die qua vir beatus
in Claravalle pro eodem paralytico ad petitionem sui illius
abbatis oravit, *currente velociter verbo virtutis*[c] et virtute
orationis, ille in Hispaniis repente convaluit, tamquam
15   vas plenum aqua suo sentiens capiti superfundi. Regressus
siquidem abbas cum praedictum fratrem incolumem rep-
perisset, diligenter sciscitatus ab eo modum et tempus suae
liberationis[d], certissime comperit orante in Galliis *Dei*
famulo[e], illum in Hispaniis esse curatum.

36. Et quia semel ad Hispanias vertimus stylum,
illud quoque quod contigit de viro reverendissimo Petro
Asturiensi episcopo prosequamur. Is quidem Petrus nobilis
genere, monachus professione, pietate devotus, in coenobio
5   quodam, quod eo tempore ipse regebat, tam vehementi
dolore capitis laborabat, ut nulla die regulam observare
ieiunii, nulla hora sine pelliceis posset pilleis stare. Sic miserabilis homo aliquamdiu victitabat, vel magis diu moriebatur.

c. Ps 147, 15 ≠ ; He 1, 3   d. Cf. Jn 4, 52   e. 2 Ch 1, 3 ≠

1. Ville de la province de León, siège épiscopal depuis le IIIe siècle. L'évêque
ici mentionné par Geoffroy ne peut être que *Petrus IV Christianus*, élu le
25 janvier 1153 et décédé en 1156. Cf. la notice « Astorga » par A. LAMBERT,
DHGE 4, 1930, col. 1199-1226 ; voir la liste des évêques, col. 1224.

2. P. VERDEYEN (*CCCM* 89B, p. 230, n. à la l. 874) écrit, sans indiquer
la source d'où il tire ce renseignement : « Il s'agit sans doute de Pierre,
premier abbé de Moreruela, abbaye fille de Clairvaux, devenue cistercienne
en 1158. » Cette affirmation est sujette à caution, parce que la date de
la fondation de Moreruela (dans le diocèse de Zamora, au royaume de
León) et celle de son affiliation à Clairvaux sont très controversées : voir
I. ALFONSO, « La penetracion del Cister en la Peninsula. Polemica en
torno a Moreruela », *Revista española de Teologia* 41, 1981, p. 47-111.
M. COCHERIL estime, non sans quelques réserves, que Moreruela fut
fondé en 1143 et affilié à Clairvaux entre 1143 et 1158 (voir ID., « Espagne
cistercienne », *DHGE* 15, 1963, col. 944-969, ici 944-949). La charte

par l'intermédiaire de son abbé, il fait connaître son infirmité au père saint, et le supplie d'avoir pitié de lui. Or, le jour même où le bienheureux, à Clairvaux, pria pour ledit paralytique à la demande de l'abbé de celui-ci, *la parole puissante* et la puissance de la prière *coururent rapidement*[c], et cet homme-là en Espagne se rétablit soudain : il eut l'impression qu'on lui versait un vase plein d'eau sur la tête. À son retour l'abbé, ayant trouvé ledit frère en parfaite santé, après s'être soigneusement informé auprès de lui de la manière et du moment de sa délivrance[d], eut la certitude absolue que ce frère s'était senti guéri en Espagne pendant que *le serviteur de Dieu*[e] priait dans les Gaules.

Bernard guérit de la migraine Pierre, évêque d'Astorga, en lui envoyant son bonnet

36. Puisque nous venons d'écrire à propos de l'Espagne, racontons aussi ce qui arriva à Pierre, très révérend évêque d'Astorga[1]. Ce Pierre, issu d'une noble famille, devenu moine d'une piété fervente, souffrait de maux de tête si violents, dans le monastère qu'il gouvernait à cette époque[2], qu'il ne pouvait ni observer un seul jour la règle du jeûne, ni rester un seul instant sans un bonnet de fourrure. C'est ainsi que ce malheureux homme vivotait depuis un certain temps, ou plutôt n'en finissait pas de mourir[3]. Or, apprenant

de fondation de Moreruela, citée et commentée par Cocheril (*ibid.*, col. 946-948), fait état d'une donation d'Alphonse VII, roi de Castille et de León, à Ponce de Cabrera en faveur de deux moines bénédictins, le 5 octobre 1143, afin qu'ils construisent un monastère en ce lieu. Ces deux moines s'appelaient Pierre et Sanche. On peut dès lors supposer que ce Pierre devint par la suite le premier abbé de Moreruela et fut le bénéficiaire du miracle raconté dans *Vp* IV, 36 ; dans ce cas, il serait permis de l'identifier avec Pierre IV, élu évêque d'Astorga en 1153 (cf. n. précédente). Tout cela est plausible, mais n'en demeure pas moins hypothétique, faute d'une documentation suffisante.

3. Cette phrase a été supprimée dans la recension B.

Audiens autem celeberrimam virtutum famam quae per *Dei*
10 *hominem*[a] efficiebantur, per quemdam fratrem legationem
mittit suae supplicationis, et opem flagitat piae intercessio-
184 nis. Cui | vir sanctus laneum, quo ipse utebatur, pilleum
misit, et promisit aegro capiti de Domini virtute remedium.
Suscepit ille missam sibi benedictionem maxima cum reve-
15 rentia et devotione. Confitens enim quam sollicite potuit
delicta sua, et stola sese induens sacerdotali, ita demum velut
Christi *fimbriam tangens*[b], *servi Christi*[c] pilleum sumpsit,
et imposuit capiti suo.

Nec tardavit fidei fructus et benedictionis effectus ; sed
20 miratus et ipse est celerem protinus sentiens medicinam,
et ex tunc usque hodie ab huiusmodi languore sanus et
incolumis annuntiat omnibus quam experiri meruerit ipse
virtutem. Nam et episcopus factus xenia illa divisit, partem
mediam suis secum in scriniis honorificentissime ferens,
25 mediam in monasterio sub eadem veneratione deponens ;
nec locum scilicet unde vocatus, nec sedem cui praelatus
est, volens tanta benedictione fraudari.

37. Ex hoc nobis ad ea quoque quae mirabiliter egit in
regione propria redeundum. Nam in eo forte *etiam plus*
quam propheta[a] dici posse videtur, quod *propheticus* ei non
defuerit honor, ne *in patria sua*[b] quidem.

36. a. Cf. Dt 33, 1 et //   b. Mt 9, 20 ≠ ; 14, 36 ≠   c. Rm 1, 1 ≠ ;
Col 4, 12 ≠
37. a. Mt 11, 9 ≠   b. Mt 13, 57 ≠ ; Mc 6, 4 ≠ ; Jn 4, 44 ≠

la renommée éclatante des miracles accomplis par *l'homme de Dieu*[a], il lui envoie un frère pour lui porter sa supplique et implorer le secours de sa bienveillante intercession. Le saint lui envoya le bonnet de laine dont il se servait, et promit qu'il serait un remède pour ses maux de tête grâce à la puissance de Dieu. Pierre reçut avec le plus grand respect et la plus grande ferveur la bénédiction à lui envoyée. Confessant donc ses fautes avec tout l'empressement possible, et revêtu de son étole sacerdotale, comme *s'il touchait la frange*[b] de la robe du Christ, il prit enfin le bonnet *du serviteur du Christ*[c], et le mit sur sa tête.

Le fruit de la foi et l'effet de la bénédiction ne se firent pas attendre : il fut lui-même surpris de sentir que le remède agissait avec une telle rapidité. Depuis lors jusqu'à présent, guéri et délivré de pareille maladie, il annonce à tous la puissance qu'il a mérité d'expérimenter en lui-même. En effet, devenu évêque, il partagea en deux le présent reçu : il en emporta la moitié avec lui, dans un écrin, avec la plus grande solennité ; il en déposa l'autre moitié dans son monastère avec la même vénération. Car il ne voulait priver d'une si grande bénédiction ni le lieu d'où il avait été appelé, ni le siège où il avait été installé.

Guérisons opérées par Bernard à Clairvaux et dans le voisinage

37. Il nous faut maintenant revenir aux prodiges qu'il accomplit dans sa propre région. Car, à ce point de vue, il semble que nous pouvons l'appeler peut-être *même plus que prophète*[a], puisque *l'honneur dû aux prophètes* ne lui *a* pas *manqué* jusque *dans son pays*[b].

5   Henricus quidam, vir magnus et potens in omni domo
et familia ducis Bawarorum ex multo iam tempore, misero
penitus et miserabili quodam incommodo desperabiliter
laborabat. Siquidem tamquam vivum aliquid et motabile
intra praecordia sentiens, et ex magna parte phreneticus,
10   nec consolari poterat, aut securus esse, nec quid timeret aut
pateretur agnoscere, nisi quod daemonium esse suspicabatur.

Talis ad *Dei hominem*[c] de Bawaria Claramvallem usque
perductus, eius oratione perfectam meruit sospitatem. Cui
etiam formam vitae et mandata, quae deinceps observaret,
15   idem sanctus imponens, incolumem remisit ad propria. Nam
et usque in praesentem diem, sicut certa relatione didicimus, tam oboediens perseverat ut non modo *suis contentus
sit stipendiis*[d], sed operibus etiam pietatis intentus, ita ut
mirabilior eius morum correctio quam curatio videatur.

20   Museium dicitur villa super Sequanam fluvium, paucis a
Claravalle miliaribus distans. Ex hac virum hydropicum ad
Dei hominem adduxerunt. *Cui manus imponens*[e] et orans,
proprio quoque cingulo suo tumentem enormiter uterum
185   eius accinxit, | praecipiens ut incolumitate recepta, praesti-
25   tutum sibi cingulum reportaret. Nec tardavit sanitas, sed
paulatim tumor abscessit. Denique circa vicesimum diem

---

c. Cf. Dt 33, 1 et //   d. Lc 3, 14 ≠   e. Lc 4, 40 ≠ ; Ac 9, 17 ≠

1. L'édition critique met ce mot *quidam* entre crochets obliques. Nous
les avons supprimés, puisque ce mot est bien attesté dans les manuscrits ;
il n'est donc pas nécessaire de l'ajouter par conjecture.

2. Trois ducs de Bavière furent contemporains de l'abbé de Clairvaux :
successivement, Henri le Superbe, gendre de l'empereur Lothaire III,
qu'il accompagna dans sa deuxième campagne en Italie (1136-1137), où
Bernard eut l'occasion de le côtoyer, et qui mourut en 1139 ; Léopold IV de
Babenberg, margrave d'Autriche ; le frère de celui-ci, Henri II Jasomirgott,
que Bernard put rencontrer lors de la tournée entreprise en Allemagne

Un certain[1] Henri, homme grand et puissant dans toute la maison et l'entourage du duc de Bavière[2], depuis longtemps déjà souffrait sans espoir d'un mal tout à fait affligeant et pitoyable. Car, sentant comme quelque chose de vivant et de remuant dans ses entrailles, il avait de violents accès de folie, et il ne pouvait ni être consolé ou se calmer, ni reconnaître la nature de ses peurs ou de ses souffrances, à moins de soupçonner qu'il s'agissait d'un démon.

C'est dans cet état que, amené de Bavière jusqu'à Clairvaux chez *l'homme de Dieu*[c], il obtint une parfaite guérison grâce à la prière de celui-ci. Le saint lui prescrivit aussi une règle de vie et des commandements à observer désormais, et le renvoya chez lui sain et sauf. Par ailleurs, ainsi que nous l'avons appris de source sûre, cet homme persévère jusqu'à ce jour dans une obéissance telle que non seulement *il se contente de son salaire*[d], mais il s'adonne aussi à des œuvres de miséricorde, si bien que l'amélioration de sa conduite paraît encore plus admirable que sa guérison[3].

On appelle Mussy[4] une ferme située sur le bord de la Seine, à quelques milles de Clairvaux. On amena de là un hydropique à *l'homme de Dieu*. Celui-ci, *lui imposant les mains*[e] et priant sur lui, ceignit son ventre énormément enflé de sa propre ceinture, et lui recommanda de lui rapporter la ceinture prêtée, une fois la guérison obtenue. La santé ne se fit pas attendre, et peu à peu l'enflure disparut.

---

pour prêcher la deuxième croisade (1146-1147). Nous ne pouvons pas préciser – sinon par conjecture – lequel de ces trois est le duc ici mentionné par Geoffroy.

3. Tout le passage concernant cet Henri *(Henricus quidam... curatio videatur)* a été supprimé dans la recension B. Cf. *Vp* IV, 13 (*supra*, p. 146, n. 1).

4. Aujourd'hui Mussy-sur-Seine (anciennement Mussy-l'Évêque), chef-lieu de canton dans le département de l'Aube, à 20 km de Bar-sur-Seine.

gracilis incolumisque reversus, cingulum simul et gratias
multas suo reddidit curatori.

Exeunti alio tempore monasterii claustra, senem paralyti-
30 cum ex proximo viculo, qui Mundivilla dicitur, obtulerunt.
Subsistens autem modice, et breviter orans, tetigit hominem
et incolumem suis pedibus abire praecepit. Quo abeunte
populus multus qui in occursum *viri Dei*[f] confluxerat,
non sine lacrimis Dominum collaudabat. Item redeunti
35 aliquando de via, pro foribus monasterii oblatus est ei puer
surdus et mutus. *Exspuens igitur tetigit linguam eius, et digitos immisit in aures*[g]. Protinus autem aurium eius obstacula
facta de medio, *et solutum est vinculum oris eius*[h].

38. Malenvilla dicitur vicus, tribus circiter miliariis a
monasterio distans. Hunc quandoque pertransiens vir beatus, mancam puellam tetigit et curavit, quam nunc usque
superstitem et incolumem esse nuper accepimus.

5 Per idem tempus in finibus illis, apud castrum quod
nominant Burlemontem, duo milites de beati patris virtutibus conferebant. Sed minus credulus alter : « Si hunc »,
inquit, « sanaverit puerum, ex tunc firmius credam ».
Dicebat autem surdum quemdam et mutum, qui apud eos
10 nutritus, nec locutus fuisset aliquando nec audisset. Post
dies paucos transeunte propius patre sancto, ambo pariter
puerum tollunt et afferunt ei. Imposita igitur manu puero,
et signans os illius et aures, allocutus est eum, et loquentem
protinus et audientem dimisit.

---

f. Cf. 1 S 9, 6 et //   g. Mc 7, 33 ≠   h. Mc 7, 35 ≠

1. Meurville, près de Clairvaux.
2. Maranville, près de Clairvaux.

Finalement, après une vingtaine de jours, il revint mince et bien portant, et rendit à son guérisseur à la fois la ceinture et mille actions de grâces.

À un autre moment, tandis qu'il sortait de la clôture du monastère, on lui amena un vieillard paralytique d'un petit bourg tout proche, appelé Meurville[1]. S'arrêtant quelque peu, et faisant une courte prière, il toucha l'homme et lui ordonna de s'en aller bien portant sur ses pieds. Pendant qu'il s'en allait, le peuple, qui avait accouru nombreux au-devant *de l'homme de Dieu*[f], louait le Seigneur non sans larmes. De même, une fois qu'il revenait de voyage, un enfant sourd et muet lui fut présenté devant les portes du monastère. *Alors, il lui toucha la langue avec sa salive et lui mit les doigts dans les oreilles*[g]. Aussitôt, les bouchons de ses oreilles furent enlevés, *et le lien de sa langue fut défait*[h].

Autres guérisons dans les environs de Clairvaux

38. On appelle Maranville[2] un village distant d'environ trois mille de Clairvaux. Un jour que le bienheureux passait par là, il toucha et guérit une fille percluse ; nous avons récemment appris qu'elle est toujours en vie et en bonne santé.

À la même époque dans ces contrées, près d'un château nommé Bourlemont, deux chevaliers s'entretenaient des miracles du bienheureux père. Mais l'un d'eux, moins porté à croire, déclara : « S'il guérit cet enfant, alors je croirai plus fermement. » Il parlait d'un certain sourd-muet qui, élevé chez eux, n'avait jamais ni parlé, ni entendu. Quelques jours plus tard, comme le père saint passait dans les environs, les deux ensemble prennent l'enfant et le lui amènent. Après avoir imposé la main à l'enfant, et tracé le signe de croix sur sa bouche et ses oreilles, Bernard lui adressa la parole et le renvoya sur l'heure parlant et entendant.

15   Apud Risnellum oppidum regionis eiusdem usque modo
cernere est adolescentem, Simonem nomine, satis notum,
qui praefato *Dei famulo*[a] claudus oblatus est, et sub eius
manu gressum recepit.

Barrum super Albam dicitur oppidum, tribus, ut aiunt,
20   leucis distans a monasterio Claraevallis. Ibi quoque saepius
per hunc *hominem Dei*[b] divinae virtutis opera claruerunt.
Siquidem praeter ea quae minus diligenter curavimus inves-
tigare, quod omnis nostra curiositas signorum multitudine
vinceretur, quatuor illic | claudos ad ipsius orationem et
25   manus impositionem diversis temporibus Christus erexit,
caecos duos *illuminavit*[c], duobus aeque surdis et mutis auditum praestitit et loquelam. Sed et iuxta alterum Barrum
super Sequanam ad eius tactum illuminatus est caecus,
convaluit etiam paralyticus, gressum recepit puer *claudus*
30   *ex utero matris suae*[d].

39. Cum reverendissimus papa noster Eugenius tertius,
ex monacho Claraevallensi et abbate Sancti Anastasii in
urbe Roma, ad apostolicam assumptus cathedram, Gallias
introisset, ibat cum eo vir sanctus, nec minus apostolica
5   virtus in illo, quam in illo dignitas praeeminebat. Tantus
enim ad beatum virum concursus erat incommodis variis
laborantium, ut cum aliquando summus pontifex basilicam,

186 (margin, line 24)

---

38. a. 2 Ch 1, 3 ≠   b. Cf. Dt 33, 1 et //   c. Ps 145, 8 (Lit.)   d. Ac 3, 2;
14, 7

---

1. L'identification de *Risnellum* avec Reynel, dans l'arrondissement
de Chaumont (Haute-Marne), proposée par P. Verdeyen (*CCCM* 89B,
p. 230, n. à la l. 944), est tout à fait plausible.

2. Cf. l'office de saint Laurent, deuxième antienne des laudes : *Per
signum crucis caecos illuminavit* (*LMH*, p. 1484).

3. Bar-sur-Seine.

Près du bourg fortifié de Reynel[1], dans la même région, il est possible de voir jusqu'à présent un jeune homme nommé Simon, assez connu, qui fut amené boiteux audit *serviteur de Dieu*[a] et, sous sa main, recouvra la faculté de marcher.

Bar-sur-Aube est un bourg fortifié distant, dit-on, de trois lieues du monastère de Clairvaux. Là aussi, assez souvent, les œuvres de la puissance divine éclatèrent grâce à cet *homme de Dieu*[b]. En effet, outre celles que nous nous sommes mis en peine de rechercher avec un moindre soin, car toute notre curiosité était dépassée par la multitude des prodiges, le Christ, par la prière et l'imposition des mains de Bernard, en des circonstances différentes, redressa là-bas quatre boiteux, *rendit la vue à* deux *aveugles*[c2], donna aussi bien l'ouïe que la parole à deux sourds-muets. Mais aussi près de l'autre Bar, situé sur la Seine[3], par son toucher un aveugle retrouva la vue, un paralytique fut également guéri, un enfant *boiteux dès le sein de sa mère*[d] recouvra la faculté de marcher.

Miracles opérés par Bernard en présence du pape Eugène III

39. Quand notre très révérend pape Eugène III, qui de moine de Clairvaux et d'abbé de Saint-Anastase dans la ville de Rome fut élevé à la chaire apostolique[4], vint dans les Gaules[5], l'homme saint l'accompagnait, et la puissance des apôtres éclatait en celui-ci non moins que la dignité des apôtres en celui-là. Car le concours de toutes les personnes atteintes de différentes infirmités était si grand auprès du bienheureux que, lorsque parfois le souverain pontife entrait dévotement dans la

4. Cf. *Vp* II, 48 (*SC* 619, p. 505, n. 3) ; 50 (*SC* 619, p. 512, n. 3).

5. Le voyage d'Eugène III en France se déroula de janvier 1147 à mai 1148. Cf. n. ci-dessus et aussi *Vp* III, 15 (*supra*, p. 62-67 et les notes). Les miracles racontés dans ce chap. 39 eurent lieu en 1147, comme le précise le début du chapitre suivant : cf. *supra*, p. 216, l. 1 et n. 1.

ubi ille missarum sollemnia celebrabat, devotus intrasset,
expleto sacrificio et ex more accedentibus eis qui curam desi-
10 derabant, paulo minus idem papa comprimeretur a turbis,
et vix potuerit per ministrorum manus educi. E plurimis
sane quae in eiusdem apostolici viri facta sunt comitatu, duo
scribimus quae nos oblivisci ipsa quam vidimus magnitudo
laetitiae non permittit.

15   Chaleta dicitur vicus inter Provignum castrum et
Sequanam fluvium constitutus. Ubi puer ferme decennis ab
anno priore paralyticus sic iacebat, ut ne ipsum caput flecteret, nisi ab altero moveretur. Quem afferentes in culcitra
mater eius ceterique propinqui offerebant viro sancto, prope
20 eumdem locum per stratam publicam transeunti. At ille
signatum erigens statuit supra pedes suos et ire praecepit.
Nec mora, exsiliit puer, et ambulabat *magnificans Deum*[a].
Qui tamdiu sanctum prosecutus est abeuntem, donec ille
invitum licet et renitentem redire praecepit. Ubi non imme-
25 rito quidem magna admodum facta est admiratio, magna
exsultatio omnium qui videbant : sed prae ceteris frater
iunior in ipsius tamquam redivivi oscula ruens, multos
eorum ad lacrimas usque permovit.

Hunc quidem puerum et post annos quatuor in eodem
30 vico vidimus quem beato viro mater offerens, sacros monebat
osculari pedes : « Hic est », inquiens, « pater tuus qui tibi
vitam reddidit, et te mihi ».

---

39. a. Lc 5, 25 ; 17, 15 ; 18, 43

1. Vraisemblablement Chalette-sur-Voire, dans le département de
l'Aube.
2. La ville de Provins, en Seine-et-Marne.

basilique où Bernard célébrait la messe, et que, le saint sacrifice terminé, ceux qui désiraient la guérison s'approchaient
comme de coutume, le pape lui-même était presque écrasé
par les foules, et ne pouvait qu'à grand-peine être dégagé
par ses gens. Parmi les très nombreux miracles qui furent
opérés par Bernard en compagnie de l'Apostolique, nous en
décrivons deux, que la ferveur même de la liesse dont nous
avons été témoins ne nous permet pas d'oublier.

On appelle Chalette[1] un village situé entre le bourg fortifié de Provins[2] et la rivière de Seine. Là-bas, un enfant de
presque dix ans gisait paralysé, depuis une année, si bien
qu'il ne pouvait même plus tourner la tête, si quelqu'un
d'autre ne la faisait pas mouvoir. Sa mère et ses autres proches
l'amenèrent sur un matelas et le présentèrent au saint, qui
passait par la grande route près dudit lieu. Et lui, traçant le
signe de la croix sur cet enfant, le releva, le mit debout sur ses
pieds et lui ordonna de s'en aller. Sans délai, l'enfant bondit, et il marchait *en magnifiant Dieu*[a]. Il suivit le saint qui
s'éloignait jusqu'au moment où celui-ci lui ordonna de s'en
retourner, ce qu'il ne fit qu'à contrecœur et avec regret. Ce
ne fut certes pas sans raison, alors, que tous ceux qui virent
ce miracle manifestèrent une très grande admiration et une
grande allégresse ; mais plus que tous les autres le petit frère
du garçon, se jetant dans les bras de son aîné et le couvrant
de baisers comme s'il était revenu à la vie, émut jusqu'aux
larmes bien des assistants.

Nous avons vu cet enfant, quatre ans plus tard, dans le
même village ; sa mère, l'amenant au bienheureux, l'engageait à lui embrasser ses pieds sacrés, en disant : « Celui-ci
est ton père[3], qui t'a rendu la vie, et qui t'a rendu à moi. »

---

3. Geoffroy a supprimé les mots « ton père » dans la recension B, probablement par peur d'un contresens.

40. Eodem anno apud Cistercium iuxta morem abbatibus congregatis, praedictus papa venerabilis adfuit, non tam auctoritate apostolica praesidens, quam fraterna caritate residens inter eos, | quasi unus ex eis. Ubi cum ad cellulam, in qua iacebat, facto vespere et conventu soluto, *Dei famulus*[a] divertisset, surdum ei puerum obtulerunt. Erat autem puer ille de vicinia eadem, et sicut postea didicimus, ex longo ante tempore *vigilans in custodia gregis sui*[b], subito terrore percussus, amiserat prorsus auditum. Orans itaque pater sanctus, et *puero manus imponens*[c], utrum audiat sciscitatur. At ille mira devotione proclamans : « Audio, domine, audio » tam firmiter amplexatus est eum, ut vix ab eo posset avelli. Auditum est verbum, oblatus est puer summo pontifici aliisque personis, celeberrimumque hoc miraculum fuit.

Venerat pater sanctus ad monasterium in dioecesi Bisuntina, cui nomen est Caruslocus, et erant cum eo ex abbatibus sui ordinis multi. Ubi *matrona quaedam de finibus illis*[d] ex multo iam tempore clauda, in carro allata et oblata est ei. Orans vero breviter et signans eam in nomine Domini erexit et sanavit, ut eadem hora incolumis remearet ad propria.

---

40. a. 2 Ch 1, 3 ≠   b. Lc 2, 8 ≠   c. Lc 4, 40 ≠ ; Ac 9, 17 ≠
d. Mt 15, 22 ≠

---

1. En 1147, Eugène III participa au chapitre général de Cîteaux, entre juillet et septembre.

40. La même année, puisque les abbés s'étaient réunis à Cîteaux suivant la coutume, ledit vénérable pape s'y rendit[1], moins pour présider l'assemblée en vertu de son autorité apostolique que pour prendre place parmi eux dans la charité fraternelle, comme l'un des leurs. Le soir venu, après que l'assemblée se fut dispersée et que *le serviteur de Dieu*[a] se fut retiré dans la cellule où il couchait, on lui amena un enfant sourd. C'était un enfant des environs du monastère et, comme nous l'apprîmes plus tard, *tandis qu'il veillait*, longtemps auparavant, *à la garde de son troupeau*[b], frappé d'une frayeur subite, il avait complètement perdu l'ouïe. Alors le père saint, se mettant en prière et *imposant les mains à l'enfant*[c], lui demande s'il entend. Et lui, s'exclamant avec une merveilleuse ferveur : « J'entends, seigneur, j'entends », l'embrassa si fort, que l'on eut grand-peine à l'en séparer. Le bruit se répandit, l'enfant fut présenté au souverain pontife ainsi qu'aux autres personnages, et ce miracle devint très célèbre.

Le père saint s'était rendu à un monastère du diocèse de Besançon nommé Cherlieu[2], et beaucoup d'abbés de son ordre étaient avec lui. Là, *une matrone de ces contrées*[d], boiteuse depuis longtemps déjà, lui fut amenée dans un char et présentée. Après une courte prière, il traça sur elle le signe de la croix, la releva et la guérit au nom du Seigneur, si bien qu'à l'heure même elle rentra chez elle en parfaite santé.

Autres guérisons dans différents monastères

---

2. Cf. *Vp* I, 53 (*SC* 619, p. 314, n. 1).

Eodem tempore in monasterio Morimundo, quae est
Cisterciensis ordinis abbatia una de primis, monachus
25 quidam iacebat usque adeo paralysi dissolutus, ut reliquis
omnibus membris officio proprio destitutis, in solo vigere
videretur capite sensus, in solo deinceps pectore vitalis spiritus palpitare. Non manum movere, non pedem, tantum
loqui poterat et videre. Interea superveniens vir beatus
30 paralyticum visitat, manum postulatus imponit et continuo
opem sentit aegrotus. Ut tamen gratius esset miraculum,
velut gradatim per aliquot dies ad singulas eius visitationes
magis ac magis convalescens, iam movebat manus, iam pedibus consistebat, iam paululum gradiebatur, donec fratrum
35 collegio redderetur incolumis.

In monasterio Albae Ripae monachus quidam adolescens usum vocis amiserat, ut nec psallere inter fratres, nec
a quoquam, nisi multum proximo sibi, intelligi posset quid
loqueretur. Cui vir sanctus, dum idem monasterium visitaret,
40 aquam benedicens frigidam potum dedit et continuo frigidus
ex pectore eius sudor erupit. Denique ipsa die ab eodem

---

1. Quatrième fille de Cîteaux, elle fut fondée en 1115 au diocèse de
Langres, aux confins des diocèses de Toul et de Besançon, la même année
que Clairvaux. Elle connut bientôt un accroissement considérable et
essaima surtout dans les pays germaniques, donnant naissance à de nombreuses fondations. Cf. la notice « Morimond » par A. DIMIER, *Cath* IX,
1982, col. 742-744, et l'étude de L. GRILL, « Morimond, sœur jumelle
de Clairvaux », dans *Bernard de Clairvaux*, 1953, p. 117-146. Un des plus
anciens documens législatifs de l'ordre cistercien, la *Carta caritatis posterior*,
dont la version définitive date de 1165 (cf. *Narrative and legislative texts*,
p. 379), décrète qu'il revient aux abbés des quatre premières filles de Cîteaux
(La Ferté, Pontigny, Clairvaux et Morimond) de faire la visite canonique
annuelle de leur maison mère (cf. *Narrative and legislative texts*, p. 501,
v. 17, l. 55-58). Morimond n'obtint ce droit qu'en 1157, bien après les trois
autres : cf. BREDERO, *Études, ASOC* 17/1-2, 1961, p. 67-68 et les notes.

À la même époque, dans le monastère de Morimond, qui est une des premières abbayes de l'ordre cistercien[1], un moine gisait dans son lit, tellement perclus par la paralysie que tous ses autres membres avaient cessé de fonctionner : la sensibilité ne semblait plus éveillée que dans sa tête et l'esprit de vie ne semblait plus respirer que dans sa poitrine[2]. Il ne pouvait remuer ni les mains, ni les pieds, mais seulement parler et voir. Sur ces entrefaites, le bienheureux survient, visite le paralytique, lui impose les mains sur sa demande, et aussitôt le malade en ressent le bienfait. Cependant, afin qu'il eût plus de gratitude pour ce miracle, pendant quelques jours, comme par degrés[3], il recouvrait de plus en plus la santé à chaque visite de Bernard : déjà il remuait les mains, déjà il se tenait debout sur ses pieds, déjà il faisait quelques pas, jusqu'à ce qu'il fût rendu bien portant à la communauté des frères.

Dans le monastère d'Auberive[4], un tout jeune moine avait perdu l'usage de la voix, si bien qu'il ne pouvait plus psalmodier parmi les frères, ni se faire entendre de qui que ce fût, si ce n'est à une très petite distance. L'homme saint, pendant qu'il visitait ce monastère, bénit de l'eau froide[5] et la donna à boire à ce moine ; aussitôt, une sueur froide transpira de sa poitrine. Bref, le jour même, délivré de cette

2. La fin de cette phrase *(in solo vigere... palpitare)* a été supprimée dans la recension B.

3. La suite de cette phrase a été ainsi modifiée par Geoffroy dans la recension B : « Il recouvra d'abord l'usage de l'une de ses mains, puis de l'autre. Avant de partir, Bernard, à sa demande, le couvrit de son manteau, et à l'instant même la santé du reste du corps lui fut rendue. »

4. Abbaye fille de Clairvaux, fondée le 4 février 1135 dans le diocèse de Langres avec le concours de l'évêque, Vilain d'Aigremont, oncle paternel de saint Bernard. Cf. la notice « Auberive » par P. FOURNIER, *DHGE* 5, 1931, col. 217-219.

5. Dans la recension B, Geoffroy a remplacé *aquam frigidam* par *aquam cum vino*, probablement pour éviter la répétition du mot *frigidus*.

incommodo liberatus, psallere coepit quasi unus de ceteris fratribus, et hoc illi beneficium usque hodie perseverat.

Norunt multi devotum iuvenem, qui Lugdunensis olim
45 Ecclesiae filius, modo monachus cisterciensis, patrui sui sancti Hugonis, episcopi Gratianopolitani, cuius et nomen meruit, mores imitatur. Huius conversione vir sanctus
188 audita gavisus est, quia | patruo eius singulari fuerat caritate devinctus, et consolatorias illi litteras misit. Contigit autem,
50 ut eodem tempore idem iuvenis febre correptus, graviter laboraret. Susceptam igitur debita veneratione epistolam fideli devotione collo suo ob remedium salutis appendit, et usque modo gratulatur perfectam se protinus obtinuisse sospitatem.

41. Cum venisset aliquando pater sanctus ad monasterium Trium Fontium, oblatus est ei clericus quidam ex his qui Regulares nominantur, homo grandaevus et caecus. *Imposuit ei manum*[a], et brevem ex more fecit orationem,
5 et eadem hora videntem illum remisit ad ecclesiam suam.

In Trecensium urbe multa per hunc *Dei famulum*[b] miracula claruerunt. E quibus duo quae praesentibus episcopis Godefrido Lingonensi et Henrico Trecensi facta

---

41. a. Lc 13, 13 ≠   b. 2 Ch 1, 3 ≠

1. Tout ce passage *(Norunt multi... obtinuisse sospitatem)* a été supprimé dans la recension B. Cf. *Vp* IV, 13 *(supra*, p. 146, n. 1).

2. Cf. *Vp* III, 3 *(supra*, p. 29, n. 4).

3. Cette lettre ne nous est pas parvenue.

4. Cf. *Vp* I, 43 *(SC* 619, p. 295, n. 3).

5. Geoffroy de la Roche-Vanneau (cf. *Vp* I, 45, *SC* 619, p. 298-299, n. 2), évêque de Langres de 1138 à 1163.

6. Henri, fils d'Engelbert de Spanheim, duc de Carinthie, naquit vers 1101, fit ses études en France, puis entra à l'abbaye de Morimond (cf. *Vp* IV, 40, *supra*,

infirmité, il commença à psalmodier comme les autres frères, et ce bienfait se maintient pour lui jusqu'à présent.

[1]Bien des gens connaissent un pieux jeune homme qui, autrefois enfant de l'Église de Lyon, maintenant moine cistercien, imite les mœurs de son oncle paternel, saint Hugues, évêque de Grenoble[2], dont il a mérité de porter aussi le nom. L'homme saint, ayant appris l'entrée au monastère de ce jeune homme, en fut ravi, parce qu'il avait été lié d'une amitié très profonde avec son oncle, et lui écrivit une lettre d'encouragement[3]. Or, il arriva à cette époque que ledit jeune homme, pris de fièvre, tomba gravement malade. Ayant donc reçu cette lettre avec le respect qui lui était dû, il la suspendit à son cou avec une ferveur confiante, comme un remède propre à le guérir, et il se félicite jusqu'à présent d'avoir obtenu sur-le-champ une parfaite santé.

Plusieurs guérisons dans la région de Troyes

41. Un jour, comme le père saint s'était rendu au monastère de Trois-Fontaines[4], on lui amena un clerc de ceux qu'on appelle réguliers, homme avancé en âge et aveugle. *Il lui imposa les mains*[a], fit selon son habitude une courte prière et, à l'heure même, le renvoya voyant à son église.

Dans la ville de Troyes, beaucoup de miracles éclatants s'accomplirent par ce *serviteur de Dieu*[b]. Parmi eux, nous en citons deux qui furent opérés en présence des évêques Geoffroy de Langres[5] et Henri de Troyes[6]. Dans la maison

---

p. 218, n. 1) et, en 1132, fut choisi comme abbé fondateur de Villers-Bettnach (Metz) ; en 1146, il fut nommé évêque de Troyes par le pape Eugène III sur une suggestion de saint Bernard et du roi de France Louis VII. Il mourut le 30 janvier 1169 et fut enseveli à l'abbaye cistercienne de Boulancourt, dans son diocèse. Cf. L. GRILL, « Heinrich von Kärnten Bischof von Troyes », *CistC* 63, 1956, p. 33-53. Saint Bernard le mentionne dans sa *Lettre* 7, 14 (voir *SC* 425, p. 184, n. 2 ; *Opere di san Bernardo*, t. 6/1, p. 62-63, n. 1). Les deux miracles ici rapportés sont donc postérieurs à l'année 1146.

sunt memoramus. Puellam curvam, in praedicti Trecensis
10 episcopi domo, propinqui et noti cum multis ei precibus
offerebant. Tantus vero concursus erat, ut cum eam signatam
Dei famulus, ac si molle lutum intra sacras manus mirabiliter
formans erexisset, et erectam incedere praecepisset, locus
non potuit inveniri. Demum super mensam magnam quae
15 prope posita erat statuerunt illam, et erecta libere gradiebatur, magnifice Dominum collaudantibus universis. Hanc
quoque adhuc superstitem esse ab his qui eam novere nuper
audivimus. In eadem urbe filiam mutam patri sancto obtulit
mater, cui morbus epilepsiae loquendi ademerat facultatem.
20 Nec mora, *servo Christi*[c] *imponente ei manum*[d], *solutum est*
vinculum oris eius et loquebatur recte[e].

In eiusdem urbis dioecesi loco, cui nomen Domnamant,
cum vir sanctus missarum sollemnia celebrasset, caecum illi
filium obtulit pater. *Exspuens autem in digitos suos, et palpe-*
25 *bras eius liniens*[f], eadem hora videntem illum reddidit patri
suo. Nec longe ab eodem vico, apud oppidum Argillerias,
post missarum similiter celebrationem feminam claudam,
quae in praebenda Odonis eiusdem castri domini mendica
vivebat, cum basilicam egrederetur, signans et sanans, popu-
30 lum multum qui undique fuerat congregatus, admiratione
et exsultatione replevit.

c. Rm 1, 1 ≠ ; Col 4, 12 ≠   d. Lc 4, 40 ≠ ; Ac 9, 17 ≠   e. Mc 7, 35 ≠
f. Jn 9, 6 ≠

1. Village dans l'arrondissement de Bar-sur-Aube. Les miracles opérés
par Bernard à Donnement, Rosnay-l'Hôpital (voir *infra*, p. 224, n. 1), et
Brienne-le-Château (voir chap. suivant, p. 224, n. 3) eurent lieu le 5 février
1147, alors qu'il rentrait à Clairvaux, où il arriva le 6, après son voyage
en Allemagne, où il avait prêché la deuxième croisade. Cf. VACANDARD,
Vie, t. II, p. 292, n. 2.

2. Cf. *Hm* III, XIII, 42 (*PL* 185, 400C-D).

dudit évêque de Troyes, les proches et les amis d'une jeune fille toute courbée la présentèrent à Bernard avec force supplications. Or, une telle foule s'était rassemblée que, quand *le serviteur de Dieu* eut fait sur la fille le signe de la croix et que, la pétrissant admirablement entre ses mains sacrées comme de l'argile tendre, il l'eut relevée et lui eut ordonné de marcher ainsi redressée, on ne put trouver de place. Finalement, ils la hissèrent sur une grande table qui était à côté, et elle marchait librement toute droite, tandis que tous louaient et magnifiaient le Seigneur. Nous avons récemment entendu dire, par des personnes qui l'ont connue, qu'elle est encore en vie. Dans la même ville, une mère amena au père saint sa fille muette, à qui un accès d'épilepsie avait ôté la faculté de parler. Sur-le-champ, *lorsque le serviteur du Christ*[c] *lui eut imposé les mains*[d], *le lien qui lui fermait bouche fut défait et elle parlait correctement*[e].

Dans le diocèse de la même ville, au lieudit Donnement[1], comme l'homme saint venait d'y célébrer la messe, un père lui amena son fils aveugle. *Et lui, crachant sur ses doigts, enduisit de sa salive les paupières de l'enfant*[f] et, à l'heure même, le rendit voyant à son père[2]. Non loin de ce même village, près du bourg fortifié d'Arzillières[3], également après la célébration de la messe, en sortant du sanctuaire, il guérit d'un signe de croix une femme boiteuse, qui vivait en mendiante grâce aux distributions de vivres faites par Odon[4], seigneur de cette place forte ; et il remplit d'admiration et de liesse une foule de gens accourus de toutes parts.

3. Vraisemblablement Arzillières-Neuville, dans le département de la Marne.

4. Dans la recension B, Geoffroy a modifié ainsi cette incise : « qui vivait en mendiante là-bas depuis longtemps ».

In exitu quoque oppidi quod Rosnaium dicitur, vocant
paralyticum hominem sic extenuatum corpore, ut solam
circumferre videretur pallidae mortis imaginem, imposi-
189 35 tum plaustro transeunti *viro Dei*[g] of|ferunt. Is quoque ubi
signatus est, deponi et incedere iussus, plaustrum suum suis
pedibus incolumis sequebatur, vehementer stupentibus et
in Dei laudem acclamantibus universis.

42. Alio tempore proximum castrum Brenam transiens,
obvium habuit populum multum, sicut ubique semper et
undique in ipsius occursum confluebat innumera multitudo.
Ubi cernentibus cunctis, feminam claudam ex eodem oppido
5 tetigit et erexit, quam et ibidem postea vidimus occurrentem
ei cum ceteris, et prae ceteris gratias referentem. In pago
Senonico apud castrum quod Triangulum vocant, inter
missarum sacra sollemnia, femina cuius ibidem per annos
decem caecitas omnibus innotuerat, sub manu *viri Dei*[a],
10 mirantibus omnibus, visum recepit.

g. Cf. 1 S 9, 6 et //
42. a. Cf. 1 S 9, 6 et //

1. Nous accueillons l'identification proposée par P. Verdeyen
(*CCCM* 89B, p. 231, n. à la l. 1065) : Rosnay-l'Hôpital, dans l'arrondissement de Bar-sur-Aube.

2. Cf. *Hm* III, xiii, 43 (*PL* 185, 400D).

3. Brienne-le-Château, chef-lieu de canton dans le département de
l'Aube : cf. aussi *Vp* IV, 50 (*infra*, p. 245, n. 2). Pour la datation de ce miracle,
cf. chap. précédent (p. 222, n. 1).

4. Cf. *Hm* III, xiii, 43 (*PL* 185, 400D – 401A).

5. Bernard passa par Trainel, dans le département de l'Aube, les 13 et
14 février 1147 (cf. Vacandard, *Vie*, t. II, p. 295, n. 2). Ce miracle et
les suivants racontés dans les chapitres 42 et 43 eurent lieu pendant le
voyage aller-retour que Bernard entreprit de Clairvaux à Étampes, où

À la sortie d'un bourg fortifié nommé Rosnay[1], les gens appellent un homme paralysé, dont le corps était tellement amaigri, qu'il semblait ne plus porter à la ronde que l'image de la mort livide ; ils le hissent sur une charrette et le présentent *à l'homme de Dieu*[g] qui passait. Bernard fit sur lui le signe de la croix, ordonna qu'on le mît à terre et qu'il marchât ; aussitôt, il suivait à pied sa charrette, parfaitement guéri, tandis que tout le monde, rempli d'une vive stupeur, proclamait hautement les louanges de Dieu[2].

Femmes guéries par Bernard

42. Une autre fois, comme il passait par le château de Brienne[3], tout proche, une grande foule vint à sa rencontre, car, toujours et partout, une multitude innombrable accourait de toutes parts au-devant de lui. Là, à la vue de tout le monde, il toucha et redressa une femme boiteuse de ce même bourg ; nous l'avons vue plus tard, dans le même endroit, venir à sa rencontre avec les autres, et plus que tous les autres lui rendre grâces[4]. Près du château appelé Trainel, dans le territoire de Sens[5], pendant la célébration de la messe, une femme dont la cécité était connue de tous en ce lieu depuis dix ans, sous la main *de l'homme de Dieu*[a] recouvra la vue, à la stupéfaction générale[6].

Louis VII avait convoqué tous les grands du royaume – barons, évêques, quelques abbés – pour mettre au point les préparatifs de la deuxième croisade. Ils furent d'abord consignés et insérés par Geoffroy dans l'*Historia miraculorum* III, xiv-xv, 45-53 (cf. *Vp* IV, 30, *supra*, p. 188, n. 1). Bernard partit de Clairvaux le 10 février 1147 (à peine quatre jours après son retour d'Allemagne !) et y rentra le 27 février (cf. Vacandard, *Vie*, t. II, p. 295, n. 2 ; p. 296, n. 4). Début mars, il était à nouveau sur les routes afin de se rendre à Francfort, invité par l'empereur Conrad III à la diète qui s'ouvrit dans cette ville le 13 mars pour organiser la croisade contre les Wendes : cf. *Vp* IV, 31 (*supra*, p. 192, n. 1) ; Vacandard, *Vie*, t. II, p. 297, n. 1.

6. Cf. *Hm* III, xiv, 42 (*PL* 185, 404B).

Apud Monasteriolum quoque, ubi Yona et Sequana confluunt, praesente piissimo principe comite Theobaldo cuius supra fecimus mentionem, aliisque astantibus non paucis potentibus viris, offerenti divina sacrificia *viro Dei*
15 paralyticam feminam obtulerunt. Quam expletis sollemniis tangens et erigens, ipsa hora sanam remisit ad propria, ita ut suis illa pedibus abeunte, grabatum in quo fuerat apportata, in eadem basilica vacuum remansisse viderimus.

Eiusdem quoque dioecesis castrum Ioviniacum transeunti
20 eidem famulo Christi in strata publica caecam feminam offerebant. Substitit et breviter orans eidem feminae *manus imposuit*[b], et *Dominus aperuit oculos eius*[c]. Ut autem videre visa est, exsultatio magna secuta est omnium qui aderant, et clamantes alter ad alterum : « Anna videt, Anna videt »,
25 (hoc enim eidem feminae nomen erat), copiosius undique confluebant.

43. Interea vir sanctus accelerans declinabat turbas et egrediebatur, cum iuvenis quidam, altero oculo caecus *ab utero matris suae*[a], secutus est et consecutus est eum. Qui quidem et ipse continuo ad eius benedictionem visum rece-
5 pit, et geminata est laetitia populi prosequentis.

---

b. Lc 13, 13 ≠   c. Nb. 22, 31 ≠
43. a. Lc 1, 15 ≠ ; Ac 3, 2 ≠ ; 14, 7 ≠

---

1. Aujourd'hui Montereau-fault-Yonne, chef-lieu de canton dans le département de Seine-et-Marne. Bernard, en route pour Étampes, s'y arrêta les 14 et 15 février 1147. Il y rencontra le comte Thibaud IV de Champagne (cf. *Vp* IV, 12, *supra*, p. 143, n. 2), qui se rendait lui aussi à Étampes, entouré d'une nombreuse cour. Cf. VACANDARD, *Vie*, t. II, p. 295, n. 2.

2. Cf. *Hm* III, xiv, 49 (*PL* 185, 404C).

À Montereau[1] aussi, au confluent de l'Yonne et de la Seine, en présence du comte Thibaud, prince très pieux dont nous avons fait mention plus haut, et de plusieurs autres puissants personnages, on amena *à l'homme de Dieu*, pendant qu'il offrait le divin sacrifice, une femme paralytique. La messe terminée, il la toucha, la releva et, à l'heure même, la renvoya chez elle en bonne santé. Tandis qu'elle s'en allait sur ses pieds, nous avons vu le grabat, dans lequel on l'avait apportée, rester vide dans l'église[2].

Comme ledit serviteur du Christ passait par le château de Joigny[3], toujours dans le même diocèse[4], on lui amenait, sur la voie publique, une femme aveugle. Il s'arrêta, et *imposa les mains*[b] à cette femme avec une courte prière. *Le Seigneur lui ouvrit les yeux*[c]. Dès qu'on s'aperçut qu'elle voyait, une grande liesse en résulta parmi les présents ; se criant les uns aux autres : « Anne voit, Anne voit » – tel était en effet le nom de la femme –, ils accouraient de toutes parts de plus en plus nombreux[5].

Guérisons opérées par Bernard et attribuées par lui à d'autres saints

43. Sur ces entrefaites l'homme saint, allongeant le pas, se dérobait aux foules et sortait, lorsqu'un jeune homme, aveugle d'un œil *dès le ventre de sa mère*[a], le suivit et le rejoignit. Lui aussi, grâce à la bénédiction de Bernard, recouvra sur-le-champ la vue, et la liesse du peuple qui le suivait en redoubla[6].

---

3. Joigny, chef-lieu de canton dans le département de l'Yonne. Bernard, revenant d'Étampes à Clairvaux, y passa le 24 février 1147. Cf. VACANDARD, *Vie*, t. II, p. 296-297, n. 4.

4. Le diocèse de Sens. Joigny se trouve à 30 km de cette ville.

5. Cf. *Hm* III, xiv, 50 (*PL* 185, 405B).

6. *Idem.*

Autissiodorum aliquando veniens vir beatus orationis
causa monachorum basilicam introivit, ubi confessor
Domini gloriosus Germanus episcopus honorifice requiescit.
Cui post orationem regredienti, mulier clauda genibus repens
10   et manibus, ut sui misereretur orabat. At ille signo crucis
edito, apprehendit manum eius et erexit eam[b], exiensque
dimisit incolumem et Deo gratias reddituram ad praedicti
confessoris memoriam misit suis pedibus gradientem.

190 |Chableia nomen est vico qui eidem proximus civitati
15   insignem beati Martini basilicam habet. Nam et fundus ipse
ad possessionem spectat Ecclesiae Turonensis, ubi corpus
iacet eiusdem gloriosissimi confessoris. Hunc vero vicum
Dei famulo[c] transeunti claudum adolescentem populus
offerebat. Quem ad eius orationem erectum protinus et
20   libere gradientem, ad praedictam beati Martini basilicam
deduxerunt, magnifice Dominum collaudantes, qui Martini
sui spiritum suscitaverat in Bernardo.

---

b. Cf. Mc 1, 31   c. 2 Ch 1, 3 ≠

1. Vu le contexte des chapitres 42-43, et leur correspondance avec
Hm III, xv, 51, il s'agit assurément de la halte que Bernard fit à Auxerre
les 24-25 février 1147, en revenant d'Étampes à Clairvaux, où il arriva
le 27, après être passé par Chablis (voir *infra*) toujours le 25 février.
Cf. VACANDARD, *Vie*, t. II, p. 296-297, n. 4. Dans la recension B, Geoffroy
a supprimé le récit de ce miracle accompli à Auxerre *(Autissiodorum...
pedibus gradientem)*, probablement pour éviter qu'il soit attribué à l'intercession de saint Germain.

2. Saint Germain, évêque d'Auxerre de 418 à 448. Il avait préparé son
tombeau dans le petit oratoire Saint-Maurice au nord d'Auxerre. La reine
Clotilde y édifia entre 493 et 545 une basilique qui prit bientôt le nom
de Saint-Germain. Elle fut agrandie au IXe siècle et était desservie par un
grand monastère. Cf. la notice « Germain d'Auxerre » par J. DUBOIS,
DHGE 20, 1984, col. 901-904, ici 903-904. Sous le chœur de la basilique
reconstruite au XIVe siècle se trouve une vaste crypte de l'époque carolin-

Un jour que le bienheureux s'était rendu à Auxerre[1], il entra, pour prier, dans la basilique des moines, où repose avec tous les honneurs le glorieux confesseur du Seigneur, l'évêque Germain[2]. Comme il s'en retournait après sa prière, une femme boiteuse qui se traînait sur ses genoux et sur ses mains, le suppliait d'avoir pitié d'elle. Et lui, ayant fait le signe de la croix, la prit par la main, la releva[b] et, en sortant, la congédia bien portante ; il l'envoya, marchant sur ses pieds, au tombeau du susdit confesseur rendre grâce à Dieu[3].

Chablis est le nom d'un village qui, proche de ladite ville[4], possède une magnifique basilique dédiée au bienheureux Martin[5]. Cependant, ce terrain appartient à l'Église de Tours, où le corps de ce très glorieux confesseur est enseveli. Comme *le serviteur de Dieu*[c] passait par ce village, le peuple lui présentait un adolescent boiteux. Celui-ci, redressé sur-le-champ à la prière de Bernard, marchait librement ; les gens l'accompagnèrent à ladite église du bienheureux Martin, en louant hautement le Seigneur qui avait suscité l'esprit de son cher Martin dans Bernard[6].

---

gienne, ornée de peintures murales du IXe siècle, et abritant le tombeau, maintenant vide, de saint Germain et de nombreux saints évêques, ses successeurs. Cf. la notice « Auxerre » par E. Chartraire, *DHGE* 5, 1931, col. 939-958, ici 942-943.

3. Cf. *Hm* III, xv, 51 (*PL* 185, 405C).

4. Geoffroy a supprimé cette incise dans la recension B.

5. Chablis, chef-lieu de canton de l'Yonne, près d'Auxerre. L'église collégiale Saint-Martin, en centre-ville, appartint jusqu'en 1791 à une communauté de chanoines de Tours, à qui elle avait été donnée au IXe siècle. Saint Martin fut évêque de Tours de 370 (ou 371 ?) jusqu'à sa mort en 397. Pour la datation du miracle, cf. n. 1 ci-contre.

6. Cf. *Hm* III, xv, 51 (*PL* 185, 405D).

44. Nonnullas etiam sanitates, quas in manu *fidelis servi*[a] sui mirabiliter Christus effecit, per visum ei mirabilius praeostendit ; multas ipse, cum fierent, animi virtute praesensit ; ad aliquas etiam Spiritu suggerente non rogatus
5 accessit. E quibus, ne videatur in immensum processisse narratio, exempla pauca subicimus, illud etiam e regione monentes, ne quis forte tam breviter scribi opera tanta miretur. Siquidem multa ex his in tam brevi fieri vidimus, ut tam celeriter ea proloqui nequeamus. Et cum dici soleat
10 nihil esse facilius dictu, huic tamen *Dei famulo*[b] per gratiam quam acceperat, signa facere magis facile videbatur, quam nobis facta narrare.

Egredienti aliquando monasterium patri sancto homo quidam de finibus illis occurrens, sanandum filium offerebat.
15 rebat. Nam intra monasterium quidem infirmis imponere manum difficilius acquiescebat, ne videlicet, si concursus illuc hominum fieret, quies coenobii turbaretur, et disciplina periret. Erat autem praedictus puer ille fatuus et mentis inops, claudus quoque et surdus et mutus. Qui eadem hora
20 per ipsius orationem et manus impositionem ab omni simul incommodo liberatus, et audiebat et loquebatur et ambulabat, et sanae mentis effectus, a priori penitus inquietudine et furore cessabat. Cumque eumdem iam incolumem filium

---

44. a. Mt 24, 45 ≠   b. 2 Ch 1, 3 ≠

1. Nous avons mis le mot *spiritu* de l'édition critique en majuscule, car, à notre avis, il s'agit de l'Esprit Saint.

2. P. VERDEYEN glose en note : « Il s'agit encore du monastère de Saint-Germain d'Auxerre » (*CCCM* 89B, p. 231, n. à la l. 1125 ; cf. chapitre précédent). Cette interprétation n'est pas acceptable, puisque le miracle ici rapporté eut lieu « près de la rivière de l'Aube », comme le précise le chapitre suivant. Il s'agit donc du monastère de Clairvaux.

44. Maintes guérisons que le Christ opéra miraculeusement par les mains *de son fidèle serviteur*[a], il les lui montra aussi par avance, plus miraculeusement encore, dans des visions ; Bernard lui-même, par la vertu de son esprit, en pressentit un grand nombre pendant qu'elles se produisaient ; il en est aussi quelques-unes qu'il accomplit de lui-même, par inspiration de l'Esprit[1], sans en être prié. Pour que la narration ne paraisse pas s'étendre indéfiniment, nous nous limitons à en citer quelques exemples, et nous en avertissons d'autre part le lecteur, de peur que quelqu'un ne s'étonne que de si hauts faits soient rapportés en si peu de mots. Car nous en avons vu beaucoup s'accomplir en un temps si bref, que nous ne pouvons pas en rendre compte aussi promptement qu'ils se sont produits. Et bien qu'on dise couramment que rien n'est aussi facile que la parole, il semblait cependant plus facile à ce *serviteur de Dieu*[b], par la grâce qu'il avait reçue, d'accomplir des signes, qu'il ne l'est à nous de raconter les faits.

Guérison d'un enfant à la porte de Clairvaux

Un jour que le père saint sortait du monastère[2], un homme de la contrée alla au-devant de lui, et lui présentait son fils pour qu'il le guérisse. Car il consentait fort difficilement à imposer les mains aux malades à l'intérieur du monastère, sans doute de peur que, s'il s'y produisait un grand concours de peuple, la tranquillité de la communauté n'en fût perturbée et la discipline ne se perdît. Or, ledit enfant était idiot et fou, et en outre boiteux, sourd et muet. À l'heure même, par la prière et l'imposition des mains de Bernard, il fut délivré de toutes ses infirmités à la fois ; il entendait, parlait et marchait ; devenu sain d'esprit, il cessait tout à fait d'être en proie à l'agitation et à la folie qui le tourmentaient auparavant. Comme le père, rempli de dévotion, conduisait

pater devotus ad oratorium beatae Dei Genitricis cum
25 gratiarum actione deduceret, loquebantur mutuo fratres,
de tam multiplici unius incommodo pueri colloquentes.

45. Ad quos pater sanctus : « Flagellum, inquit, Dei erat,
et *maligni spiritus*[a] dira vexatio. Vidi enim nocte praeterita
hoc eodem in loco ». (Erat autem iuxta fluvium Albam, ubi
sanatus fuerat puer.) « Hic », inquit, « vidi oblatum mihi
5 puerum talem, exeunte ab eo *spiritu nequam*[b], omnem protinus recipere sospitatem, usumque membrorum ». Addidit
191 etiam vir beatus de eadem scili|cet visione : « Cumque pau-
lulum processissem in eodem itinere, quo nunc pergimus,
iuxta proximum vicum (dicebat autem de eo quem nomi-
10 nant Longum Campum), offerebatur mihi femina clauda,
et Dominus ei gressum reddebat. » Audierunt et mirati
sunt fratres, futuri magis attoniti exspectatione miraculi,
quam recordatione praeteriti. Quid enim unquam simile
mundus audivit ?

15 Ventum est ad locum, inventa est ibi protinus mulier
clauda exspectans *Dei hominem*[c] transiturum, et a simul
transeuntibus, iuxta verbum quod ipse dixerat, exspectata.
Oblata igitur ab eis qui attulerant eam, et sicut praedictum
fuerat, signata ab *homine Dei*, ex Dei munere gressum rece-
20 pit, et ibat gratias agens.

---

45. a. Lc 8, 2 ≠   b. 1 S 16, 14 ≠ ; Ac 19, 12 ≠.15 ≠   c. Cf. Dt 33, 1 et //

son fils, maintenant guéri, à la chapelle de la bienheureuse Mère de Dieu pour lui rendre grâce, les frères parlaient entre eux, s'entretenant des infirmités si nombreuses concentrées dans un seul enfant.

45. Le père saint leur dit : « C'était un châtiment de Dieu et une cruelle vexation *de l'esprit du mal*[a]. J'ai vu cela en effet, en songe, la nuit dernière, dans ce même lieu. » (Il était près de la rivière d'Aube, où l'enfant avait été guéri.) « Ici, dit-il, j'ai vu présenter devant moi un enfant tout semblable à celui-ci, *l'esprit du mal*[b] sortir de lui, et l'enfant recouvrer aussitôt une parfaite santé et l'usage de ses membres. » Le bienheureux ajouta aussi ceci, à propos de la même vision : « Comme je m'étais avancé un peu plus dans le même chemin où nous marchons maintenant, près du village tout proche (il parlait du village nommé Longchamp[1]), on me présentait une femme boiteuse, et le Seigneur lui rendait la faculté de marcher. » Les frères entendirent et s'étonnèrent, plus intrigués par l'attente du miracle à venir, que par le souvenir de celui qui venait d'avoir lieu. En effet, le monde a-t-il jamais rien entendu de semblable ?

Songe de Bernard, prémonitoire de deux miracles

On arriva audit endroit, on y trouva aussitôt la femme boiteuse qui attendait le passage *de l'homme de Dieu*[c], comme elle-même était également attendue par les frères qui passaient, selon la parole prononcée par Bernard. Ainsi, présentée par ceux qui l'avaient amenée, la femme, après que *l'homme de Dieu* eut fait sur elle le signe de la croix, recouvra par la grâce de Dieu la faculté de marcher, comme il avait été prédit, et s'en alla en rendant grâce.

1. Village près de Clairvaux.

46. Anno altero causa exstitit ut vir sanctus Lingonas peteret ; inter episcopum et clerum civitatis illius orta gravi admodum simultate. Ubi cum prima die inefficaciter laborasset, et mane facto pararet abire, dicebat fratribus quia :

5 « Vidi *per visum noctis*[a] introeunti mihi ecclesiam offerri claudam feminam, et sanari. »

Post unam fere horam, cum iterum convenissent, praeter spem omnium reformata pace multis precibus coegerunt illum beati Mammerti martyris intrare basilicam et populum

10 exhortari. Ubi inter loquendum, sicut praedixerat, oblata est ei clauda mulier, et erecta, mirantibus quidem omnibus, sed eis amplius, qui sicut videbant factum, ita recordabantur audisse futurum.

---

46. a. Dn 7, 7 ≠

1. Peut-être en 1138, comme l'affirme P. Verdeyen (*CCCM* 89B, p. 231, n. à la l. 1156), lors de la tempête soulevée par la succession au siège de Langres, qui aboutit finalement à l'élection épiscopale de Geoffroy de la Roche-Vanneau, prieur de Clairvaux (cf. *Vp* I, 45, *SC* 619, p. 298-299, n. 2). On sait que l'abbaye de Clairvaux appartenait au diocèse de Langres. Sur cette affaire tourmentée, cf. Aubé, *Saint Bernard*, p. 359-367.

2. Dans la recension B, Geoffroy a précisé : *clerici* (les clercs).

3. Il s'agit de la cathédrale de Langres. D'abord dédiée à saint Jean l'Évangéliste, elle fut reconstruite en 750 et l'évêque Wandrerius modifia son vocable de Saint-Jean en Saint-Mammès, après qu'un pèlerin de noble lignage eut rapporté d'Orient l'os de la nuque de ce martyr. Cf. la

46. Une autre année[1], l'homme saint

Autre songe,
annonçant la
guérison d'une
femme boiteuse
à Langres

eut une bonne raison de se rendre à Langres : entre l'évêque et le clergé de cette ville avait surgi un très grave différend. Comme le premier jour il s'était donné de la peine sans aucun résultat et que, le matin venu, il se préparait à partir, il disait aux frères : « J'ai vu, *dans une vision nocturne*[a], qu'une femme boiteuse m'était présentée, tandis que j'entrais dans l'église, et qu'elle était guérie. »

Environ une heure après, comme ils[2] s'étaient rassemblés à nouveau, contre toute espérance la paix fut rétablie. Ils l'obligèrent alors, avec beaucoup de prières, à entrer dans la basilique de saint Mamert martyr[3] et à exhorter le peuple[4]. Pendant qu'il parlait, on lui présenta une femme boiteuse, comme il l'avait prédit ; il la releva, au grand étonnement de tous, mais plus encore de ceux qui se souvenaient d'avoir entendu que le fait se passerait exactement comme ils le voyaient.

---

notice « Langres » par R. AUBERT, *DHGE* 30, 2010, col. 405-421, ici 405. Saint Mammès (fêté le 17 août), berger, mourut martyr à Césarée de Cappadoce vers 275, sous l'empereur Aurélien. Geoffroy d'Auxerre fait ici une confusion avec saint Mamert (fêté le 11 mai), frère aîné du poète Claudien et évêque de Vienne au Ve siècle, qui ne fut pas martyr. Cf. *Martyrologium Romanum, editio typica*, typis Vaticanis 2001, respectivement p. 265 (Mamert) et p. 435 (Mammès).

4. Dans la recension B, Geoffroy a ainsi modifié et précisé la fin de la phrase : « exhorter le peuple à faire des aumônes, parce que la famine sévissait ».

47. In pago Treverensi antiquum exstat coenobium, quod Rutinense vocatur. Ubi celebrante aliquando missarum sollemnia *viro Dei*[a], innumerabilis aderat multitudo. Interea Guntrannus de Sirca, quod est oppidum eidem proximum monasterio, claudam illic feminam fecit afferri. Haec ex multo iam tempore repens humi, erigi penitus non valebat ; sed scabellula tenens manibus, renes emortuos post se trahere consueverat. Cum autem prae multitudine populi ad *Dei hominem*[b] introduci femina non valeret, in basilica media repente convaluit ; et exsiliens ambulabat, non sine lacrimis agens gratias Deo. Cuius scabellula populus iubilans tulit protinus ad altare, ut sisterent ea Domino, et Bernardo servo eius.

De cuius nobis curatione confessus est pater sanctus, quod praecedenti nocte sibi praeostensa fuisset. Videbatur enim sibi in eadem basilica, in medio populi circumstantis, clandestinus et ignotus eiusmodi feminam tangere et transire, ac | protinus eam videre sanatam, plurimum sibi ipse congratulans et exsultans, quod agnitus non fuisset.

47. a. Cf. 1 S 9, 6 et //   b. Cf. Dt 33, 1 et //

1. Les miracles ici rapportés eurent lieu pendant la halte que Bernard fit à Trèves et dans sa région en rentrant à Clairvaux après la diète de Francfort : cf. *Vp* IV, 31 (*supra*, p. 192, n. 1) ; IV, 32 (*supra*, p. 194-195, n. 4). Bernard s'arrêta à Trèves le 27 mars 1147 (cf. Vacandard, *Vie*, t. II, p. 299, n. 3).

2. Localité non identifiée. Dans le texte correspondant de l'*Historia miraculorum* III, xvi, 55, Geoffroy écrit *Rutila*, ce qui lui permet de rendre encore plus éblouissante la paronomase finale : *Rutilavit Rutilae in Bernardi praesentia lux coelestis* (*PL* 185, 408C ; voir *infra*). Vacandard (cf. n. ci-dessus) traduit *Rutila* par « Rethel, près de Diedenhofen ».

3. Nous n'acceptons pas le choix de P. Verdeyen, qui adopte ici la variante de Migne : *Sura* (*PL* 185, 348B), et propose de l'identifier avec Saarberg (évidente coquille pour Saarburg) près de Trèves, ou avec Sarrebourg (département de Moselle) qui est trop éloigné de Trèves pour être vraisemblable (cf. *CCCM* 89B, p. 231, n. à la l. 1169). Nous rétablis-

Guérison d'une femme boiteuse au monastère de Rutina, annoncée d'avance à Bernard dans un songe

47. Dans le pays de Trèves[1], se trouve un ancien monastère au lieudit Rutina[2]. Un jour que *l'homme de Dieu*[a] y célébrait la messe, une multitude innombrable était venue. Sur ces entrefaites, Gontran de Sierck[3], bourg fortifié proche dudit monastère, y fit amener une femme boiteuse. Depuis longtemps déjà, elle rampait sur le sol et ne pouvait nullement se relever ; tenant dans ses mains de petits escabeaux, elle avait coutume de traîner après elle ses reins paralysés. Or, comme la femme, à cause de la foule du peuple, ne pouvait pas être présentée à *l'homme de Dieu*[b], elle se trouva soudain guérie au milieu de la basilique ; et elle marchait en bondissant, rendant grâce à Dieu non sans larmes. Aussitôt le peuple, poussant des cris de joie, apporta les petits escabeaux de la femme devant l'autel, pour qu'ils y restent en l'honneur du Seigneur et de Bernard son serviteur.

Le père saint nous avoua, au sujet de cette guérison, qu'elle lui avait été montrée d'avance la nuit précédente. Il lui semblait, en effet, se trouver dans cette même basilique, au milieu du peuple qui l'entourait ; toucher en passant une femme comme celle-ci, sans être ni vu ni connu ; et la voir aussitôt guérie, tandis que lui-même se félicitait et se réjouissait très vivement de ne pas avoir été reconnu.

---

sons donc la variante de tous les manuscrits, *Sirca* (cf. l'apparat critique, *ibid.*, p. 191), attestée également dans l'*Historia miraculorum* III, XVI, 55 (*PL* 185, 408A, cf. n. ci-dessus), et nous l'identifions avec Sierck-les-Bains, en nous appuyant aussi sur les précisions données par l'*Historia* à cet endroit : *Guntrannus de Sirco, quod super Mosellam situm est castrum* (*ibid.*). Cela convient parfaitement à Sierck-les-Bains, chef-lieu de canton de la Moselle, sur ledit fleuve, près de la frontière de la Sarre. Par ailleurs, nous trouvons cette identification également chez VACANDARD, *Vie*, t. II, p. 299, n. 3, suivi par AUBÉ, *Saint Bernard*, p. 532. Gontran de Sierck est un personnage inconnu.

20   Eadem etiam die rutilavit Rutinae in beati viri praesentia
lux caelestis, cuius benedictio aliis quoque claudis duabus
feminis gressum, visum reddidit caecis aeque duabus.
Saepissime vero contigit, ut inter orandum indubitanter
Dei servus[c] agnosceret virtutem adesse divinam. Cuius
25   tamen modum cognitionis nullis se posse verbis exprimere
fatebatur.

   48. Nonnumquam vero nisi cum signasset aliquos et
transisset, sanatos esse dixit, et regressus aliquis ex his qui
audierant, sicut dictum erat, invenit. Egressus aliquando
Basileam urbem, surdum quemdam signaverat, et transie-
5   rat. Cumque paululum processisset, vocans Alexandrum
Coloniensem : « Revertere », ait, « quaere utrum audiat
homo ». Rediit ille, et illum repperit audientem. Similiter
ipso die cum signasset alium caecum altero oculo et abiret :
« *Deus* », inquit, « *aperuit oculum eius*[a] ». Hoc etiam prae-
10   dictus Alexander, cum ad inquirendum reflexisset iter, ita
esse cognovit. Iste est Alexander, qui in eisdem diebus ad
viri Dei[b] sacra monita, ostensionemque virtutum, cum aliis

---

c. Cf. 1 Ch 6, 49 et //
48. a. Nb 22, 31 ≠   b. Cf. 1 S 9, 6 et //

---

1. Cf. *Hm* III, xvi, 55 (*PL* 185, 407D – 408C).

2. La recension B ne présente pas le mot *nisi*, qui de fait n'est pas aisément compréhensible.

3. Cf. *Vp* IV, 30 (*supra*, p. 190, n. 3).

4. Chanoine de Cologne et maître célèbre, converti par saint Bernard
en octobre 1146, pendant la prédication de la deuxième croisade en
Allemagne. Le récit de sa conversion, enjolivé d'éléments miraculeux (une
vision nocturne pendant qu'il dormait et un poisson – une perche – bénit
par Bernard qui le lui donne à manger), nous a été transmis par HERBERT
DE TORRES, *Liber visionum*, p. 100-101, l. 2856-2889, et par CONRAD
D'EBERBACH, *Le Grand Exorde* I, 33, v. 7-22, p. 59-60. Alexandre suivit
Bernard à Clairvaux et fut institué abbé de Grandselve en 1149 ; il résigna

Le même jour, la lumière céleste se montra toute rutilante à Rutina en la présence du bienheureux, dont la bénédiction rendit la faculté de marcher aussi à deux autres femmes boiteuses, et la vue également à deux aveugles[1]. De plus, il arrivait très souvent que *le serviteur de Dieu*[c], pendant qu'il priait, reconnaissait sans l'ombre d'un doute que la puissance divine était là. Cependant, il avouait qu'il ne pouvait nullement exprimer par des paroles la manière dont il en avait pris conscience.

Bernard sent que la puissance divine agit dans ses gestes de guérison

48. Parfois, après avoir fait seulement[2] le signe de la croix sur quelques malades et être passé outre, il dit qu'ils étaient guéris ; quelqu'un de ceux qui l'avaient entendu, étant retourné sur ses pas, trouva qu'il en était comme il l'avait dit. Un jour qu'il était sorti de la ville de Bâle[3], il avait fait le signe de la croix sur un sourd et passé outre. Après quelques pas, il appela Alexandre de Cologne[4] et lui dit : « Retourne, et vérifie si cet homme entend. » Il s'en retourna, et le trouva qui entendait. Pareillement, ce même jour, comme il avait fait le signe de la croix sur un autre homme, qui était borgne, et qu'il s'en allait, il dit : « *Dieu lui a ouvert l'œil*[a]. » Ledit Alexandre, ayant encore fait demi-tour pour contrôler le fait, reconnut qu'il en était ainsi[5]. Cet Alexandre est celui qui, en ces mêmes jours, ayant entendu les saintes exhortations *de l'homme de Dieu*[b] et contemplé ses vertus, avec

---

sa charge en 1158. Il fut élu abbé de Cîteaux en 1166 et le resta jusqu'à sa mort, survenue le 29 juillet 1175. Sur ce personnage, voir Passerat, « La venue », p. 34-36, et la notice « Alexandre de Cologne » par P. Fournier, *DHGE* 2, 1914, col. 200-201 ; Debuisson, « La provenance », p. 47-48 ; Veyssière, « Le personnel », p. 33, n° 18.

5. Cf. *Hm* I, iii, 14 (*PL* 185, 380C).

ferme triginta saeculo valefecit, et secutus est eum. A quo
deinde promotus abbas est hodie monasterii Grandissilvae,
15 cuius supra fecimus mentionem.

In Constantiensi quoque dioecesi prope castrum Frieburg,
cum homini caeco in via manum imposuisset, remisit
qui videret eum, et inventus est videns. Quod de duobus
aliis caecis in pago Coloniensi prope monasterium, quod
20 Brunwillare dicitur, similiter fecit ; et cum videre renuntia-
rentur, confessus est se quoque sensisse virtutem[c]. Utriusque
rei tam illorum illuminationis quam ipsius confessionis
usque hodie testis est abbas de Campo, quod est coenobium
non ignotum parochiae Coloniensis et ordinis Cisterciensis.

---

c. Cf. Lc 8, 46

1. Herbert de Torres et Conrad d'Eberbach (cf. *supra*, p. 238-239, n. 4)
écrivent simplement : *multi*, sans en préciser le nombre.

2. Dans la recension B, Geoffroy a ajouté cette précision : « dans le
diocèse de Toulouse » et a remplacé « est aujourd'hui abbé » par « fut
institué abbé ». Puisque Alexandre se démit de sa charge en 1158, et devint
abbé de Cîteaux en 1666, nous pouvons en conclure que la recension B
est postérieure à 1158 et antérieure à 1166. Pour plus de précisions, voir
Introduction (*SC* 619, p. 32-33).

3. Voir *Vp* IV, 5 (*supra*, p. 122, l. 4 et p. 123, n. 2).

4. Fribourg-en-Brisgau, dans le Bade-Wurtenberg. Bernard y séjourna
les 3 et 4 décembre 1146, pendant qu'il se rendait à Constance en compagnie
d'Hermann d'Arbon, l'évêque de cette ville, qui l'avait invité à venir évan-
géliser son peuple. Cf. *Vp* IV, 30 (*supra*, p. 240, l. 16 et n. 4) ; VACANDARD,
Vie, t. II, p. 286-287.

5. Cf. *Hm* I, II, 3 (*PL* 185, 375B).

6. Cf. *Vp* IV, 33 (*supra*, p. 196-201 et les notes).

7. Brauweiler-lez-Cologne, ancienne abbaye bénédictine fondée au
XIe siècle et sécularisée en 1802. On y conserve encore aujourd'hui la chasuble

environ trente autres compagnons[1] dit adieu au monde et le suivit. Élevé ensuite par Bernard, il est aujourd'hui abbé du monastère de Grandselve[2], dont nous avons fait mention ci-dessus[3].

Dans le diocèse de Constance aussi, près de la ville fortifiée de Fribourg[4], comme il avait imposé les mains à un homme aveugle sur le chemin, il renvoya en arrière quelqu'un pour s'assurer de sa guérison, et celui-ci le trouva voyant[5]. Il fit de même avec deux autres aveugles dans le pays de Cologne[6], près du monastère qu'on appelle Brauweiler[7] ; et comme on lui annonçait qu'ils voyaient, il avoua que lui aussi avait eu conscience du miracle[c]. L'abbé de Camp, monastère bien connu du diocèse de Cologne et de l'ordre de Cîteaux[8], témoigne jusqu'aujourd'hui de l'un et de l'autre fait : aussi bien de l'illumination des deux aveugles que de l'aveu de Bernard[9].

---

que Bernard portait lorsqu'il y célébra la messe. Cf. la notice « Brauweiler » par P. Volk, *DHGE* 10, 1938, col. 457-458. Bernard y passa la nuit du 13 au 14 janvier 1147 (cf. Vacandard, *Vie*, t. II, p. 292, n. 1).

8. Camp, ou Altenkamp *(Vetus Camp)*, première abbaye cistercienne en Allemagne, fondée le 31 janvier 1123 par Morimond. Elle était située dans l'ancien diocèse de Cologne, près de Rheinberg, dans la région de Düsseldorf. En 1802, la sécularisation la fit disparaître. Quatre ans plus tard, on détruisit l'abbaye, ne laissant subsister que l'église, aujourd'hui paroissiale. L'abbé ici mentionné est Thierry Ier (1137-1177), l'un des auteurs de l'*Historia miraculorum in itinere Germanico patratorum* (cf. *Vp* III, 9, *supra*, p. 48-49, n. 1) : voir *ibid.*, II, ix, 31 pour le miracle ici rapporté *(PL* 185, 392D). Sur le monastère de Camp, voir la notice « Camp » par J.-M. Canivez, *DHGE* 11, 1949, col. 618-623.

9. Cf. *Hm* II, ix, 31 *(PL* 185, 392D). Cette dernière phrase *(Utriusque rei... ordinis Cisterciensis)* a été supprimée dans la recension B. Peut-être Geoffroy craignait-il d'essuyer un démenti de la part de l'intéressé dans le cas d'une enquête romaine au sujet de ce miracle : cf. *Vp* IV, 13 *(supra*, p. 146, n. 1).

49. In territorio etiam Senonensi, in oppido quod Sancti Florentini nomine vocant, oblata est *viro Dei*[a] mulier surda. *Cui manus imponens*[b], per spiritum sensit uirtutis effectum[c], cum illa adhuc stupida et tumultuosa (ut est genus illud), et
5 ut ipsa ante solebat, nihil se audire clamaret. Mane autem facto, cum nec illa rediret, nec alter aliquid indicaret de ea, sciens sanctus divinam illi misericordiam adfuisse, accersiri feminam iubet. Inventa igitur auditum recepisse, venit glorificans Deum, et *Dei famulo*[d] gratias agens.

10   Egrediebatur idem pater Metensium civitatem, et ex more devotus eum populus deducebat, cum episcopo eorum Stephano, et fratre eius Rainaldo Barrensi comite, aliisque personis tam ex clericali, quam ex militari ordine multis. Interim causa exstitit ut rogaret nobilem virum Henricum
15 de Salmis super verbo quodam, quod ipse ei episcopus et alii qui convenerant, suggerebant, ut videlicet Metensi civitati et populo pacem daret, cui graviter inimicabatur. Ille vero

---

49. a. Cf. 1 S 9, 6 et //   b. Lc 4, 40 ≠ ; Ac 9, 17 ≠   c. Cf. Lc 8, 46
d. 2 Ch 1, 3 ≠

---

1. Chef-lieu de canton du département de l'Yonne. Nous n'avons pas d'éléments qui permettent de dater ce miracle.

2. Étienne de Bar, quatrième fils de Thierry II, comte de Bar, et neveu du pape Calixte II, qui le créa cardinal. Il fut élu évêque de Metz (1120 - †1163) après une période de graves troubles provoqués par la querelle des investitures entre la papauté et l'empire. À l'occasion de son élection, Bernard lui adressa la *Lettre* 29 (*SC* 425, p. 312-315) pour le féliciter de la paix rétablie dans l'Église de Metz. Cependant, Étienne ne fut pas un exemple de mansuétude, d'où les accusations que lui adressa Bernard dans sa *Lettre* 230 envoyée aux trois cardinaux suburbicaires, Albéric, évêque d'Ostie, Imar de Frascati et Étienne de Palestrina, où il qualifie de « loup » l'évêque de Metz et invite les trois prélats à prendre contre lui des mesures appropriées (*SBO* VIII, p. 100-101). Le caractère belliqueux et autoritaire d'Étienne

En guérissant un sourd, Bernard obtient la paix pour la ville de Metz

49. Dans le territoire de Sens aussi, dans le bourg fortifié nommé Saint-Florentin [1], on amena *à l'homme de Dieu* [a] une femme sourde. *En lui imposant les mains* [b], il sentit par l'esprit que le miracle s'opérait [c], tandis que la femme, encore tout interdite et troublée – comme il arrive à cette espèce d'infirmes, et comme elle en avait coutume auparavant –, s'écriait qu'elle n'entendait rien. Le lendemain matin, puisqu'elle ne revenait pas, et que personne n'avait de ses nouvelles, le saint, sachant que la divine miséricorde était venue sur elle, ordonne qu'on aille la chercher. On la trouva : elle avait recouvré l'ouïe ; elle vint en glorifiant Dieu et rendant grâce à *son serviteur* [d].

Ledit père sortait de la ville de Metz et, comme de coutume, le peuple l'accompagnait avec ferveur, ainsi que son évêque Étienne [2], le frère de celui-ci, Renaud comte de Bar, et beaucoup d'autres personnages, aussi bien des clercs que des chevaliers. Chemin faisant, sur un mot que lui avaient glissé l'évêque et d'autres personnes présentes, il saisit l'occasion pour prier Henri de Salm, homme de la noblesse, d'accorder la paix à la ville et au peuple de Metz, dont il se

---

se manifesta surtout dans la guerre féroce qui l'opposa à Matthieu Ier, duc de Lorraine, en 1153 ; pour rétablir la paix, Bernard, déjà très malade et proche de la mort, dut se rendre à Metz (cf. *Vp* V, 3-6, *infra*, p. 258-271 et les notes). C'est dans le contexte de ce séjour, en mars ou avril 1153, que se situe le miracle ici rapporté, qui avait également un but politique. Étienne de Bar sollicita aussi une fondation de Clairvaux dans son diocèse, mais ne l'obtint pas ; en revanche, il l'obtint de la part de Morimond, qui y fonda l'abbaye de Villers-Bettnach en 1133. Sur ce personnage, cf. *Opere di san Bernardo*, t. 6/1, p. 154-157, n. 1 ; t. 6/2, p. 62-63, n. 1 (avec bibliographie) ; Aubé, *Saint Bernard*, p. 629-630.

renuere penitus coepit et abiurare, nec ullis precibus flecti.
Inter haec supervenientes alii offerebant beato viro hominem
20 surdum, obsecrantes ut ei manum imponere dignaretur.
At ille fidei zelo succensus, sicut interdum ob causas neces-
sarias terror quidam et auctoritas supra hominem in eius
facie rutilabat, conversus ad militem : « Tu nos », inquit,
« audire contemnis, quos continuo coram te audiet surdus ».
25 *Et imponens manus homini*[e], signavit eum, et *in aures eius
digitos misit*[f]. Quo protinus audiente, pavens Henricus et
tremens ruit ad pedes *hominis Dei*[g], humiliter satisfaciens,
et libere annuens quidquid fuerat postulatus.

50. Transiens aliquando *servus Christi*[a] Brenam oppidum, mendicantem in platea vidit feminam caecam. Quam
aliquantisper intuitus, cum ex more a transeuntibus eleemosynam flagitaret : « Tu », inquit, « petis argentum, et
5 Deus tibi visum donabit ». Accedens ergo tetigit eam, et
oculos eius aperuit[b]. Quae beneficium sentiens insperatum,
non minus misericordiae magnitudinem, quam lucem inso-
litam mirabatur.

e. Lc 4, 40 ≠ ; Ac 9, 17 ≠   f. Mc 7, 33 ≠   g. Cf. Dt 33, 1 et //
50. a. Rm 1, 1 ; Col 4, 12   b. Nb 22, 31 ≠

1. Henri de Salm, membre de la famille comtale de Salm, apparentée
aux comtes de Luxembourg. Le nom de ces nobles provient de leur résidence Salm-Château dans la ville belge de Vielsalm (cf. P. Verdeyen,
CCCM 89B, p. 193, n. à la l. 1225). Henri de Salm était allié de Matthieu,
duc de Lorraine, dans la guerre qui avait éclaté entre celui-ci et Étienne
de Bar (cf. n. précédente).

montrait l'ennemi cruel[1]. Mais celui-ci commença à nier
et à refuser, et ne se laissait fléchir par aucunes prières. Sur
ces entrefaites, survinrent d'autres gens qui présentaient au
bienheureux un homme sourd, le suppliant de daigner lui
imposer les mains. Et lui, enflammé du zèle de la foi, le visage
fulgurant d'une sorte de redoutable autorité surhumaine,
comme il lui arrivait parfois pour des raisons nécessaires, se
tournant vers le chevalier, déclara : « Tu dédaignes de nous
entendre, nous que ce sourd va entendre sur-le-champ, en
ta présence. » *Et, imposant les mains à l'homme*[e], il fit sur
lui le signe de la croix et *lui mit les doigts dans les oreilles*[f].
Aussitôt, celui-ci entend ; Henri, effrayé et tremblant, se
précipite aux pieds *de l'homme de Dieu*[g], lui donne humblement satisfaction, et consent aisément à tout ce qui lui
avait été demandé.

**Guérison de
deux mendiants
infirmes**

50. Un jour que *le serviteur du Christ*[a]
passait par le bourg fortifié de Brienne[2],
il vit sur la place une femme aveugle qui
mendiait. L'ayant regardée quelque temps,
pendant que, selon sa coutume, elle demandait l'aumône
aux passants, il lui dit : « Tu sollicites de l'argent, et Dieu
te donnera la vue. » S'approchant donc, il la toucha et *lui
ouvrit les yeux*[b]. Ressentant ce bienfait inespéré, elle n'admirait pas moins la grandeur de la miséricorde divine que la
lumière dont elle n'avait pas l'habitude.

2. Brienne-le-Château : cf. *supra*, *Vp* IV, 42 (*supra*, p. 224 et n. 3). La
correspondance de ce passage avec *Hm* III, xiii, 43 (*PL* 185, 401A) nous
permet d'affirmer que le miracle ici rapporté eut lieu le 5 février 1147, le
même jour que celui raconté au chap. 42 ; cf. *Vp* IV, 41 (*supra*, p. 222, n. 1)
pour la datation.

Inter primas propagines, quas haec abundantissima vitis
10   emisit^c, in Remorum parochia monasterium Igniacense
plantatum feliciter radicavit. Quod aliquando visitans idem
sanctus, vicum Maternae fluvio proximum, quem Rivolium
nominant, pertransibat. Vir quoque magnificus, et devotissimus eius amator, Samson Remorum archiepiscopus,
15   comitabatur illum, solita veneratione deducens. Senex autem
claudus ad mendicandum positus erat in via. Cui unus e fratribus eleemosynam dedit. Secutus abbas sanctus, cum iam
hominem pertransisset, convertit se et paulisper intendens
in eum, quid patiatur interrogat circumstantes, et sibi illum
20   praecipit exhiberi. Suspicati homines quod esset ei amplius
aliquid ipse daturus : « Domine », inquiunt, « claudus
est nec mo|veri potest ; nos ad eum feremus quod volueris
dare ». Quo repetente verbum et dicente : « Tollite eum,
et afferte ad me », primo quidem prae admiratione mutuo
25   sese intuebantur, ignorantes quid esset facturus. Demum
agnoscentes eum, clamabant ad invicem : « Abbas est
Claraevallis, et protinus illum sanabit. »

c. Cf. Ps 79, 12

1. Quatrième fille de Clairvaux, l'abbaye d'Igny fut fondée le
12 mars 1126, à 120 km de Reims. Son premier abbé fondateur fut le
bienheureux Humbert (cf. *Vp* I, 48, *SC* 619, p. 304-305, n. 3). Le second
abbé fut le bienheureux Guerric (1138-1157), chanoine et écolâtre de
Tournay, converti par saint Bernard en 1125 et auteur d'admirables
Sermons qui ont été publiés par *SC* (n° 166 et 202). Geoffroy d'Auxerre,
l'auteur de *Vp* III-V, en fut le troisième abbé (1157-1162). Voir la notice
« Igny » par M.-N. BOUCHARD, *DHGE* 25, 1995, col. 749-753, avec
abondante bibliographie.

Parmi les premiers rejetons que produisit cette vigne très féconde[c], le monastère d'Igny[1], planté dans le diocèse de Reims, prit racine et prospéra. Un jour que notre saint allait le visiter, il traversa un village proche de la Marne, nommé Larivière[2]. Un homme puissant, ami très dévoué de Bernard, Samson archevêque de Reims[3], l'accompagnait, le conduisant avec sa vénération coutumière. Or, un vieillard boiteux se tenait sur le chemin pour mendier. L'un des frères lui fit l'aumône. Le saint abbé, qui suivait, lorsqu'il avait déjà dépassé cet homme, se retourna et, le regardant quelques instants avec attention, demande à ceux qui l'entourent de quoi il souffre, et ordonne de le lui amener. Ceux-ci, soupçonnant qu'il allait lui donner une aumône plus généreuse, déclarent : « Seigneur, il est boiteux, et il ne peut pas se déplacer ; nous lui apporterons ce que tu voudras lui donner. » Comme Bernard répétait ses paroles et disait : « Prenez-le, et amenez-le-moi », tout d'abord ils se regardaient les uns les autres avec étonnement, ne sachant pas ce qu'il allait faire. Enfin, le reconnaissant, ils se criaient mutuellement : « C'est l'abbé de Clairvaux : il va le guérir sur-le-champ. »

---

2. *Rivolium* : nous pensons, avec VACANDARD (*Vie*, t. II, p. 394, n. 2), qu'il s'agit de Larivière Arnoncourt, en Haute-Marne. Comme Geoffroy le précise à la fin du chap. 51, le miracle ici décrit eut lieu vers août 1152.

3. Samson de Mauvoisin : cf. *Vp* I, 67 (*SC* 619, p. 346-347, n. 1). Voir aussi DE WARREN, « Bernard et l'épiscopat », p. 642. Samson vint terminer ses jours à Igny, où il mourut en 1161 et fut inhumé dans l'église abbatiale. Il avait légué à Igny tous ses manuscrits, qui constituèrent le fonds principal d'une très belle bibliothèque (cf. la notice « Igny », *DHGE* 25, col. 750, citée *supra*, n. 1 ci-contre).

51. Nimirum solitus erat, quoties poterat, operam dare ne in vicis agnosceretur, et interdicere sociis ne cui ex occurrentibus manifestarent eum, aut de eo aliquid loquerentur ; sed quaerentibus quis transiret, dicerent monachos esse, aut aliquem de personis simul euntibus nominarent. Igitur agnito *Dei famulo*[a] ruunt undique, et levantes hominem ferunt et offerunt ei. Qui *imponens utramque manum capiti eius*[b], et *in caelum suspiciens*[c] ac breviter orans, deponi illum iubet et ambulare. Excusante illo et dicente : « Non possum », « Ego tibi », ait, « in nomine Domini et eius virtute praecipio, vade et sanus esto iam ab hac hora ». Quid plura ? Statim depositus, statim sanatus est, statim libere gradiebatur repletus stupore et exstasi in eo quod contigerat sibi.

Sed et vicini eius et noti pariter congratulantes Dominum collaudabant, qui miserabilis hominis et meritum simul et votum abundantia suae pietatis excessit. Unde etiam usque hodie locus ab incolis demonstratur, ubi signum tam evidens divinae virtutis effulsit, ubi senex claudus ex multis annis, tota in inferiori corporis sui parte praemortuus, et a renibus deorsum omni prorsus membrorum destitutus officio, dum stipem postulat, sanitatem recepit, orante *servo fideli*[d] et omnipotenti *Domino operante*[e].

---

51. a. Rm 1, 1 ; Col 4, 12   b. Lc 4, 40 ≠ ; Ac 9, 17 ≠   c. Mc 7, 34 ≠
d. Mt 24, 45 ≠   e. Mc 16, 20 ≠

---

1. La fin de cette phrase *(orante servo... Domino operante)* a été biffée dans la recension B.

Guérison du susdit boiteux et conclusion du livre

51. De fait, Bernard avait coutume, chaque fois qu'il le pouvait, de mettre tout en œuvre pour qu'on ne le reconnaisse pas dans les villages, et d'interdire à ses compagnons de révéler son identité à tous ceux qui venaient à sa rencontre, ou de leur parler de lui ; mais, si l'on demandait qui étaient ces voyageurs, il disait de répondre que c'étaient des moines, ou de nommer quelqu'une des personnes qui l'accompagnaient. Ainsi, *le serviteur de Dieu*[a] ayant été reconnu, les gens se précipitent de toutes parts, soulèvent l'homme, le transportent et le lui amènent. Bernard, *lui imposant les deux mains sur la tête*[b], et *levant les yeux au ciel*[c] pour une courte prière, ordonne de le déposer à terre et lui dit de marcher. Comme il s'excusait et disait : « Je ne le puis », « Eh bien !, répliqua Bernard, moi, au nom du Seigneur et par sa puissance, je te l'ordonne : va, et sois guéri à partir de cette heure. » Que dire de plus ? Sitôt mis à terre, sitôt guéri, il marchait aisément, plein de stupeur et ravi de ce qui lui était arrivé.

Ses voisins et ses connaissances se félicitaient les uns les autres et louaient ensemble le Seigneur qui, dans sa surabondante miséricorde, avait surpassé à la fois les mérites et les vœux de ce malheureux homme. Aussi, aujourd'hui encore, les habitants montrent l'endroit où éclata un signe si évident de la puissance divine, où un vieillard, boiteux depuis bien des années, complètement paralysé dans toute la partie inférieure de son corps, et entièrement privé, des reins jusqu'en bas, de tout usage de ses membres, recouvra la santé lorsqu'il ne demandait qu'une obole, par la prière *du serviteur fidèle*[d] et *l'action du Seigneur*[e] tout-puissant[1].

Hic fuit viri sancti novissimus in Remorum partes ingressus ; siquidem factum est hoc ante sacram eius depositionem
25 corporis anno uno. De qua felicium eius actuum felicissima
consummatione erit nobis iam, sed sub alia narratione dicendum. Nimis enim fallitur, si quis arbitratur huius sanctissimi
viri facta mirifica posse cuncta narrari ; et tam necesse est
multa sileri quam impossibile omnia comprehendi.

---

1. Voir *Vp* V, 14-15 (*infra*, p. 290-297).

Ce voyage fut le dernier de l'homme saint dans le territoire de Reims, car cet événement eut lieu un an avant la mise au tombeau de son corps [1]. Il nous faudra maintenant traiter de cette bienheureuse consommation des actes de son heureuse vie, mais ce sera dans un autre récit. Car il se tromperait lourdement, celui qui croirait qu'on puisse raconter tous les hauts faits admirables de cet homme très saint ; et il est nécessaire d'en passer beaucoup sous silence, dans la mesure où il est impossible de les énumérer tous.

|LIBER QUINTUS
AUCTORE GAUFRIDO AUTISSIODORENSI

|**1.** Cum post tantos labores ac sudores Dominus dilecto suo Bernardo Claraevallensi abbati diu desideratum *pretio-sae mortis*[a] somnum dare disponeret, et *fidelem servum*[b] in requiem introducere suam, coepit magis ac magis *promptus*
5 in ipso proficere *spiritus, caro infirma*[c] deficere. Cognoscens enim vir sanctus prope esse iam *bravium*[d], solito currebat alacrius, et *terrestris suae habitationis dissolutionem* sentiens imminere, votis uberioribus aspirabat ad *habitationem ex Deo, domum non manufactam, aeternam in caelis*[e]. In cuius
10 purissimo pectore sacri sese desiderii flamma non capiens, crebris erumpebat indiciis, et *ignitum eloquium vehementer*[f] fervoris interni vehementiam declarabat, sicut in sanctis animalibus per prophetam inter cetera describuntur : *et scintillae quasi aspectus aeris candentis*[g].

---

1. a. Ps 115, 15 ≠   b. Mt 24, 45 ≠   c. Mt 26, 41 ≠   d. Ph 3, 14
e. 2 Co 5, 1 ≠   f. Ps 118, 140 ≠   g. Ez 1, 7

LIVRE CINQUIÈME
PAR GEOFFROY D'AUXERRE

Bernard sent que sa fin approche **1.** Quand le Seigneur se disposait à donner à son bien-aimé Bernard, abbé de Clairvaux, après tant de labeurs et de sueurs, le sommeil longtemps désiré *d'une précieuse mort*[a], et à introduire dans son repos *le fidèle serviteur*[b], *l'esprit* de plus en plus *alerte* en lui[1] commença à faire des progrès, *la chair infirme*[c] à défaillir. L'homme saint en effet, connaissant que *le but*[d] était désormais tout proche, courait plus allégrement que d'ordinaire et, sentant que *la destruction de sa demeure terrestre* était imminente, aspirait de ses vœux les plus ardents à *la demeure créée par Dieu, maison éternelle dans les cieux, qui n'est pas faite de main d'homme*[e]. La flamme de ce saint désir, ne tenant plus dans son cœur très pur, s'élançait au dehors par des signes fréquents, et sa *parole de feu* manifestait *intensément*[f] l'intensité de sa ferveur intérieure, de même que, dans la vision des saints animaux, le prophète décrit, entre autres choses, *leurs reflets semblables à ceux de l'airain scintillant*[g].

---

1. Nous avons remplacé la leçon de la recension A, *in ipsum*, qui ne donne guère de sens, par celle de la recension B, *in ipso*.

15 Corpus lectulo decubans variis exterebatur incommodis, animus tamen nihilominus liber et potens, quae Dei erant exercebat invictus, non cessans in mediis quoque doloribus meditari sacrum aliquid aut dictare, orare affectuosius, fratres studiosius exhortari. In oblatione *hostiae salutaris*[h],
20 quam usque ad defectum ultimum vix aliquando intermisit, artus sibi vix cohaerentes vigore spiritus sustentabat, semetipsum pariter *offerens acceptabilem hostiam Deo in odorem suavitatis*[i].

Quo tempore ad avunculum suum Andream militem
25 Templi, qui et ipse regionis Ierosolymitanae maxima columna habebatur, epistolam scribens inter cetera ait : « *Ego enim delibor*[j], nec puto me longum facere super terram. »

2. In diebus illis causa exstitit, ut fratrum aliquis in remotas Germaniae partes pro quibusdam mitteretur agendis. Et missus est frater Henricus monachus, quem ante sex annos de Constantiniensis dioecesis partibus cum
5 pluribus aliis idem pater sanctus adduxerat. Hic ergo dum
198 mitteretur, longioris itineris pericula ti|mens (nimirum

---

h. 2 M 3, 32 ≠   i. 1 P 2, 5 ≠ ; Ep 5, 2   j. 2 Tm 4, 6 ≠

1. *Ep* 288, 2 (*SBO* VIII, p. 204, l. 218-219 ; notre traduction). Sur André de Montbard, frère d'Aleth et oncle de Bernard, voir *Vp* III, 11 (*supra*, p. 52, l. 13-20, n. 4).

2. Ce chap. 2 a été entièrement biffé par Geoffroy dans la recension B. BREDERO (*Études, ASOC* 18/1-2, 1962, p. 27, n. 5) suppose – à juste titre, croyons-nous – qu'il l'a rejeté parce qu'il le jugeait « par trop légendaire ».

3. Henri, dit Contract parce qu'il était difforme. Originaire de Fribourg-en-Brisgau, de noble lignage, il venait de se croiser et cherchait la somme nécessaire pour son voyage. Il rencontra Bernard à Constance en 1146 (cf. *Vp* IV, 30, *supra*, p. 188, n. 1), pendant que celui-ci parcourait l'Allemagne pour y prêcher la deuxième croisade. Témoin d'un double miracle opéré par le saint abbé, Henri décida de le suivre et de se faire

Son corps alité était broyé par toutes sortes d'infirmités ; son esprit néanmoins, libre et puissant, s'appliquait indompté aux choses de Dieu, ne cessant pas, au milieu même de ses souffrances, de méditer ou de dicter sur quelque sujet sacré, de prier avec un ardent amour, d'exhorter les frères avec zèle. Dans l'offrande *du sacrifice salutaire*[h], qu'il omit à peine quelquefois de célébrer jusqu'à son ultime défaillance, il soutenait par la vigueur de son esprit ses membres, qui ne tenaient presque plus ensemble, *s'offrant* également lui-même *à Dieu en victime agréable et d'un suave parfum*[i].

Ce fut à cette époque qu'en écrivant une lettre à son oncle maternel André, chevalier du Temple, qu'on regardait comme une colonne très solide du pays de Jérusalem, il dit entre autres choses : « *Me voici offert en libation*[j], et je ne pense pas que j'en aurai encore pour longtemps sur cette terre[1]. »

Le moine Henri, en mission en Allemagne, est sauvé à distance par Bernard, qui lui avait prédit un heureux retour à Clairvaux[2]

2. En ces jours-là, survint une affaire qui provoqua l'envoi d'un frère dans des contrées reculées de l'Allemagne pour traiter de certaines questions. Ce fut le frère Henri à être envoyé, un moine que le père saint avait ramené, six ans auparavant, avec plusieurs autres, des régions du diocèse de Constance[3]. Celui-ci donc, lorsqu'il fut envoyé, redoutait les

---

moine à Clairvaux. Cet épisode nous a été raconté, avec maints détails pittoresques, par Conrad d'Eberbach, *Le Grand Exorde* II, 19, p. 83-85, et par Césaire de Heisterbach, *Dialogus miraculorum*, t. I, *Dist.* I, 16, p. 22-24. Césaire nous apprend aussi que, à Clairvaux, Henri remplit les fonctions d'infirmier (*ibid.*, t. II, *Dist.* VIII, 30, p. 104). Il mourut au début du XIIIe siècle (cf. Debuisson, « La provenance », p. 86-85 ; Dimier, *Saint Bernard «pêcheur de Dieu »*, p. 186). Grâce au repère chronologique donné ici par Geoffroy, nous pouvons affirmer que la mission de cet Henri en Allemagne eut lieu en 1152.

hiems erat), illud tamen maxime verebatur ne contingeret,
ut idem pater sanctus, priusquam ipse rediret ab hac vita
migraret, et absens ipse benedictionis extremae participio
10 fraudaretur. At ille benedicens ei et dicens : « *Ne timeas*[a],
et incolumis reverteris, et me quoque sicut desideras, hic
invenies », consolatum illum emisit.

Profectus idem frater, in territorio Argentinensium civitatis astrictum glacie fluvium pertransibat, cum subito fracta
15 glacie sub pedibus muli, quo vehebatur, corruit, et sub glacie
vehemens illum unda trahebat. Quid faceret mersus flumine,
glacie clausus ? Recordatus est patris sancti, recordatus est
promissionis eius, quae inanis esse non potuit. Continuo
siquidem, ut hodie quoque fatetur, patrem sanctum sibi
20 visus est sentire praesentem, tantaque suavitate perfusus
est, ut nec impetum amnis, nec molestiam frigoris, nec spi-
randi difficultatem, nec ullum denique aut incommodum
sentiret aut metum. Nec mora, contra fluminis impetum
sine suo conatu divina virtute reductus, ad ipsum per quod
25 ante ceciderat foramen se reperit, marginem arripit, exit
intrepidus, illaesus evadit, expleto negotio redit incolumis,
et fideli promissore, sicut ipse promisit, invento, multiplices
ei gratias agit. Ad sacrum cuius tumulum tam devotus
hodieque persistit, quam certus est eius sese meritis, velut
30 de tumulo, et quidem satis horribili, revocatum.

---

2. a. Lc 1, 30

1. Vraisemblablement le Rhin.

dangers d'un si long voyage, car c'était l'hiver ; mais ce qu'il craignait surtout, c'est qu'il n'arrive que le père saint sorte de cette vie avant son retour, et qu'ainsi lui-même soit privé, par sa propre absence, d'avoir part à sa dernière bénédiction. Bernard, en le bénissant, lui dit : « *Ne crains pas*[a], tu reviendras sain et sauf, et tu me retrouveras encore ici, comme tu le désires. » Ainsi le laissa-t-il partir tout réconforté.

Ledit frère, s'étant mis en route, traversait un fleuve glacé[1] dans le territoire de la ville de Strasbourg, quand, tout à coup, la glace se brisa sous les sabots du mulet qui le portait ; il tomba, et le courant impétueux l'entraînait sous la croûte glacée. Que pouvait-il faire, submergé par le fleuve, enfermé sous la glace ? Il se souvint du père saint, il se souvint de sa promesse, qui ne pouvait pas être vaine. Aussitôt, comme il l'atteste encore aujourd'hui, il lui sembla sentir la présence du père saint, et il fut envahi d'une telle douceur, qu'il ne sentait plus ni la violence du courant, ni la morsure du froid, ni la difficulté de respirer, ni enfin la moindre incommodité ou la moindre crainte. Sans délai, sans aucun effort de sa part, ramené par une force divine contre le courant du fleuve, il se retrouve au même trou par lequel tout à l'heure il s'était enfoncé, saisit le bord de la glace, sort hardiment, se sauve sans aucun dommage, revient sain et sauf après avoir accompli sa mission et, ayant retrouvé le fidèle auteur de la promesse, comme celui-ci l'avait promis lui-même, multiplie les remerciements à son égard. Et il continue de le faire aujourd'hui près de son tombeau sacré, avec une ferveur égale à sa certitude d'avoir été lui-même retiré comme d'un tombeau, et certes bien horrible, par les mérites de Bernard.

Sed non est nobis super hoc declamandum. Alii antiqua miracula conferant, nec minus hunc mirabiliter, quam beati Benedicti puerum Placidum, nec minori asserant a periculo liberatum ; quin etiam, si videretur, quem astrictus glacie
35 reddidit fluvius, ei comparent, quem evomuit cetus[b]. Nobis sufficit brevis et pura narratio.

3. Interea dum adhuc pater sanctus in suo Claraevallensi coenobio, licet lectulo decumbans, cursum vitae viriliter consummaret, gravis admodum plaga Metensi populo supervenit. Egressi enim in multitudine gravi adversus
5 vicinos principes, a quibus praeter morem lacessitam se esse tanta civitas indignabatur, traditi sunt multi in manus paucissimorum. Conclusi denique inter Frigidi Montis
199 (sic enim eum appellant) et Mosellae amnis angustias, ac mutuo sese impetu collidentes, una hora, sicut dicebatur,
10 plus quam duo millia corruerunt, quidam gladiis trucidati, plures amne submersi.

Vehementi igitur indignatione concepta, nobilis illa civitas totis ad ultionem viribus parabatur, cum e regione adversarios quoque et fortiores praeda copiosa, et audaciores fecisset
15 eventus. Imminebat totius provinciae certa vastatio, cum

---

b. Cf. Jon 2, 11

1. Voir GRÉGOIRE LE GRAND, *Dial.* II, VII, 1-3 (p. 156-158).

2. Il s'agit du conflit qui opposa l'évêque de Metz, Étienne, soutenu par son frère Renaud, comte de Bar, à Matthieu Ier, duc de Lorraine, et à quelques autres seigneurs ses alliés, au printemps de 1153 (cf. *Vp* IV, 49 (*supra*, p. 242-245 et les notes). Matthieu était le fils de la duchesse Adélaïde,

Mais nous n'avons pas besoin de nous appesantir davantage sur ce sujet. Que d'autres comparent les anciens miracles avec celui-ci, qu'ils affirment que ce moine n'a pas été délivré moins merveilleusement, et d'un moindre péril, que le petit Placide par le bienheureux Benoît[1] ; et même, s'il leur semble bon, qu'ils comparent celui que le fleuve glacé a rendu à celui que la baleine a vomi[b]. Pour nous, il nous suffit d'un récit court et simple.

3. Sur ces entrefaites, pendant que le père saint, encore dans son monastère de Clairvaux, quoique gisant au lit, achevait courageusement le cours de sa vie, un malheur très grave atteignit les habitants de Metz. En effet,

Hillin, archevêque de Trèves, se rend à Clairvaux pour demander secours à Bernard mourant

alors qu'ils étaient sortis en nombre imposant contre les princes voisins[2], car cette ville si illustre s'indignait d'avoir été, contrairement au droit, molestée par eux, ils furent livrés, malgré leur nombre, aux mains d'une poignée d'ennemis. Bref, enfermés entre les gorges du Froidmont (c'est ainsi qu'ils l'appellent) et le fleuve de la Moselle, se battant les uns contre les autres avec acharnement, en une seule heure, disait-on, plus de deux mille hommes tombèrent, certains massacrés par l'épée, beaucoup engloutis par le fleuve[3].

Saisie d'une violente indignation, la noble cité se préparait à se venger de toutes ses forces, tandis que, du côté opposé, l'abondant butin avait rendu plus forts ses adversaires, et le succès les avait enhardis. Une dévastation certaine menaçait

---

sœur de l'empereur Lothaire III, bien connue de Bernard : cf. *Vp* I, 68 (*SC* 619, p. 350-351 et les notes).

3. Cette bataille eut lieu près de Pont-à-Mousson le 28 février 1153 (cf. VACANDARD, *Vie*, t. II, p. 503 et n. 3).

venerabilis eorum metropolitanus Hillinus archiepiscopus Treverensis, dignam gerens suorum sollicitudinem filiorum, unicum in tanta necessitate petiit refugium, et expetiit *virum Dei*[a]. Veniens ergo Claramvallem, ipsius atque omnium
20 fratrum vestigiis tota humilitate prostratus, rogabat et obsecrabat, ut se tantis dignaretur opponere malis, quibus alter nemo posse modum ponere videretur.

Dominus autem, sicut semper *fidelis servi*[b] sui *direxerat vias*[c], et in praecipuis quibusque causis aptissimo usus
25 fuerat instrumento, ex paucis ante diebus aegritudinem corporis eius aliquatenus relevarat. Quibus diebus cum ad litteras venerabilis Hugonis Ostiensis episcopi rescriberet, ait : « Verum est quod audistis. *Infirmatus sum usque ad mortem*[d], sed interim, ut sentio, revocatus ad mortem,
30 atque hoc, ut me sentio, non diu. » Vitam quippe mortalem mortem magis quam vitam reputans, non a morte, sed ad mortem revocatum se sentiebat, cum ab exitu revocaretur, licet praesentiens haud diutius differendum.

---

3. a. Cf. 1 S 9, 6 et //   b. Mt 24, 45 ≠   c. Ps 5, 9 ≠   d. Ph 2, 27 ≠

1. À cette époque, l'évêché de Metz était suffragant du siège métropolitain de Trèves. Hillin de Falmagne succéda à Albéron de Montreuil comme archevêque de Trèves le 31 janvier 1152 et le resta jusqu'à sa mort, le 23 octobre 1169. Sur lui, cf. la notice, très détaillée, « Hillin de Falmagne » par J. PYCKE, *DHGE* 24, 1993, col. 554-559, avec abondante bibliographie.

2. Cf. *Vp* II, 49 (*SC* 619, p. 507, n. 5).

3. *Ep* 307, 2 (*SBO* VIII, p. 227, l. 5-7). Le texte cité par Geoffroy présente quelques minimes différences par rapport à celui des *SBO*.

toute la province, lorsque son vénérable métropolite, Hillin archevêque de Trèves[1], animé d'une juste sollicitude pour ses enfants, chercha l'unique refuge qui restait dans une si grande détresse, et s'adressa *à l'homme de Dieu*[a]. Venant donc à Clairvaux, il se prosterna en toute humilité aux pieds de Bernard et de tous les frères ; il le priait et le suppliait de bien vouloir s'opposer à de si grands maux, puisque personne d'autre ne semblait pouvoir leur mettre un terme.

Or, *le Seigneur*, qui *avait* toujours *dirigé les chemins*[c] de son *fidèle serviteur*[b], et qui dans toutes les affaires importantes s'était servi de cet instrument très efficace, avait, quelques jours auparavant, soulagé dans une certaine mesure les souffrances de son corps. Comme en ces jours il répondait à une lettre du vénérable Hugues, évêque d'Ostie[2], il déclara : « Ce que tu as entendu est vrai. *Je suis malade jusqu'à la mort*[d], mais pour le moment, ainsi que je le sens, j'ai été rappelé à la mort ; toutefois, je le sens, pas pour longtemps[3]. » Car, regardant cette vie mortelle plutôt comme une mort que comme une vie, il ne se sentait pas rappelé de la mort, mais à la mort, lorsqu'il était rappelé de son exode[4], tout en pressentant que celui-ci ne serait pas bien longtemps différé[5].

4. *Exitus*, c'est-à-dire : son exode pascal, sa sortie de ce monde.

5. Geoffroy fait ici une lecture fallacieuse, quoique très ingénieuse, du texte de la lettre ; *revocatus ad mortem* ne signifie pas : « j'ai été rappelé à la mort », autrement dit, à la vie présente ; la traduction exacte serait : « j'ai été soustrait à la mort ». Bien évidemment, dans notre traduction, nous avons adopté l'interprétation abusive de Geoffroy.

4. Et hoc quidem saepius erga eum providentia divina disposuit, in cuius manu *placida erat ei anima illius*[a], ut quoties eum grandis aliqua necessitas evocaret, vincente omnia animo, vires corporis non deessent, mirantibus qui videbant eum, et robustos homines in tolerantia superare. Expletis namque negotiis, velut in se rediens, multiplicibus infirmitatibus laborabat, ut vix viveret feriatus, qui occupatus deficere nesciebat.

Cui in opere novissimo tam manifeste, tamque magnifice divina adfuit virtus ut ex laboribus vires capere videretur. Accidit autem, cum in praedicti Mosellae fluvii littore residentibus hinc inde partibus mediator fidelis rogaret quae ad pacem erant, ut pars altera nimis aegre ferret, quod exigebatur, ex tanta siquidem hostium strage ferocior, et humiliari, ut erat necesse, non sustinens. Subito denique tamquam agitati furiis discesserunt, *virum Dei*[b] insalutatum, sol]am vero ceteris omnibus relinquentes desperationem pacis. Nec sane ex contemptu aliquo, sed ex metu reverentiae eius iniere fugam. Siquidem verebantur, ne praesentium mentes, quamlibet improbas, facile flecteret, minus considerantes quid ille per spiritum nusquam absentem posset etiam in absentes[c].

---

4. a. Sg 4, 14 ≠   b. Cf. 1 S 9, 6 et //   c. Cf. 1 Co 5, 3

1. Le duc Matthieu de Lorraine.

Bernard parvient à rétablir la paix entre la ville de Metz et les princes voisins, malgré bien des obstacles. Miracles accomplis en cette occasion

4. La providence divine, qui *gardait* dans sa main *son âme docile*[a], arrangea bien souvent les choses à son égard de manière que, chaque fois qu'une nécessité importante le mettait à contribution, les forces du corps ne lui faisaient pas défaut, son esprit surmontant tous les obstacles, au grand étonnement de ceux qui le voyaient surpasser en endurance même les hommes les plus robustes. Mais, une fois expédiées les affaires, comme s'il revenait à son état normal, il souffrait de multiples infirmités, si bien qu'il survivait péniblement lorsqu'on le laissait tranquille, lui qui ne connaissait point la défaillance au milieu des occupations.

Dans ce dernier labeur, une force divine l'assista si manifestement et si merveilleusement qu'il semblait puiser des énergies dans ses fatigues mêmes. Or, tandis que les deux partis se tenaient campés sur les deux rives opposées dudit fleuve de la Moselle, il arriva que, lorsque le fidèle médiateur les interrogea sur les conditions de paix, l'un des deux[1] supporta fort mal ce qu'on exigeait de lui, car, rendu plus fier par le grand carnage de ses ennemis, il n'était nullement prêt à s'humilier, comme il eût été nécessaire. Bref, comme s'ils étaient excités par les Furies, les hommes de ce parti s'éloignèrent soudain, quittant *l'homme de Dieu*[b] sans même le saluer et ne laissant à tous les autres que le désespoir de la paix. Ce ne fut certes pas par quelque mépris pour lui qu'ils s'enfuirent, mais par la crainte révérencielle qu'il leur inspirait. Car ils craignaient qu'il ne fléchît aisément les esprits des présents, quelque réfractaires qu'ils fussent ; mais ils ne considéraient pas assez ce qu'il pouvait, même sur les absents, par l'esprit qui n'est nulle part absent[c].

Iam conventus in magno turbine solvebatur, sola utrimque meditabantur arma, sola inibant consilia malignandi, cum
25 vir sanctus eos qui secum venerant consolatus fratres : « Ne turbemini », inquit ; « licet enim per multas difficultates, omnino tamen pax desiderata proveniet ». Quibus etiam unde id nosset innotuit, dicens : « Videbar mihi per nocturnum soporem missam celebrare sollemnem. Cumque,
30 expleta paulominus oratione prima, recordarer angelicum ex more canticum, id est *Gloria in excelsis Deo*[d], praecedere debuisse, erubui, et quod oblitus omiseram canticum inchoans, vobiscum pariter ad finem usque complevi. »

Iam medium noctis transierat, cum vir sanctus de praedic-
35 torum paenitudine principum legatione suscepta, iucunde satis conversus ad nos : « Agnoscite », ait, « promissae nobis canendae *Gloriae* et cantici pacis praeparationem ». Interim ergo partibus convocatis, per dies aliquot de pace tractatum est, et ob maximas difficultates occurrentes
40 utrimque saepius desperatum, nisi quod omnes iam consolabatur, quae omnibus innotuerat, abbatis sancti tam certa de reformanda pace promissio. Nec parum ipsa dilatio profuit, his praesertim qui variis incommodis laborantes remedia consequebantur in carne, seu etiam qui videntes aedifica-
45 bantur in fide. Tantus enim concursus erat, ut multitudine pariter atque importunitate sua ipsum quoque negotium

d. Cf. Lc 2, 14

1. Dans la recension B, Geoffroy a remplacé *ad nos* par *ad suos* : « vers les siens ».

Déjà l'assemblée se dispersait dans un grand tumulte ; de part et d'autre on ne songeait plus qu'aux armes, on n'échafaudait que des plans maléfiques, lorsque l'homme saint consola les frères qui étaient venus avec lui en disant : « Ne soyez pas troublés ; quoiqu'avec bien des difficultés, néanmoins la paix tant désirée surviendra. » Et il leur révéla aussi comment il le savait, en disant : « Pendant le sommeil de la nuit, il me semblait que je célébrais la messe. J'avais presque achevé la première oraison, lorsque je me souvins que le cantique des anges, le *Gloria in excelsis Deo*[d], aurait dû précéder selon l'usage ; je rougis et, entonnant ce cantique que j'avais omis par oubli, je le continuai jusqu'à la fin ensemble avec vous. »

Déjà minuit était passé, lorsque l'homme saint reçut une délégation chargée de lui exprimer le repentir des princes susdits. Se tournant vers nous[1] avec grande joie, il déclara : « Reconnaissez comment les événements s'arrangent pour que nous chantions le *Gloria* promis et le cantique de la paix[2]. » Sur ces entrefaites, les deux partis furent donc convoqués ; on négocia la paix pendant plusieurs jours, et à cause des difficultés très graves qui se présentaient de part et d'autre on eût désespéré bien des fois de la conclure, si la promesse si ferme du saint abbé, bien connue de tous, que la paix se rétablirait, ne les avait déjà tous réconfortés. Et ce retard lui-même ne fut pas peu profitable, spécialement à ceux qui, souffrant de diverses maladies, obtenaient des guérisons dans leur chair, ou encore à ceux qui, en voyant cela, étaient affermis dans la foi. Car leur concours était si grand que, à la fois par leur multitude et par les désagréments qu'ils causaient, tous ces gens empêchaient, presque

---

2. Allusion au début du *Gloria* : *Gloria in excelsis Deo, et in terra pax hominibus bonae voluntatis.*

reformandae pacis pene desperabiliter impedirent ; donec, quaesita tandem in medio flumine insula, partis utriusque primarii in naviculis accesserunt. Ubi compositis omnibus
50 secundum quod fidelis arbiter definivit, datis sibi invicem dextris reconciliati et confoederati sunt in osculo pacis.

5. Inter omnes sane quas per manum servi sui ibidem praestitit Dominus sanitates, celeberrima fuit cuiusdam curatio mulieris. Haec ab annis octo pessima aegritudine laborabat, vehementi tremore et validis motibus universa
5 pariter membra concutiens. Cum autem videretur gravioribus ortis difficultatibus propemodum excidisse spes pacis, Domino disponente venit mulier ita tremens, nec
201 minus horribilis quam miserabilis, et omnes pariter | ad spectaculum convenerunt. Orante denique *Dei famulo*[a],
10 sub oculis omnium paulatim concussione sedata, perfectam adepta est protinus sospitatem. Quae res in tantam admirationem etiam durissimos quosque permovit, ut percutientes pectora sua, per horam fere dimidiam cum lacrimis acclamarent. Tantus denique factus est impetus et concursus
15 procidentium et deosculantium *viri Dei*[b] sacra vestigia, ut propemodum comprimeretur, donec tollentes eum fratres, et imponentes in naviculam a terra modice subduxerunt.

---

5. a. 2 Ch 1, 3 ≠   b. Cf. 1 S 9, 6 et //

1. Geoffroy a supprimé ce deuxième verbe *(et confoederati)* dans la recension B. Cf. n. suivante.

2. Geoffroy, pour mettre en valeur la médiation de Bernard, a embelli l'issue du conflit. À ce propos, Vacandard observe avec pertinence : « Le traité, dont nous ignorons la teneur, était dur pour les Messins ; et l'évêque de Metz, Étienne, [...] n'y mit sûrement sa signature qu'en

sans espoir, l'aboutissement même des pourparlers de paix. Finalement, on trouva une île au milieu de la rivière, et les principaux représentants des deux partis s'y rendirent sur de petits bateaux. Là, tout fut réglé suivant les décisions du fidèle arbitre ; on se donna réciproquement la main et ils se réconcilièrent et firent alliance[1] *par un baiser de paix*[2].

Guérison d'une femme dans ce même lieu. Bernard décline toute gloire

5. Entre toutes les guérisons que le Seigneur opéra dans ce même lieu par la main de son serviteur, la plus célèbre fut celle d'une femme. Elle souffrait depuis huit ans d'une très méchante maladie : tous ses membres s'entrechoquaient, agités par un violent tremblement et des mouvements convulsifs. Lorsque, par suite de difficultés assez graves, l'espoir de la paix semblait s'être presque évanoui, cette femme toute tremblante, dont la vue ne causait pas moins d'horreur que de pitié, se présenta par une décision du Seigneur, et tous affluèrent avec elle pour regarder le spectacle. Bref, tandis que *le serviteur de Dieu*[a] se mettait en prière, son tremblement s'apaisa peu à peu sous les yeux de tout le monde, et elle recouvra aussitôt une parfaite santé. Cet événement suscita chez tous, même les plus insensibles, une admiration telle que, en se frappant la poitrine, ils poussèrent des acclamations avec larmes pendant presque une demi-heure. Il se produisit alors une telle ruée et un tel concours de gens qui se jetaient aux pieds *de l'homme de Dieu*[b] et baisaient les traces sacrées de ses pas, qu'il eût été presque écrasé si les frères ne l'eussent enlevé, placé dans un petit bateau et un peu éloigné du rivage.

---

murmurant et à contrecœur. Très peu de temps après [...] il essaya de le faire rompre par l'empereur d'Allemagne. » Cf. VACANDARD, *Vie*, t. II, p. 505 et les notes.

Cumque accedentes ad se principes, ut coeperat, pro pace rogaret, suspirantes dicebant : « Oportet nos libenter eum
20 audire quem, ut ipsi cernimus, Deus diligit et exaudit, et audito eo multa facere, pro quo tanta facit Deus in oculis nostris. » Quibus ille (ut semper cautus erat competenter huiusmodi gloriam declinare) : « Non propter me », inquit, « sed propter vos facit ».

6. Simili quoque miraculo et in simili opportunitate, ipsa etiam die Metensium animos Dominus inclinavit ad pacem. Ingressus enim sanctus Metensium civitatem, episcopum simul et populum ad ea quae pacis erant, vehementer urge-
5 bat. Graviter autem urebat illos vulnus acceptum. Quibus enim valide satis reponere cogitaverant, secus quam vellent, remittere cogebantur. In ipsa hora oblata est ei mulier para-lytica, de civitate eadem. *Cui manus imponens*[a], dignatus est palliolum quoque proprium, quo utebatur ipse, superex-
10 tendere ei, tenendumque episcopo tradere prope astanti, et sub eodem velamine debilia tangere membra. Expleta autem oratione et benedictione data, erexit illam, omnibusque mirantibus, *per medium illorum* incolumis *ibat*[b], quam attulerant in grabato.

15 In flumine quoque praedicto Mosella, dum ob intole-rabilem concurrentium multitudinem *vir Dei*[c] navicula veheretur, unus ex his qui curari desiderabant, caecus cla-mabat in littore, obsecrans ut duceretur ad eum. Cumque ille iam pertransiret, audiens homo navigantem post eum

---

6. a. Lc 4, 40 ≠ ; Ac 9, 17 ≠   b. Lc 4, 30 ≠   c. Cf. 1 S 9, 6 et //

1. Étienne de Bar. Cf. *Vp* IV, 49 (*supra*, p. 242-243, n. 2).

Les princes vinrent alors le trouver, et puisqu'il les suppliait de nouveau pour la paix, ils dirent en soupirant : « Il nous faut bien écouter de bon gré celui que Dieu aime et exauce, comme nous le voyons nous-mêmes ; et, après l'avoir écouté, il nous faudra faire beaucoup pour celui pour qui Dieu fait de si grandes choses sous nos yeux. » Et lui de leur répondre – car il était toujours attentif à décliner avec adresse pareille gloire : « Ce n'est pas pour moi, mais pour vous qu'il fait cela. »

Deux autres miracles de Bernard à Metz   **6.** Par un miracle semblable et dans une pareille conjoncture, ce même jour, le Seigneur inclina vers la paix les cœurs des habitants de Metz. Car, entré dans la ville de Metz, le saint pressait vivement l'évêque [1] en même temps que le peuple de conclure la paix. Or, la blessure reçue ulcérait gravement les Messins. Car ils se voyaient obligés, malgré qu'ils en eussent, de pardonner à ceux à qui ils avaient pensé riposter bien vigoureusement. À cette heure même, une femme paralytique de la même ville fut présentée à Bernard. Celui-ci, *lui imposant les mains* [a], daigna étendre sur elle le propre petit manteau dont il se servait, le donner à tenir à l'évêque qui était tout près et, sous cette couverture, toucher les membres infirmes de la femme. Après avoir terminé sa prière et lui avoir donné sa bénédiction, il la releva et, à l'étonnement de tous, *elle s'en allait* bien portante *au milieu de ceux* [b] qui l'avaient amenée sur un grabat.

Tandis que *l'homme de Dieu* [c], pour échapper à la multitude importune de tous ceux qui accouraient, était transporté dans un petit bateau sur ledit fleuve de la Moselle, un de ceux qui désiraient être guéris par lui, un aveugle, criait sur le rivage, suppliant qu'on le conduisît à lui. Comme déjà il passait outre, cet aveugle, entendant le clapotis d'un pêcheur qui

20 haud procul a littore piscatorem, diffibulatam protinus chlamydem, qua erat opertus, porrigens illi dabat, ut in naviculam reciperetur. Factum est, et ut pervenit ad sanctum, iuxta suae fidei magnitudinem magna velocitate sub

202 | manu eius visu recepto, miratus clamabat videre se colles, 25 videre homines, videre arbores, et cetera universa.

7. Paucis ab eodem loco miliaribus distat coenobium, quod sancti Benedicti nomine vocant. Ubi puer claudus, et a renibus infra omni prorsus membrorum destitutus officio, solis ad movendum manibus utebatur et renibus, 5 pedes emortuos simul cum tibiis post se trahens. Quem ex Burgundiae partibus pater advectum ante annos quatuor ibi reliquerat, et ex tunc fratrum eleemosynis alebatur.

Itaque cum beati viri sanctitatem et virtutes quas Dominus operabatur in ipso, per omnem circa provinciam celebris 10 fama vulgaret, impositum plaustro eumdem puerum fratres praedicti coenobii advexerunt ad eum, rogantes ut solita pietate misero subveniret. Acquievit, *imposuit manus*[a], oravit, et eadem hora sanum reddidit, libere stantem, libere gradientem. Denique, sicut ab eiusdem loci abbate nuper accepimus, usque 15 hodie fratrum pecora idem puer incolumis sequitur et custodit ; et si quis desiderat scire, *Ioannes est nomen eius*[b]. Alter etiam claudus, in eiusdem monasterii vicinia degens, eodem tempore ad praedicti patris sancti benedictionem sanatus est, et gressum recepit.

---

7. a. Lc 13, 13 ≠   b. Lc 1, 63

1. P. VERDEYEN (*CCCM* 89B, p. 232, n. aux l. 177-178) propose d'identifier ce monastère bénédictin avec l'abbaye de Saint-Arnulphe (Arnoul), dans les environs de Metz.

naviguait derrière Bernard non loin du rivage, dégrafa aussitôt le manteau dont il était couvert, le tendit à cet homme et le lui donna afin qu'il le reçoive dans sa barque. Cela se fit et, lorsqu'il parvint auprès du saint, selon la grandeur de sa foi il recouvra à grande vitesse la vue sous la main de Bernard ; tout émerveillé, il criait qu'il voyait les collines, qu'il voyait les hommes, qu'il voyait les arbres, et tout le reste.

Autres miracles accomplis par Bernard dans ce voyage. Geoffroy renonce à les rapporter tous
7. À quelques milles de distance de ce même lieu se trouve un monastère qui porte le nom de Saint-Benoît[1]. Là, un enfant boiteux, entièrement privé de tout usage de ses membres depuis les reins jusqu'en bas, ne pouvait se servir que des mains et des reins pour se déplacer, en traînant après lui ses pieds paralysés en même temps que ses jambes. Son père l'avait amené des contrées de la Bourgogne quatre ans auparavant et l'avait laissé là, et depuis lors il vivait des aumônes des frères.

Ainsi, comme une renommée illustre publiait dans tout le pays d'alentour la sainteté du bienheureux et les miracles que le Seigneur opérait par lui, les frères dudit monastère placèrent dans une charrette cet enfant et le lui amenèrent, le priant de secourir ce malheureux avec sa compassion accoutumée. Il acquiesça, *lui imposa les mains*[a], pria, et à l'heure même le rendit parfaitement sain, se tenant aisément debout et marchant aisément. Enfin, comme nous l'avons récemment appris par l'abbé de ce même monastère, jusqu'à ce jour cet enfant, en bonne santé, suit et garde les troupeaux des frères ; et si quelqu'un veut le savoir, *son nom est Jean*[b]. Un autre boiteux aussi, qui vivait dans le voisinage dudit monastère, fut guéri à la même époque par la bénédiction du père saint, et recouvra la faculté de marcher.

20   Sed et prope Leucorum urbem, loco cui nomen est Gundervilla, idem *vir Dei*[c] feminam *caecam illuminavit*[d] sub oculis plurimorum, qui de tota confluxerant regione. Ceterum nimis difficile, aut omnimodis impossibile foret, itineris illius magnalia universa complecti. Sed neque pro-
25 positi nostri est eiusmodi modo prosequi signa, et narrandis virtutum operibus operam dare.

    Hic enim viarum tuarum, pater dulcissime, finis beatus, et hic labor ultimus fuit. In hoc opere non minus utili quam difficili, nec minus desperatae quam necessariae pacis, *labores*
30 *tuos* gloriose *complevit*, qui magnifice semper *honestavit te in laboribus tuis*[e], te in suo nomine, et nomen suum in te glorificans, *Rex gloriae Dominus*[f] Deus tuus.

    8. Ut expleta Metensium reconciliatione et provinciae illi pace reddita, pater sanctus ad monasterium rediit, gravi admodum iamiamque deficientis languore corporis occupa-
203 tus, in tanta | animi suavitate et dulcedine spiritus cotidie
5 propinquabat ad exitum, ac si in portu navigans paulatim vela deponeret. Evidenter quoque fratribus aiebat : « *Haec sunt verba quae loquebar ad vos, cum*[a] praeterita hieme aegro-tarem, non nobis esse quod adhuc timeretis, aestate proxima imminere (mihi credite) huius corporis dissolutionem. »

---

c. Cf. 1 S 9, 6 et //   d. Ps 145, 8 ≠   e. Sg 10, 10 ≠   f. Ps 23, 8.10
8. a. Lc 24, 44 ≠

    1. *Urbs* (ou *Civitas*) *Leucorum* est l'actuelle ville de Toul, dans le pays des anciens Leuques, peuple de la Gaule Celtique.

Mais aussi près de la ville de Toul[1], dans un lieu nommé Gondreville[2], ledit *homme de Dieu*[c] *rendit la vue à une* femme *aveugle*[d], sous les yeux de beaucoup de gens accourus de toute la région. Au demeurant, il serait trop difficile, ou plutôt de toutes façons impossible, de rassembler tous les hauts faits de ce voyage. Mais ce n'est pas non plus notre intention d'exposer maintenant de tels prodiges, et de nous appliquer à raconter les miracles opérés par Bernard.

Voilà, très doux père, l'heureux terme de tes voyages, et ton dernier labeur. Dans cette œuvre, non moins utile que difficile – la conclusion d'une paix aussi inespérée que nécessaire –, celui qui toujours *t'honora magnifiquement dans tes labeurs couronna tes labeurs*[e] glorieusement, te glorifiant en son nom, et son nom en toi, lui, *le Roi de gloire, le Seigneur*[f] ton Dieu.

Retour de Bernard à Clairvaux et sa dernière maladie. Il annonce à ses frères sa fin prochaine

8. Dès que le père saint, après avoir mené à bon terme la réconciliation des Messins et avoir rendu la paix à cette province, fut revenu à son monastère, il fut frappé d'une très grave faiblesse dans son corps qui s'alanguissait de plus en plus. Chaque jour, il s'approchait de sa fin avec une sérénité d'âme et une gaieté de cœur très profondes, tel un pilote qui, naviguant déjà dans les eaux du port, amènerait peu à peu les voiles. Il disait clairement aux frères : « *Voici les paroles que je vous adressais lorsque*[a], l'hiver passé, j'étais malade : vous n'avez encore aucun sujet de craindre pour moi ; croyez m'en : c'est l'été prochain que mon corps est menacé de dissolution. »

2. Aujourd'hui, commune du département de Meurthe-et-Moselle, à l'est de Toul.

10   At quam evidenter proprio didicimus experimento, quod de sanctis Apostolis evangelia sacra testantur, quod dum suam illis praediceret Dominus passionem, *erat verbum absconditum ab eis*[b] et capere non valebant. Nimirum quod tam vehementer horrebat animus, minus facile persuade-
15 batur ut crederet, praesertim cum et ipse compatiens filiis eiusmodi verba supprimeret. Ceterum factis quodammodo clamans : *Opera consummavi, quae dedit mihi Pater ut face-rem*[c], magis ac magis actus omittere, affectus retrahere, et sacrorum funibus desideriorum sedula intentione praeiac-
20 tis, vicino iam littori haerere firmius, et commodius coepit applicare. Denique cum venerabilis antistes sedis Lingonicae Godefridus de quibusdam eum sollicitaret agendis, et minus apponere animum miraretur : « Ne mireris », inquit, « *ego enim iam non sum de hoc mundo*[d] ».

9. Videns autem pater sanctus, compassionis et *misericordiae visceribus*[a] affluens, carissimos sibi filios miserabiliter admodum tabescentes et arescentes prae timore et exspectatione iamiamque supervenientis desola-
5 tionis gravissimae et lamentabilis orbitatis, dulcissimis eos consolationibus refovebat. Et monens eos in tuto divinae clementiae sinu spei fideique *anchoram*[b] per inconvulsibi-lem caritatem firmius radicare, se quoque promittebat nec post mortem eis aliquando defuturum. Propensius autem,
10 quam noster queat exprimere sermo, rogans obsecransque per multas lacrimas, timorem Dei, et sacrae puritatis ac totius perfectionis amorem nostris immittere et imprimere animis conabatur.

b. Lc 18, 34 ≠   c. Jn 17, 4 ≠ ; 5, 36 ≠   d. Jn 17, 11 ≠.14 ≠.16 ≠
9. a. Lc 1, 78 ≠ ; Col 3, 12 ≠   b. He 6, 19

1. Geoffroy de la Roche-Vanneau. Cf. *Vp* I, 45 (*SC* 619, p. 298-299, n. 2) ; II, 29 (p. 448-453).

Combien n'avons-nous pas appris clairement par notre propre expérience ce que les saints Évangiles affirment des bienheureux apôtres, c'est-à-dire que, quand le Seigneur leur prédisait sa passion, *cette parole leur demeurait cachée*[b], et ils n'étaient pas en mesure de la comprendre ! Certes, notre esprit se décidait difficilement à croire ce qui lui inspirait une horreur si profonde, d'autant plus que Bernard lui-même, plein de compassion pour ses fils, s'arrêtait de parler ainsi. D'ailleurs, c'est par ses actes qu'il semblait en quelque sorte s'écrier : *J'ai achevé l'œuvre que le Père m'a donné à faire*[c]. Il commença de plus en plus à laisser de côté l'action, à se détacher des affections et, jetant devant soi avec une ardeur empressée les amarres des saints désirs, à se fixer plus fermement au rivage désormais tout proche pour y aborder plus aisément. Enfin, comme le vénérable évêque du siège de Langres, Geoffroy[1], le sollicitait pour quelques affaires à traiter, et s'étonnait qu'il y prêtât si peu d'attention, il dit : « Ne t'en étonne pas, *car je ne suis déjà plus de ce monde*[d]. »

Bernard réconforte et exhorte ses frères **9.** Or, le père saint, abondamment doué *d'entrailles* de compassion et *de miséricorde*[a], voyant ses enfants très chers se consumer et sécher si pitoyablement dans la crainte et l'attente de la cruelle désolation et de la perte lamentable qui les menaçaient de tout près, les réconfortait par des consolations très douces. Il les engageait à jeter plus fermement, par une inébranlable charité, *l'ancre*[b] de l'espérance et de la foi dans la rade sûre de la divine clémence, et promettait aussi que, même après sa mort, il ne les abandonnerait jamais. D'autre part, avec une affection plus intense que notre parole ne saurait l'exprimer, il s'efforçait, en priant et en suppliant avec bien des larmes, d'inculquer et d'imprimer dans nos âmes la crainte de Dieu, et l'amour de la sainte chasteté et de toute perfection.

Sed et monebat et cum lacrimis obtestabatur, ut si quid
15 forte virtutis, aut exemplo nobis aliquando commendasset
aut verbo, id aemularemur, id firmiter teneremus et profi-
ceremus in eo ; aliis quidem verbis sed eodem spiritu illud
apostolicum loquens : *Rogamus vos et obsecramus in Domino*
204 *Iesu, ut quemadmodum ac*⌐*cepistis a nobis quomodo vos opor-*
20 *teat ambulare et placere Deo per omnia, sic et ambuletis, ut*
abundetis magis[c]. Atque utinam tam efficaciter persuaserit
quam affectuose suaserit.

Modum autem aegritudinis eius si quis nosse desiderat,
exstat epistola, quam ad amicum quemdam paucissimis
25 diebus ante sacram a nobis profectionem suam ipse dictavit.
Quam nimirum huic nostrae narrationi duximus inse-
rendam, quod videlicet etsi aliena quoque de ipso, amplius
tamen nos ipsius de se verba delectent.

10. (Epistola eius ad Arnaldum Bonaevallis abbatem qui
ei quaedam xenia mittens de eius valetudine per nuntium
fuerat sciscitatus.)

« Suscepimus caritatem vestram in caritate, et non in
5 voluptate. Quae enim voluptas, ubi sibi totum vindicat
amaritudo, nisi quod solum nihil comedere utcumque
delectabile est ? *Somnus recessit a me*[a], ne vel beneficio sopiti

---

c. 1 Th 4, 1 ≠
10. a. Dn 6, 18 ≠

1. L'auteur du livre II de la *Vita prima* : voir Introduction (*SC* 619,
p. 21-25).

2. R. U. SMITH (« Arnold of Bonneval, Bernard of Clairvaux, and
Bernard'Epistle 310 », *ACist* 49, 1993, p. 273-318, ici p. 316 et n. 139)
précise que, dans le monde monastique, le mot *caritas* « signifiait souvent
une distribution de nourriture et de vin, parfois même seulement de vin »

Mais il nous pressait aussi et nous conjurait avec larmes d'imiter sa conduite, si jamais il nous avait parfois, par son exemple ou par sa parole, recommandé quelques vertus ; de les garder fermement et de progresser en elles. Il nous disait, avec d'autres mots, certes, mais dans le même esprit, cette parole de l'Apôtre : *Nous vous le demandons et vous y engageons dans le Seigneur Jésus : vous avez appris de nous comment vous devez vous conduire pour plaire à Dieu en toutes choses ; conduisez-vous donc ainsi, pour y faire encore de nouveaux progrès*[c]. Si seulement il nous avait persuadés avec une efficacité égale à son affection !

Or, si quelqu'un désire connaître la nature de sa maladie, il existe une lettre à un de ses amis que lui-même dicta très peu de jours avant son saint départ de notre communauté. Nous avons estimé qu'il fallait absolument l'insérer dans notre récit parce que, bien que les paroles des autres sur lui soient elles aussi agréables, toutefois ses propres paroles sur lui-même le sont bien davantage.

Lettre de Bernard à Arnaud, abbé de Bonneval

10. (Sa lettre à Arnaud, abbé de Bonneval[1], qui, en lui envoyant des cadeaux, s'était enquis de sa santé par l'intermédiaire d'un messager.)

« Nous avons reçu votre témoignage d'affection[2] avec affection – je ne saurais dire avec plaisir. Quel plaisir reste, en effet, quand l'amertume réclame tout pour elle, si ce n'est celui de ne rien manger, seule chose encore en quelque sorte agréable ? *Le sommeil m'a quitté*[a], afin que la douleur

(nous traduisons). Sans aucun doute, c'est cela le sens exact du mot dans ce contexte : Arnaud avait envoyé à Bernard ce cadeau, peut-être dans l'espérance qu'un peu de vin ferait du bien à son estomac et réjouirait son cœur (cf. 1 Tm 5, 23 et Ps 103, 15). Dès lors, la réponse de Bernard devient parfaitement intelligible. Pour ce sens du mot *caritas*, cf. BLAISE, *Lexicon*, p. 149.

sensus dolor umquam recedat. Defectus stomachi fere
totum quod patior est. Frequenter in die et in nocte exigit
10   confortari modico admodum qualicumque liquore, nam ad
solidum omne inexorabiliter indignatur. Hoc parum quod
dignatur admittere, non sine gravi molestia sumit ; sed timet
graviorem, si sese vacuum omnino dimiserit. Quod si plus-
culum quid interdum admittere acquiescat, id gravissimum.
15   Pedes et crura intumuerunt, quemadmodum hydropicis
contingere solet. Et in his omnibus, ne quid lateat amicum
de statu amici sollicitum, *secundum interiorem hominem*[b],
ut minus sapiens dico[c], *spiritus promptus est in carne infirma*[d].

Orate Salvatorem, qui *non vult mortem peccatoris*[e], ut
20   tempestivum iam exitum non differat, sed custodiat. Curate
munire votis *calcaneum* nudum meritis, ut is qui *insidiatur*[f],
invenire non possit ubi figat dentem, et vulnus infligat.
Haec ipse dictavi, sic me habens, ut per notam vobis manum
agnoscatis affectum. »

11. Hoc exemplar epistolae, quam, ut nos diximus, et ipsa
quoque eius verba declarant, pater sanctus exitu iam immi-
205   nente dic|tavit. Ex cuius tenore possit nimirum diligens lector
sacrum illius vel ex parte aliqua pectus agnoscere, quanta

---

b. Rm 7, 22   c. 2 Co 11, 23 ≠   d. Mt 26, 41 ≠   e. Ez 33, 11 ≠
f. Gn 3, 15 ≠

1. Cf. HORACE, *Satires* II, 1, 77 (éd. F. DE VILLENEUVE, *CUF*,
Paris 1958⁵, p. 137).

2. *Ep* 310 (*SBO* VIII, p. 230). Le texte donné ici par Geoffroy, outre
quelques variantes insignifiantes, présente une différence par rapport
à celui des *SBO* : il ne contient pas la phrase finale de la lettre. On sait
que l'authenticité bernardine de cette missive, qui clôt la collection officielle des lettres *(Corpus epistolarum)* constituée par Geoffroy d'Auxerre
quelque temps après la mort de Bernard en 1153, a été mise en doute

ne me quitte jamais, pas même grâce à l'assoupissement des sens. Presque toute ma souffrance réside dans la faiblesse de mon estomac. Souvent, jour et nuit, il exige d'être soulagé par un petit peu de liquide, quel qu'il soit, car il rejette inexorablement tout aliment solide. Ce peu même qu'il veut bien accepter, ce n'est pas sans beaucoup de peine qu'il l'absorbe, mais il craint d'en souffrir une bien pire encore, s'il restait entièrement vide. Que s'il consent à accepter parfois quelque chose de plus, c'est extrêmement pénible. Mes pieds et mes jambes sont enflés, comme il arrive d'ordinaire aux hydropiques. Et en tout cela, pour que rien ne reste caché à un ami soucieux de l'état de son ami, *du point de vue de l'homme intérieur*[b] *– je parle comme un fou*[c] *–, l'esprit est plein d'ardeur dans une chair infirme*[d].

Priez le Sauveur, qui *ne veut pas la mort du pécheur*[e], de ne pas différer mon exode – il est temps désormais que je parte ! –, mais de le prendre sous sa garde. Ayez soin de protéger par vos prières *mon talon* nu de mérites, pour que celui qui *me guette*[f] ne trouve pas où enfoncer sa dent[1] et m'infliger une blessure. J'ai moi-même écrit cette lettre, dans l'état où je suis, pour qu'à la main bien connue vous reconnaissiez mon affection[2]. »

Complainte de Geoffroy sur la mort de Bernard

11. Voilà la lettre que, comme nous l'avons dit et comme ses propres paroles le déclarent, le père saint écrivit lorsque son départ était désormais imminent. Par son contenu, le lecteur attentif pourra aisément reconnaître, au moins en partie, la sainteté de ses sentiments :

---

par A. H. Bredero. Sur toute cette question, qui a fait couler beaucoup d'encre, voir notre Introduction (*SC* 619, p. 104-110). On peut lire une belle analyse de la *Lettre* 310, sous un angle à la fois littéraire et spirituel, dans LECLERCQ, *Bernard de Clairvaux*, Paris 1989, p. 90-93.

5 illi in ipsa sui ruina corporis tranquillitas mentis, serenitas
animi, *suavitas spiritus*[a], quanta sub fiduciae culmine radix
humilitatis. Sed et nostrum sub tam gravi articulo inconso-
labilem luctum aliquatenus illi aestimare licebit, pallidasque,
si pie senserit, turmas imaginabitur filiorum, exterminatas
10 facies, vultus exsangues, genas lacrimis sordentes, suspiria
quoque pectorum ac singultus.

Quis enim apud nos erat tumultus cogitationum, quod
naufragium animorum, cum thesaurus tam amabilis rape-
retur a nobis, et praesentibus cernentibusque nec spes esset
15 retinendi, nec facultas aliqua commeandi ? Pater erat, sed
qualis pater, qui videbatur abire. Nobis quodammodo
proprius, verius tamen toti mundo communis. Erat enim
omnium et bonorum gloriatio et malignantium metus, ut
de eo non incongrue videretur esse psallendum : *Videbunt*
20 *recti et laetabuntur, et omnis iniquitas oppilabit os suum*[b].
Quo praesente sanctitas omnis iucundabatur, praesumptio
frenabatur, duritia compungebatur. Quo praesente celebris
quisque conventus velut quodam sole resplenduit ; absente,
caliginosus et quodammodo mutus apparuit.

25 Quam devote, quam pie singulis nostrum et tunc hodieque
clamandum : *Pater mi, pater mi, currus Israel, et auriga eius*[c] !

---

11. a. 2 Co 6, 6 ≠   b. Ps 106, 42   c. 2 R 2, 12 ; 13, 14

1. Dans la recension B, Geoffroy a profondément remanié la suite de ce
chap. 11. Il en a sorti quelques phrases et les a déplacées, avec des retouches,
à la fin de *Vp* III pour former une nouvelle conclusion de ce livre, rem-
plaçant ainsi celle de la recension A (cf. *Vp* III, 31, *supra*, p. 110-111, n. 1).
Ce qui restait du chap. 11 de la recension A, il l'a gardé à cet endroit dans
la recension B, avec quelques modifications, indispensables pour former
un nouveau texte cohérent, beaucoup plus court que le texte primitif. Voir
les deux rédactions (A et B) de *Vp* V, 11 mises en regard dans BREDERO,
Études, ASOC 17/1-2, 1961, p. 56-57.

combien étaient grandes, dans le délabrement même de son corps, la tranquillité de son cœur, la sérénité de son âme, *la douceur de son esprit*[a]; combien sa très haute confiance s'enracinait dans une profonde humilité[1]. Mais il lui sera possible aussi d'apprécier, jusqu'à un certain point, notre inconsolable chagrin dans une si grave conjoncture; il se représentera, s'il est doué de quelque sensibilité, la foule pâle de ses enfants, leurs figures défaites, leurs visages exsangues, leurs joues baignées de larmes, et aussi les soupirs et les sanglots qui secouaient leurs poitrines.

Quel n'était pas chez nous, en effet, le tumulte des pensées, le naufrage des esprits, lorsqu'un si aimable trésor nous était ravi, et que nous, qui étions présents et qui voyions cela, nous n'avions ni l'espoir de le retenir, ni le moyen de le suivre? C'était notre père, et quel père, qui s'en allait sous nos yeux! Il était plus particulièrement à nous, en quelque sorte, et cependant il était vraiment commun au monde entier[2]. Il était, en effet, la gloire de tous les bons et la terreur de tous les méchants, si bien qu'il ne semblait pas déplacé de chanter à son sujet avec le psaume: *Les hommes droits verront et se réjouiront, et toute injustice fermera la bouche*[b]. En sa présence, les saints étaient remplis de joie, les orgueilleux se retenaient, les cœurs endurcis étaient touchés. En sa présence, toute assemblée, si illustre fût-elle, brilla comme éclairée par une sorte de soleil; en son absence, elle apparut sombre et, pour ainsi dire, muette.

Avec quelle ferveur, avec quelle piété chacun de nous doit s'écrier, aujourd'hui comme alors: *Mon Père! Mon Père! Char d'Israël et son conducteur*[c]! Tu étais le havre des hommes

---

2. Geoffroy élargit le rôle de Bernard bien au-delà des murs de son monastère et de ceux fondés par Clairvaux. Il a su mesurer, en toute sa portée, l'influence exercée par Bernard sur l'Église et la société de son temps.

Tu fluctuantium portus, clypeus oppressorum ; et ut de seipso beatus Iob loquitur dicens : *Caeco fuisti oculus, et pes claudo*[d]. Tu perfectionis exemplar, virtutis forma, speculum

30 sanctitatis. *Tu gloria Israel, tu laetitia Ierusalem*[e], tu deliciae tui saeculi, et unicum tui temporis decus. *Oliva fructifera*[f], *vitis abundans*[g], *palma florida, cedrus multiplicata*[h], *platanus exaltata*[i]. *Vas electionis*[j], *vas honoris*[k] *in domo Dei*[l], *vas auri solidum, ornatum omni lapide pretioso*[m], fide et sanctitate

35 solidum, et variis charismatibus tamquam gemmis ornatum. Tu Ecclesiae sanctae fortissima splendidissimaque columna, tu vehemens *tuba Dei*[n], tu dulcissimum sancti Spiritus organum, pios oblectans, desides excitans, debiles portans. Cuius medicinalis manus et lingua morbos utraque curabat : illa

40 corporum, ista morum. Cuius erat simplex habitus, supplex vultus, dulcis facies, gratiosus aspectus.

Cuius denique vita fructuosa, *mors pretiosa*[o], quia *tibi quoque Christus vivere fuit, et mori lucrum*[p]. Quod si nobis

206 alterum for\|tassis utilius, sed alterum multo melius tibi. Et

45 quod tibi iam commodum, nobis, si pie sapimus, non potest non esse iucundum. Ceterum etsi pium est congaudere tibi, pater bone, qui *in gaudium Domini tui* feliciter *introisti*[q], non tamen impium super nos ipsos flere, quos nimirum, abeunte te, solito gravius horror geminus circumsepsit, dum

50 *nobis est vita taedio*[r], mors timori. Et si pium congaudere

---

d. Jb 29, 15 ≠   e. Jdt 15, 10 ≠   f. Ps 51, 10   g. Ps 127, 3   h. Ps 91, 13 ≠
i. Si 24, 19   j. Ac 9, 15   k. Ez 23, 26 ≠   l. Ps 51, 10   m. Si 50, 10 ;
Ap 21, 19 ≠   n. 1 Th 4, 16   o. Ps 115, 15 ≠   p. Ph 1, 21 ≠   q. Mt 25, 21 ≠.
23 ≠   r. Sg 2, 1 ≠

---

1. L'éblouissant feu d'artifice des citations bibliques qui émaillent cette complainte souligne la solennité du style et l'intensité du pathos. Bernard

ballottés par les flots, le bouclier des opprimés ; et, comme le bienheureux Job le dit de lui-même : *Tu as été l'œil de l'aveugle, et le pied du boiteux*[d]. Tu étais le modèle de la perfection, l'image de la vertu, le miroir de la sainteté. *Tu as été la gloire d'Israël, toi, la joie de Jérusalem*[e], toi, les délices de ton siècle, et l'unique parure de ton époque. *Olivier chargé de fruits*[f], *vigne généreuse*[g], *palmier en fleur, cèdre luxuriant*[h], *platane élevé*[i]. *Vase d'élection*[j], *vase honoré*[k] *dans la maison de Dieu*[l], *vase d'or massif, rehaussé de pierreries de toute sorte*[m], ferme dans la foi et la sainteté, et orné de divers charismes comme de diamants[1]. Toi, colonne très solide et très éclatante de la sainte Église ; toi, puissante *trompette de Dieu*[n] ; toi, très doux instrument de l'Esprit Saint, qui charmais les hommes pieux, stimulais les tièdes, soutenais les faibles. Ta main et ta langue guérisseuses soignaient, l'une et l'autre, les maladies : celle-là les maladies des corps, celle-ci les maladies des âmes. Ton allure était simple, ton visage doux, ton aspect gracieux.

Bref, ta vie a été fructueuse et ta *mort précieuse*[o], car *pour toi* aussi *vivre, ce fut le Christ, et mourir, un gain*[p]. Si la première fut peut-être pour nous plus utile, la seconde, certes, fut pour toi bien préférable. Et ce qui est maintenant avantageux pour toi, ne peut pas manquer d'être agréable pour nous, si nous avons de justes sentiments. Mais, même s'il est juste de nous réjouir avec toi, père bon, qui *es entré* avec bonheur *dans la joie de ton Seigneur*[q], il n'est pourtant pas injuste de pleurer sur nous-mêmes ; vraiment, suite à ton départ, une double frayeur, plus intense que d'habitude, nous a saisis, puisque *la vie nous est pénible*[r], et que la mort nous

---

met en œuvre ce même procédé dans l'éloge qui clôt son *Sermon sur saint Malachie* 8 (éd. F. CALLEROT, P.-Y. ÉMERY et G. RACITI, *SC* 526, 2010, p. 276-279).

tibi, qui beato transitu mortis *ad torrentem voluptatis*[s], quem
ardenter sitieras, accessisti, nostram tamen vicem dolere non
impium, quibus et vivendi omnis pariter est sublata suavitas,
et moriendi necdum collata securitas. Et si pia tibi impen-
55 ditur congratulatio, felix anima, quae in plenitudine lucis
exsultas, non tamen impia super nos assumitur lamentatio,
qui relicti sumus ; post mirificam, in qua hactenus exsul-
tavimus, claritatem, horrere magis tenebras subintrantes ;
post aurea quae paulo ante vidimus saecula, gravius ferre
60 hoc plane ferreum, quod successit.

Sed reflectamus stylum ad ordinem narrationis, et pater-
num quibus possumus votis exitum prosequamur, exitum
nobis lugubrem, nam illi potius triumphalem.

12. Ante patris huius excessum accedentes ad eum filii,
quos per evangelium ipse genuerat, piissimum eius animum
lacrimabili supplicatione pulsabant, et haec atque huiusmodi
loquebantur : « Numquid non misereris huic monasterio,
5   pater ? Numquid non compateris nobis, quos tanto pietatis affectu maternis lactasti uberibus, paterna consolatione
fovisti ? Quomodo sic exponis labores tuos, quos in loco
hoc laborasti ? Quomodo tam dilectos hactenus filios sic

---

s. Ps 35, 9 ≠

1. *Ferrea... aurea* : écho discret de Virgile, *Bucoliques* IV, 8-10 (éd. E. DE
SAINT-DENIS, *CUF*, 1967, p. 60) : *Tu modo nascenti puero, quo ferrea
primum / desinet ac toto surget gens aurea mundo, / casta, fave, Lucina*,
« Daigne seulement, chaste Lucine, favoriser la naissance de l'enfant qui
verra, pour commencer, disparaître la race de fer, et se lever, sur le monde
entier, la race d'or ».

2. Bernard a orchestré ce thème dans *SCt* 9, 8-10 ; 10, 1-3 (*SC* 414, p. 210-
223), en commentant Ct 1, 1 : *Meliora sont ubera tua vino*, « Tes seins
sont délectables plus que le vin ».

épouvante. Et s'il est juste de nous réjouir avec toi, qui, par un heureux trépas, es parvenu *au torrent des délices*[s] dont la soif ardente t'avait tourmenté, il n'est pourtant pas injuste de nous affliger de notre sort, nous à qui toute douceur de vivre a été enlevée, et en même temps l'assurance de bien mourir n'a pas encore été donnée. Et s'il est juste de te féliciter, âme heureuse, qui exultes dans la plénitude de la lumière, il n'est pourtant pas injuste de nous lamenter sur nous, qui sommes abandonnés. Après la merveilleuse clarté, où nous avons exulté jusqu'à présent, nous nous effrayons d'autant plus des ténèbres qui commencent ; après l'âge d'or que nous avons vu il y a encore si peu de temps, il est plus cruel de supporter cet âge véritablement de fer[1] qui lui a succédé.

Mais reprenons le fil du récit, et racontons, au mieux de nos désirs, la mort de notre père, mort douloureuse pour nous, car pour lui elle fut, bien plutôt, triomphale.

Derniers entretiens de Bernard avec ses moines

12. Avant le départ de notre père, les enfants que lui-même avait engendrés par l'Évangile, s'approchant de lui, émouvaient son âme très tendre par des supplications et des larmes, et lui adressaient ces paroles et d'autres semblables : « Père, n'as-tu pas pitié de ce monastère ? N'es-tu pas touché de compassion pour nous, que tu as nourris du lait de ton sein maternel avec une si tendre affection[2], que tu as réconfortés avec une sollicitude paternelle ? Comment peux-tu exposer à de tels dangers les travaux que tu as accomplis dans ce lieu ? Comment peux-tu abandonner ainsi les enfants[3] que tu as tant aimés jusqu'à présent ? » Alors lui,

---

3. Cf. SULPICE SÉVÈRE, *Ep* 3, 10 (*Vie de saint Martin*, t. I, éd. J. FONTAINE, *SC* 133, 1967, p. 338).

relinquis ? » Tunc vero *flens* ipse *cum flentibus*ᵃ, et *columbi-*
10 *nos oculos*ᵇ in caelum porrigens, ac mente tota apostolicum
illum concipiens spiritum, testabatur *coarctatum se e duobus,*
*et quid eligeret ignorantem*ᶜ, divinae totum tribuere arbitrio
pietatis. Nam et hinc paterna illum *urgebat caritas*ᵈ, filiorum votis annuere, ut maneret ; et inde trahebat Christi
15 desiderium, ut migraret.

Cui tamen ab olim iam et altius radicata in pectore eius
humilitas persuaserat, ut ex intimo cordis affectu *servum*
*inutilem se esse diceret*ᵉ, et arborem sterilem reputaret, ex
cuius vita nullus sibi fructusᶠ, nullus alteri cuiquam prove-
20 niret. Nam et solitus erat in familiari collocutione fateri, vix
credere se hominibus, quod sic eum sibi utilem crederent ut
207 dicebant. Sed nec ᴵ parvum sese in suis super hoc cogitationibus perhibebat aliquando sustinuisse conflictum, quod
nec tam veraces homines fallere velle, nec tam prudentes
25 falli posse verisimile videretur, cum alterutrum excusare
non posset. Quem enim totus mirabatur orbis, solus ipse
(quod erat mirabilius) non videbat suae videlicet operationis
opinionisve splendorem, sicut ille quondam *vir simplex et*
*rectus*ᵍ, *nec solem cum fulgeret, nec lunam incedentem clare*
30 *vidisse*ʰ se memorabat.

12. a. Rm 12, 15 ≠   b. Ct 1, 14 ≠ ; 4, 1 ≠   c. Ph 1, 23 ≠.22 ≠
d. 2 Co 5, 14 ≠   e. Lc 17, 10 ≠   f. Cf. Mt 3, 10 ; Lc 3, 9   g. Jb 1, 1 ≠.
8 ≠ ; 2, 3   h. Jb 31, 26 ≠

pleurant avec ceux qui pleuraient[a], et levant au ciel *ses yeux de colombe*[b], et sentant toute son âme pénétrée de l'esprit de l'Apôtre, déclarait *qu'il était pris dans un dilemme, et ne savait pas que choisir*[c] ; aussi remettait-il tout au jugement de la divine miséricorde. Car d'un côté *sa charité* paternelle le *pressait*[d] d'acquiescer aux vœux de ses enfants et de rester avec eux ; de l'autre, son désir du Christ l'entraînait à partir.

Cependant l'humilité, enracinée depuis si longtemps et si profondément dans sa poitrine, l'avait conduit à *se déclarer serviteur inutile*[e] avec la plus intime conviction du cœur, et à se regarder comme un arbre stérile, dont la vie ne produirait aucun fruit[f], ni pour lui-même, ni pour les autres, quels qu'ils fussent. Car il avait coutume d'avouer, dans ses entretiens familiers, qu'il avait du mal à croire aux hommes, c'est-à-dire qu'ils le crussent aussi utile pour eux qu'ils l'affirmaient. Mais il rapportait aussi qu'il avait parfois soutenu un combat non médiocre dans ses pensées à ce sujet, puisqu'il ne lui paraissait vraisemblable ni que des hommes si véridiques veuillent tromper, ni que des hommes si sages puissent se tromper, car il ne saurait admettre ni l'un ni l'autre. En effet, lui que l'univers entier admirait, lui seul – chose encore plus admirable – ne voyait pas l'éclat de ses œuvres et de sa réputation, comme jadis cet *homme simple et droit*[g] qui ne se souvenait *avoir vu ni le soleil resplendir, ni la lune s'avancer radieuse*[h].

13. Novissime cum exterioris habitaculi undique iam soluta compago, desideranti animae liberum praestaret egressum, magnus ille dies illuxit, quo perpetuus illi ortus est dies. Ad cuius exitum vicini episcopi cum abbatum
5　et fratrum copiosa multitudine fuerant congregati. Hora autem diei pene tertia singularis lucerna suae generationis, sanctus ac vere beatus abbas Bernardus, *a corpore mortis*[a] *in terram viventium*[b] feliciter Christo duce migravit, ex filiorum circumstantium et inter graves singultus ac lacrimas
10　uberes utcumque psallentium choro ad multorum, quos ipse praemiserat, coetus transiens laetabundos, ad sanctorum cuneos gratulantes, ad obvia agmina angelorum.

Felix anima, quam sic levabant excelsa suorum privilegia meritorum, quam sic pia filiorum prosequebantur inferio-
15　rum vota ; sic quoque superiorum desideria sacra trahebant ! Felix ille et vere serenus dies, quo plenus ei meridies Christus illuxit. Dies cunctis vitae suae diebus tantis ab eo exspectatus desideriis, expetitus suspiriis, frequentatus meditationibus, orationibus praemunitus ! Felix transitus de labore ad refrige-
20　rium, de exspectatione ad praemium, de *agone* ad *bravium*[c], de morte ad vitam, de fide ad notitiam, de peregrinatione ad patriam, *de mundo ad Patrem*[d] !

---

13. a. Rm 7, 24 ≠　　b. Ps 26, 13 ≠　　c. 1 Co 9, 24 ≠ . 25 ≠　　d. Jn 13, 1 ≠

1. Voir, à ce propos, la belle étude de J. Leclercq, « La joie de mourir selon saint Bernard de Clairvaux », dans J. H. M. Taylor (éd.), *Dies illa. Death in the Middle Ages*, Liverpool 1984, p. 195-207 ; réédité dans Leclercq, *Recueil*, t. V, 1992, p. 429-442.

13. Enfin, lorsque la carcasse de sa demeure
extérieure, se désagrégeant désormais de toutes
parts, eut laissé libre passage à l'âme qui le
désirait, brilla ce grand jour qui devait faire
lever pour lui le jour éternel. Les évêques voisins, avec une
foule nombreuse d'abbés et de frères, s'étaient rassemblés
pour assister à sa mort. Ce fut vers neuf heures du matin
que cet extraordinaire flambeau de son époque, le saint et
vraiment bienheureux abbé Bernard, passa avec bonheur,
sous la conduite du Christ, *de ce corps de mort*[a] *dans la terre
des vivants*[b] ; du chœur de ses fils qui l'entouraient et psalmodiaient tant bien que mal[2] parmi de violents sanglots et
d'abondantes larmes, il s'en alla rejoindre l'assemblée joyeuse
de ceux, si nombreux, qu'il avait envoyés devant lui, et les
cortèges des saints qui le félicitaient, et les armées des anges
venant à sa rencontre.

(en marge :) Mort joyeuse de Bernard[1]

Heureuse âme, qu'élevaient ainsi les sublimes prérogatives
de ses mérites, qu'accompagnaient ainsi les pieuses prières
de ses fils restés ici-bas ; ainsi encore, l'attiraient les saints
désirs des esprits d'en haut ! Heureux et vraiment serein ce
jour, où brilla pour lui le plein midi : le Christ. Jour attendu
tous les jours de sa vie avec des désirs si ardents, réclamé avec
des soupirs, sujet de fréquentes méditations, préparé par
des prières ! Heureux passage de la peine à la consolation,
de l'attente à la récompense, de *la lutte* à *la couronne*[c], de la
mort à la vie, de la foi à la connaissance, de l'exil à la patrie,
du monde au Père[d] !

---

2. Nous avons remplacé la leçon de la recension A, *utrumque*, qui ne
donne guère de sens, par celle de la recension B, *utcumque*

De quo transitu eius multa novimus apparuisse quam
multis, et quidem non indigna relatu, sed difficile nimis
25   singula vestigare, et scribere omnia nimis longum. Nam
et usque modo *multifarie multisque modis*[e] paternus erga
filios amor, vere etiam nunc, immo nunc verius vivens et
vigens, crebris revelationibus eorum dignatur solari lacrimas, relevare maestitiam, ut quo dulcius ei gaudent, minus
30   anxie doleant sibi. Si qua tamen ex his minus prolixam desi-
derantia narrationem, lector scire desiderat, proprio magis
et novissimo credimus reservanda capitulo.

208 |**14.** Interim cetera prosequentes, quanta possumus vio-
lentia animos avertamus ab illo tam gravi gemitu et rugitu,
quo nimirum grex miserabilis, pastore migrante, personuit.
Parcamus paginae, et quantum possumus, stringamus ocu-
5   los, palpebras complodamus adversus lacrimas illas, quibus
in illo suae claritatis abscessu vallis nostra fluebat, Ecclesiae
protinus universae calicem sui propinatura maeroris, cui
hactenus consueverat stillare dulcedinem, gaudia fundere,
fluere consolationes.

10   Cum fidelis minister et *sacerdos Altissimi*[a] *ingreditur in
locum tabernaculi admirabilis*[b], *ad altare Dei*[c], sacram ei et
acceptabilem hostiam sui spiritus *oblaturus*[d], corpus etiam

---

e. He 1, 1 ≠
14. a. Gn 14, 18 ≠   b. Ps 41, 5 ≠   c. Ps 42, 4   d. 1 P 2, 5 ≠

1. Voir *Vp* V, 17-23 (*infra*, p. 298-311).
2. Cf. *Vie de Césaire d'Arles* II, 47 (éd. M.-J. DELAGE, *SC* 536, 2010,
p. 304, l. 5-6) ; *Vita Radegundis* II, 24 (éd. B. KRUSCH, *MGH Scriptores
rerum Merovingicarum* II, Hanovre 1888, p. 393).
3. Noter le jeu de mots raffiné qui apparaît en filigrane dans cette
phrase : Clairvaux, la claire vallée, a perdu sa clarté avec la mort de Bernard.

Au sujet de son passage, nous savons que bien des gens ont eu des visions nombreuses et qui ne seraient point indignes d'être rapportées ; mais il serait trop difficile de s'enquérir de chacune d'elles, et trop long d'en faire un récit exhaustif. Car jusqu'à présent, *à maintes reprises et sous maintes formes*[c], son amour paternel pour ses enfants, bien vivant et bien vigoureux encore maintenant, ou plutôt, maintenant plus que jamais, daigne par de fréquentes révélations consoler leurs larmes, soulager leur tristesse, afin qu'ils s'affligent pour eux-mêmes avec moins d'amertume dans la mesure où ils se réjouissent pour lui avec plus de douceur. Cependant, si le lecteur désire connaître quelques-unes de ces révélations qui n'exigent pas un récit trop prolixe, nous croyons devoir les réserver pour un dernier chapitre qui leur sera plus spécialement dédié[1].

Concours de foule à Clairvaux pour vénérer la dépouille mortelle de Bernard **14.** Pour l'instant, poursuivant notre narration, détournons nos esprits, avec toute la violence dont nous sommes capables, de ces gémissements et de ces rugissements si déchirants[2] qui retentirent au milieu de notre malheureux troupeau, lorsque son pasteur quitta cette vie. Ménageons cette page et, dans la mesure du possible, serrons nos yeux, battons de nos paupières pour faire barrage à ces larmes dont notre vallée fut inondée lors de la disparition de sa clarté[3] ; notre vallée qui allait aussitôt présenter le calice de son affliction à l'Église universelle, sur qui jusqu'à présent elle avait coutume de répandre la douceur, de verser la joie, de faire couler les consolations.

Tandis que le fidèle ministre et *prêtre du Très-Haut*[a] *entre dans le lieu de la tente admirable*[b], *près de l'autel de Dieu*[c], *pour* lui *offrir* son esprit en sainte et *agréable victime*[d], son

rite paratum et ornatum sacerdotalibus indumentis, oratorio
beatae Dei Genitricis infertur. Plurima quoque nobilium et
15 ignobilium de vicinis quibusque locis gemebunda protinus
turba convenit, et vallem totam *ploratus et ululatus multus*[e]
implebat. Amarius tamen pro foribus monasterii lamenta-
batur sexus miserabilior mulierum, quod accedentibus ad
beata vestigia viris, monastici ordinis disciplina inexorabiliter
20 eis etiam tunc negaret ingressum.

Biduo mansit in medio gregis pastor exstinctus, dum
pristina illa dulcissimi gratia vultus nil minorata, sed
aucta magis, omnium in se figeret oculos, animos traheret,
sepeliret affectus. Crescebat autem supra modum ruens
25 undique populi multitudo, et intolerabilis iam fiebat impetus
concurrentium, ac desiderabiles tenentium pedes, osculan-
tium manus, applicantium panes, balteos, nummos, et alia
quaeque servanda sibi pro benedictione et variis necessi-
tatibus profutura. Maxime tamen parati in diem tertium
30 sollemnem per loca proxima praestolabantur reponendi
sacri corporis eius horam, copiosius undique conventuri.
Nam et secunda die tantus circa meridiem populus fuerat
congregatus, et tanto pietatis zelo stipati undique sacrum
corpus obsederant, ut nulla pene episcopis reverentia, nulla
35 fratribus haberetur. Unde veriti ne quid simile aut forte
gravius accideret die tertia, praeoccupantes horam, et mane

e. Mt 2, 18

corps, préparé selon le rite et paré des vêtements sacerdotaux,
est transporté dans la chapelle de la bienheureuse Mère de
Dieu. Une foule innombrable de nobles et de roturiers se
rassembla aussitôt en gémissant de tous les lieux voisins ;
*des pleurs et une longue plainte*ᵉ emplissaient la vallée tout
entière. Mais plus amèrement devant les portes du monastère
se lamentaient les femmes, sexe plus malheureux, puisque
la discipline de l'ordre monastique leur interdisait inexorablement l'entrée, même en cette circonstance, tandis que les
hommes pouvaient s'approcher des restes du bienheureux.

Le pasteur défunt demeura deux jours au milieu de son
troupeau. La grâce pleine de douceur que respirait autrefois
son visage n'était nullement diminuée, mais plutôt accrue ;
elle captivait les regards de tous, attirait leurs cœurs, entraînait leurs affections jusque dans la tombe. Or, la multitude
du peuple qui se précipitait de toutes parts augmentait
outre mesure ; intolérable devenait maintenant la cohue
de tous ceux qui accouraient, et qui saisissaient ses pieds
si désirables, qui baisaient ses mains, qui approchaient de
son corps des pains, des ceintures, des pièces de monnaie
et d'autres objets qu'ils voulaient garder pour eux comme
des reliques, dont ils pourraient tirer parti dans diverses
nécessités. Cependant, dans les lieux voisins, les gens se
préparaient surtout pour la cérémonie du troisième jour ;
ils attendaient l'heure où son saint corps devait être déposé
dans la tombe pour accourir de partout en bien plus grand
nombre. D'autre part, le deuxième jour, une telle foule
s'était rassemblée aux environs de midi, et ces gens se
pressaient de toutes parts autour du saint corps avec une
si fervente piété, qu'on n'avait presque plus aucun égard
pour les évêques, et aucun pour les frères. Ceux-ci dès lors,
craignant que quelque chose de semblable ou peut-être

divina ex more sacrificia consummantes, sicut et biduum iam in celebratione missarum et iugi fecerant psalmodia, purissimum illud balsamum suo vasculo commisere, sub
40 lapide reponentes lapidem pretiosum, optimam margaritam.

209 |**15.** Consummatis ergo feliciter vitae suae diebus et annis circiter sexaginta tribus expletis, *dilectus Dei*[a] Bernardus, Claraevallis coenobii primus abbas, aliorum quoque amplius quam centum sexaginta monasteriorum pater, decimo tertio
5 kalendas septembris inter filiorum manus obdormivit in Christo. Sepultus est autem undecimo kalendas eiusdem mensis ante sanctum altare beatae Virginis Matris, cuius fuerat devotissimus ipse sacerdos. Sed et pectori eius ipso in tumulo capsula superposita est, in qua beati Thaddaei apos-
10 toli reliquiae continentur. Quas eodem anno ab Ierosolymis sibi missas, suo iusserat corpori superponi, eo utique fidei et devotionis intuitu, ut eidem apostolo in die communis resurrectionis adhaereat.

Prius tamen quam sacratissimum illud corpus tumulo
15 redderetur, unus e fratribus (Haimo nomen est ei), qui ex multis annis caduco morbo graviter laborabat, plena fide

---

15. a. Rm 1, 7 ≠

1. À la mort de Bernard, Clairvaux comptait probablement soixante-six filles directes, et sa filiation cent soixante-quinze monastères. Cf. A. GRÉLOIS, « La filiation de Clairvaux », dans *Clairvaux. L'aventure*, p. 89-90, ici 89.

2. Thaddée, l'un des Douze (cf. Mt 10, 3 ; Mc 3, 18), correspond, dans les listes de Lc 6, 16 et Ac 1, 13, à Jude, frère (ou fils) de Jacques.

d'encore plus fâcheux n'arrivât le troisième jour, devancèrent l'heure et célébrèrent dès le matin le saint sacrifice selon la coutume, comme ils avaient déjà fait les deux jours précédents pour la célébration de la messe et pour la psalmodie ininterrompue, puis ils confièrent ce baume très pur à son flacon, enfermant sous la pierre tombale cette pierre précieuse, cette perle magnifique.

Ensevelissement de Bernard. Un frère atteint de mal caduc obtient la guérison près de son corps

15. Ayant donc heureusement achevé les jours de sa vie, et à l'âge d'environ soixante-trois ans accomplis, *le bien-aimé de Dieu*[a], Bernard, premier abbé de la communauté de Clairvaux, père aussi de plus de cent soixante autres monastères[1], le 20 du mois d'août, entre les bras de ses enfants, s'endormit dans le Christ. Il fut enseveli le 22 du même mois, devant le saint autel de la bienheureuse Vierge Mère, dont il avait été le prêtre très dévot. Mais on plaça aussi sur sa poitrine, dans le sépulcre même, un coffret contenant des reliques du bienheureux apôtre Thaddée[2]. Elles lui avaient été envoyées de Jérusalem cette même année, et il avait ordonné de les placer sur son corps, certes dans cette pensée de foi et de piété, qu'il serait uni audit apôtre le jour de la résurrection générale.

[3] Toutefois, avant que son corps très saint fût déposé dans le tombeau, l'un des frères – son nom est Hémon[4] – qui depuis bien des années souffrait cruellement du mal caduc, s'approcha pour demander son secours avec une foi profonde.

---

3. La conclusion de ce chap. 15 *(Prius tamen quam… infelicitatis expertum)* a été supprimée dans la recension B.

4. Moine de Clairvaux inconnu par ailleurs.

opem flagitaturus accessit. Quem nunc usque superstitem novimus et nihil umquam ex ea hora praedictae infelicitatis expertum.

16. Facta sunt haec eodem anno quo beatus Papa noster Eugenius tertius, eiusdem patris sancti in conversatione sancta filius, ab hac luce, vel ab hac magis caligine migravit ad lucem, cuius merita in ipsa cui tam insigniter praefuit
5 Urbe miraculis pluribus illustrata coruscant. Successore eius Anastasio Romanae Ecclesiae praesidente, regnantibus autem in Romanorum imperio Frederico illustri, in Francorum regno piissimo rege Ludovico, filio Ludovici ; principatum Ecclesiae universae ac totius creaturae visibilis
10 et invisibilis monarchiam tenente Dei Filio Iesu Christo, anno ab incarnatione sua millesimo centesimo quinquagesimo tertio, qui cum Patre et Spiritu sancto vivit et regnat Deus in saecula saeculorum. Amen.

---

1. Un manuscrit de *Vp* intermédiaire entre la recension A et la recension B, qui fut copié au scriptorium de l'abbaye bénédictine d'Anchin par le moine Siger en 1165 et se trouve actuellement à la Bibliothèque Municipale de Douai (voir Introduction, *SC* 619, p. 28-29), présente ici un deuxième récit de miracle : un enfant à la main et au bras desséchés est guéri de son infirmité par le contact de sa main avec la main du corps de Bernard, exposé à la vénération des fidèles (texte dans BREDERO, *Études*, *ASOC* 17/1-2, 1961, p. 57). Ce récit se trouvait déjà dans la lettre de Geoffroy à l'archevêque Eskil de Lund, mais n'avait pas été conservé dans la recension A de *Vp* V, 15. Réintroduit dans le manuscrit d'Anchin, il fut finalement supprimé par Geoffroy dans la recension B, tout comme le récit de la guérison du moine Hémon. Sur l'absence quasi complète de miracles posthumes dans la *Vita prima*, voir Introduction (*SC* 619, p. 131-133).

Nous le connaissons, il est encore en vie maintenant et, depuis ce moment, n'a plus ressenti aucune atteinte de ladite infirmité[1].

Contexte historique de la mort de Bernard

16. Ces événements se sont produits la même année où notre bienheureux pape Eugène III, fils dudit père saint dans la sainte vie monastique, passa de cette lumière, ou plutôt de ces ténèbres, à la lumière[2] ; ses mérites, rehaussés par plusieurs miracles, brillent dans la Ville même où il avait si glorieusement régné. Son successeur Anastase[3] était le chef de l'Église romaine, l'illustre Frédéric[4] régnait dans l'empire des Romains, le très pieux roi Louis[5], fils de Louis, dans le royaume de France ; Jésus-Christ, Fils de Dieu, exerçait le pouvoir suprême sur l'Église universelle et la souveraineté sur toute créature visible et invisible, l'an de son Incarnation onze cent cinquante-trois, lui qui vit et règne avec le Père et l'Esprit Saint, Dieu dans les siècles des siècles. Amen.

2. Eugène III (cf. *Vp* II, 50, *SC* 619, p. 512, n. 3) mourut le 8 juillet 1153.

3. Conrad, dit « de Suburre », d'après le quartier de Rome dont il était originaire, cardinal-évêque de Sabine, fut intronisé comme pape le 12 juillet 1153 et prit le nom d'Anastase IV. Cf. la notice « Anastase IV » par K. SCHNITH, *DHP*, p. 87-88.

4. Frédéric Ier Barberousse fut élu roi des Romains le 4 mars 1152 (cf. *Vp* IV, 14, *supra*, p. 151, n. 5).

5. Louis VII le Jeune, fils de Louis VI le Gros, régna de 1137 à 1180 (cf. *Vp* IV, 11, *supra*, p. 140-143 et les notes).

17. Iam de supra memoratis revelationibus pauca dicturi, ab eo sumamus initium quod praedictum est antequam fieret anno sexto. Erant duo fratres in monasterio, de sacra beati patris vita et felicibus eius actibus colloquentes. Quorum
5 alter ab ineunte adolescentia educatus ibidem, ad alterum ait : « Nosti quot annos sit victurus hic beatissimus pater noster ? » Cui ille : « Nescio », inquit. Et alter : « Ego », ait, « novi eum sex aut septem annos adhuc in carne victurum ».
210 Hoc autem unde sciret, minime iam scire | possumus, quia nec
10 tunc indicavit, et ante patrem sanctum ipse decessit. Porro alterius hodieque superstitis relatione hoc verbum nobis innotuit, qui tunc primum magis miratus est se audisse, quando *ut* ab olim *audierat, ita vidit*[a].

Talis vero ille est, de cuius testimonio nec nos ambigimus,
15 nec cuilibet alteri qui eum noverit, credimus dubitandum. Neque id solum, sed quod non minori dignum admiratione videtur, nomen quoque et personam successoris ipsius, indicante sibi eodem fratre, ex tunc innotuisse testatur. Manifeste enim eadem hora frater ille praedixit quia :
20 « Dominus Robertus, qui hodie abbas est de Dunis, post

---

17. a. Ps 47, 9 ≠

---

1. Cf. *Vp* V, 13 (*supra*, p. 288-291).

2. Dans la recension B, Geoffroy a corrigé : « sept ans », sûrement pour harmoniser le début et la fin de ce chap. 17.

3. L'abbaye bénédictine des Dunes, fondée en 1107 près d'Ypres en Belgique, demanda son affiliation à Clairvaux en 1138. Bernard y envoya comme premier abbé Robert de Bruges (cf. *Vp* I, 62, *SC* 619, p. 337, n. 5), l'y accompagna et voulut assister à son installation ; peu après, il le consola de leur séparation par une belle et affectueuse lettre (*Ep* 324, *SBO* VIII, p. 261). Robert fut abbé des Dunes de 1138 à 1153, lorsqu'il fut rappelé à Clairvaux parce que désigné par Bernard lui-même comme son successeur.

Prophétie concernant la mort de Bernard et le nom de son successeur

17. Maintenant que nous nous proposons de dire quelques mots des révélations évoquées ci-dessus[1], commençons par un fait qui fut prophétisé six ans[2] avant qu'il ne se réalise. Il y avait dans le monastère deux frères, qui s'entretenaient de la sainte vie de notre bienheureux père et du succès de ses actions. L'un d'eux, élevé au monastère depuis le début de son adolescence, dit à l'autre : « Sais-tu combien d'années notre bienheureux père vivra encore ici-bas ? » « Je ne sais », lui répondit l'autre. Et le premier : « Moi, dit-il, je sais qu'il vivra encore six ou sept ans dans la chair. » D'où tenait-il cela, nous ne pouvons point le savoir maintenant, puisqu'il ne le révéla pas alors, et que lui-même mourut avant le père saint. Nous avons appris cette parole ensuite, par le récit de l'autre frère qui vit encore aujourd'hui, et qui s'étonna d'autant plus de ce qu'il avait alors entendu, qu'*il vit la chose arriver telle qu'il l'avait entendue annoncer*[a] autrefois.

Ce frère est tel que nous ne doutons point de son témoignage, et nous croyons que quiconque le connaît ne peut en douter. Et il n'y a pas que cela, mais encore – ce qui ne paraît pas digne d'une moindre admiration – il atteste qu'il avait connu alors le nom aussi et la personne du successeur de Bernard, d'après ce que lui avait révélé l'autre frère. Car l'autre frère prophétisa en même temps ceci en toutes lettres : « Dom Robert, qui est aujourd'hui l'abbé des Dunes[3],

---

Il fut abbé de Clairvaux de 1153 jusqu'à sa mort, le 29 avril 1157. Alors qu'il était encore abbé des Dunes, Bernard lui adressa une autre lettre pour l'engager à se montrer ferme envers un novice au caractère difficile (*Ep* 325, *SBO* VIII, p. 262). Cf. le commentaire de Gastaldelli aux *Lettres* 324 et 325, *Opere di san Bernardo*, t. 6/2, p. 354-355. Sur l'abbaye des Dunes, voir la notice « Dunes » par M.-A. Dimier, *DHGE* 14, 1960, col. 1039-1044.

hunc beatum patrem abbas futurus est Claraevallis. » Nam quod disiunctive sex vel septem annos victurum dicebat, ad hoc pertinuisse videtur, quod inventus sit terminus idem ultra sextum annum, intra septimum tamen.

18. Prope erat iam tempus et festinabat pater sanctus ad metam. Infirmabatur enim, sicut in huius libelli principio memoravimus, adeo ut *in illa iam infirmitate ipsius perfici virtus*[a], iam imminere exitus videretur. Interea fratres ins-
5 tare coeperant supplicationibus et obsecrationibus, quibus poterant, apud Deum. Unde etiam sanctus ipse cognoscens eorum precibus desiderium suum differri, cum aliquanto melius secundum corpus habere coepisset, congregatis fratri-bus haec eadem verba locutus est : « Quid tenetis miserum
10 hominem ? Fortiores estis, et invaluistis. Parcite, quaeso, parcite et sinite me abire. » Prius tamen cum in summo periculo et timore fratres omnes in orationibus humiliarent animas suas, uni eorum visio talis apparuit. Occurrebat cum multa exsultatione *viro Dei*[b] extra monasterii claus-
15 tra innumerabilis multitudo. In qua tamen processione, solos quatuor praeeuntes idem frater qui videbat agnovit : magnum illum dilectorem eius atque dilectum, cuius et ipse in libro quarto *de Consideratione* cum laude meminit, Gaufridum episcopum Carnotensem ; Humbertum quoque,
20 qui Igniacensis coenobii fuerat primus abbas ; et duos eius fratres germanos, Guidonem scilicet et Gerardum. Exceptus

---

18. a. 2 Co 12, 9 ≠   b. 2 R 4, 42

1. Par ce récit, Geoffroy apporte son soutien à l'abbé Robert qui, semble-t-il, n'avait pas fait l'unanimité comme successeur de Bernard, tant à Clairvaux que dans l'ordre cistercien : cf. BREDERO, *Bernard de Clairvaux*, p. 38-39.

2. Voir *Vp* II, 4 (*SC* 619, p. 386-387, n. 1).

3. Voir *Vp* I, 48 (*SC* 619, p. 304-305, n. 3).

sera abbé de Clairvaux après notre bienheureux père[1]. »
Par ailleurs, pour ce qui est de l'alternative énoncée par ce
frère, à savoir que Bernard vivrait encore six ou sept ans, elle
semble avoir indiqué le fait que ladite échéance se situerait
au-delà de la sixième année, dans le courant de la septième.

Un frère apprend par une vision que la mort de Bernard aura lieu au temps de la cueillette des fruits nouveaux

18. Le temps annoncé était désormais proche, et le père saint se hâtait d'atteindre le but. Car il s'affaiblissait, ainsi que nous l'avons raconté au début de ce livre, si bien que, *dans cette faiblesse même, sa vertu paraissait s'accomplir*[a] et son départ être imminent.
Entre-temps les frères présentaient sans relâche à Dieu des
supplications et des prières aussi instantes que possible. Aussi
le saint lui-même, s'apercevant que son désir était retardé
par leurs prières, puisqu'il avait commencé de se porter un
peu mieux dans son corps, après avoir réuni les frères, leur
adressa ces paroles : « Pourquoi retenez-vous ce pauvre
homme ? Vous êtes les plus forts, et vous avez eu le dessus.
Arrêtez, je vous en prie, arrêtez et laissez-moi aller. » Déjà
auparavant toutefois, comme tous les frères, au plus fort du
danger et de la crainte, humiliaient leurs âmes dans la prière,
l'un d'eux eut cette vision. Une multitude innombrable, en
grande liesse, allait au-devant *de l'homme de Dieu*[b] hors de
l'enceinte du monastère. Cependant, dans cette procession,
ledit frère qui avait la vision reconnut seulement quatre
personnages qui marchaient en tête : cet illustre Geoffroy
évêque de Chartres[2], qui aimait profondément Bernard et
en était pareillement aimé, et que celui-ci évoque avec tant
d'éloges dans le quatrième livre de son *De la Considération* ;
Humbert[3] aussi, qui avait été le premier abbé de la communauté d'Igny ; et deux frères germains du saint, à savoir Guy

itaque reverenter, et post osculum pacis amica diu colloquia miscens pater beatus, cum his quatuor stabat, exspectante seorsum multitudine ceterorum.

25 Novissime salutantes eum praedicti viri, ex hoc sibi iam redeundum esse dicebant. Tum vero expalluit ille, et circumfusa sibi maestitia internum declarans animi dolorem :

211 « Quid ergo », ait, « sine me | vultis abire ? » Et illi : « Non possumus adhuc tuo et nostro satisfacere desiderio, 30 donec veniat tempus novorum. » Dicebant autem tempus novorum, quo fruges novae colligerentur, sicut evidenter postmodum probavit eventus, dum in Augusto mense decessit. Mane ergo frater ille, cui hoc ostensum fuerat, consolatus est ceteros, velut iam imminentem patris obitum 35 formidantes, et quod viderat et audierat indicavit. Adhuc autem hiems erat.

19. Eodem tempore altera quoque visio prioris confirmatio fuit. Nisi quod evidentius iam utriusque completa veritas probat, quam evidenter in utraque quod futurum erat, Dominus revelavit. Videbat enim frater quidam, et ecce 5 parabat vir beatissimus ascendere Ierosolymam, iamque ipso in procinctu itineris erat. Ad quem venerabilis Odo, qui a primis fere annis strenue satis et laudabiliter conversatus in

---

1. Guy était l'aîné des frères de Bernard ; il mourut en 1141 : cf. *Vp* I, 10 (*SC* 619, p. 198-203 et les notes) ; I, 45 (p. 298-301) ; I, 64 (p. 340-343). Gérard, le deuxième de la fratrie (cf. *Vp* I, 11-12, *SC* 619, p. 202-209), fut le cellérier de Clairvaux (cf. *Vp* I, 27, p. 248, l. 1-2) jusqu'à sa mort, le 13 octobre 1138 (cf. *Vp* III, 21, *supra*, p. 80-83 et les notes).

2. Nous avons rétabli la variante *dicebant* des manuscrits *B*, *C* et *D* de la recension A (qu'on trouve aussi dans tous les manuscrits de la recension B) à la place de la variante *dicebat*, qui a été adoptée par P. Verdeyen sur la base du seul manuscrit *A* de la recension A et qui est une erreur évidente du copiste (voir *CCCM* 89B, p. 211, l. 501 et l'apparat critique).

et Gérard[1]. Le bienheureux père, accueilli par eux avec révérence, après le baiser de paix engagea avec eux une longue conversation amicale ; il se tenait avec ces quatre, tandis que la foule des autres attendait à l'écart.

Enfin lesdits hommes, en le saluant, lui disaient qu'ils devaient désormais se retirer. Il pâlit alors, manifestant par la tristesse répandue sur son visage la douleur qu'il éprouvait à l'intérieur de son âme. « Pourquoi, dit-il, voulez-vous partir sans moi ? » Et eux de répondre : « Nous ne pouvons pas encore satisfaire ton désir et le nôtre, jusqu'à ce que ne vienne le temps des choses nouvelles. » Or, ils appelaient[2] « temps des choses nouvelles » celui de la cueillette des fruits nouveaux, ainsi que l'événement le prouva clairement ensuite, lorsqu'il mourut au mois d'août. Ainsi, le matin venu, le frère qui avait eu cette vision consola les autres, qui redoutaient la mort du père comme déjà imminente, et il révéla ce qu'il avait vu et entendu. Or, c'était encore l'hiver.

Autre vision annonçant la mort de Bernard **19.** À la même époque, une autre vision vint confirmer la précédente. Assurément, l'exactitude avec laquelle l'une et l'autre se sont maintenant accomplies prouve, de façon encore plus évidente, avec quelle évidence Dieu révéla dans l'une et dans l'autre ce qui devait arriver. Car un frère voyait ceci : voilà que le bienheureux se préparait à monter à Jérusalem, et était déjà sur le point de se mettre en route. Alors le vénérable Odon[3] qui, dès ses plus jeunes années, avait vécu avec une ferveur bien digne d'éloge dans le monastère, et qui

3. Odon, ou Eudes, sous-prieur de Clairvaux, mourut le 18 février 1153 (cf. VEYSSIÈRE, « Le personnel », p. 47, n° 134). Cette vision est également racontée par CONRAD D'EBERBACH, *Le Grand Exorde* III, ch. 7, v. 4-12, p. 144-145. Conrad rapporte aussi que Bernard vint visiter Odon mourant, le rassura quant à son salut éternel et, lorsque celui-ci mourut, s'approcha avec respect de son corps et baisa dévotement les pieds du défunt.

monasterio, absentium consueverat praepositorum supplere vices, reverenter accedens, dicebat se praecessurum.

10   Cuius visionis sic ostensa est veritas, ut praedictus vir Deo dignus *ad caelestem Ierusalem*[a], ubi vere visio pacis, parantem iam egredi, et paulo post secuturum patrem felici functus legatione praeiret.

20.   Sed et abbas quidam, satis ei et loco vicinus et devotus animo, paucis diebus ante felicissimum patris huius excessum, videbat eum pretiosissimis ornatum sacerdotalibus indumentis, et excellenti perfusum gloria, cum ingenti
5   sollemnitate ad altare deduci. Ad cuius introitum ecclesia magna magnis resultans vocibus exclamabat : « *Puer natus est nobis*[a]. » Vere etenim puer ipse *erat mitis et humilis corde*[b], et *sicut parvulus accipiens regnum Dei*[c]. In cuius merito gratulabunda natali angelica multitudo, et omnis
10   pariter sanctorum ecclesia, dum nobis videretur mori, sibi illum nasci ; dum hic consummaretur, ibi incipere ; non tam sonoris vocibus quam votis paribus concinens exsultabat. Si enim *ad unius paenitentiam peccatoris* tota illa *caelestis regio* in laetitiam suscitatur, quaenam illi *gaudia* exhibuisse
15   credenda est, per quem *gaudia* tanta receperat de tam multorum conversione et *paenitentia peccatorum*[d] ?

---

19. a. He 12, 22 ≠
20. a. Is 9, 6 (Lit.)   b. Mt 11, 29 ≠   c. Mc 10, 15 ≠ ; Lc 18, 17 ≠
d. Lc 15, 7 ≠. 10 ≠

---

1. Cf. l'hymne *Urbs Ierusalem beata / dicta pacis visio*, chantée aux vêpres du Commun de la dédicace de l'église (*LMH*, p. 1669).

2. Personnage non identifié.

remplaçait d'ordinaire les prieurs lorsqu'ils s'absentaient, s'approchant avec respect de Bernard, lui disait qu'il allait le devancer.

La vérité de cette vision fut clairement manifestée lorsque ledit homme, digne de Dieu, précéda, heureux ambassadeur, le père qui se préparait déjà à partir *pour la Jérusalem céleste*[a], où l'on a la vision de la véritable paix[1], et qui allait le suivre peu après.

Vision d'un abbé du voisinage. Éloge de Bernard

20. Mais aussi un abbé[2], très proche de lui par le lieu et très dévoué à lui par son âme, peu de jours avant la mort bienheureuse de ce père, le voyait, paré de vêtements sacerdotaux très précieux, et rayonnant d'une gloire extraordinaire, en train d'être accompagné à l'autel en grande pompe. À son entrée, la vaste église retentissait de voix sonores qui s'écriaient : *Un enfant nous est né*[a][3]. Car il *était* vraiment un enfant *doux et humble de cœur*[b], et *comme un tout-petit qui recevait le royaume de Dieu*[c]. Se félicitant, à juste titre, du jour de sa naissance[4], la multitude des anges et toute l'assemblée des saints se réjouissaient dans un chœur harmonieux, non de voix retentissantes mais de désirs unanimes, de ce qu'il naissait pour elles, tandis qu'il semblait mourir pour nous ; de ce qu'il commençait à vivre là-haut, tandis qu'il mourait ici-bas. Car, si toute cette *région céleste* est transportée de joie *lorsqu'un seul pécheur se repent*, quelle *joie* ne doit-on pas croire qu'elle a montrée à celui par qui elle avait reçu tant de joies, grâce à la conversion et *au repentir* d'un si grand nombre *de pécheurs*[d] ?

3. Introït de la messe du jour de Noël dans le *Missale Romanum*.

4. Sa naissance au ciel. On sait que les premiers chrétiens appelaient *dies natalis* le jour de la mort des martyrs, et, plus tard, de tous les fidèles du Christ.

Quis enim valeat aestimare, quantis in saeculari habitu et
conversatione manentibus, quam plurimis¹ utriusque sexus
ad alias transeuntibus congregationes, per huius fidelis famuli
ministerium dedit Dominus paenitentiam ad salutem ? Aut
quis numeret eos qui sub eius cura in centum sexaginta
monasteriis per Dei benignitatem ad paenitentiam sunt
adducti ? Nam ex his solis, qui speciales eius filii videbantur,
praeter eos qui iam cursum vitae feliciter consummaverant,
praeter eos qui per alia loca fuerant propagati, ea die qua
felicissimus pater ex Clara Valle montem ascendere meruit
clariorem, reliquit habitantes in ea septingentas ferme animas, Domino servientes.

Quid igitur mirum si gratus curiae, si acceptus Regi, si
exceptus cum laetitia et exsultatione credatur, in quo *gratia Dei* usque adeo *vacua non fuit*, qui tam fideliter, tam
efficaciter, *plus omnibus* sui temporis, et multarum retro
generationum *laboravit*ᵉ; qui *talentum sibi traditum*ᶠ tam
copiose multiplicavit, tanta denique lucra retulit de negotio ?
Sed de his hactenus, ne quis nos arguat eius, quam polliciti
sumus, metas excedere brevitatis.

21. Sane in monasterio praedicti illius abbatis, qui sic eius
natale praeviderat ea nocte, quam nobiscum pater sanctus
mane profecturus ultimam fecit, venerabili eius praeposito
apparens, valefecit illi et ait : « Noveris quia iam migro, nec
ulterius hic morabor. » Quod ut suo ille indicavit abbati,

---

e. 1 Co 15, 10 ≠   f. Mt 25, 14 ≠.15 ≠

1. Cf. *Vp* V, 15 (*supra*, p. 294, n. 1).
2. Élégant jeu de mots : *ex Clara Valle montem... clariorem.*
3. Cf. *Vp* V, 17 (*supra*, p. 298, l. 1) : *pauca dicturi.*
4. Personnage non identifié.

Qui pourrait, en effet, évaluer combien de gens, qui demeu-
rèrent pourtant dans l'état et dans la vie laïques, combien
plus encore de personnes des deux sexes qui entrèrent dans
des communautés autres que la sienne, le Seigneur amena
au repentir pour leur salut, par le ministère de ce fidèle serviteur ? Ou qui pourrait compter ceux qui, par la bonté de
Dieu, furent conduits au repentir sous sa houlette dans cent
soixante monastères[1] ? Car, pour ne parler que de ceux qui
semblaient être plus spécialement ses fils, sans compter ni
ceux qui avaient déjà heureusement achevé le cours de leur
vie, ni ceux qui avaient essaimé dans d'autres lieux, le jour
où le bienheureux père mérita de monter de Clairvaux sur
une plus claire montagne[2], il laissa presque sept cents âmes
habitant dans son monastère et servant le Seigneur.

Faut-il dès lors s'étonner si nous croyons qu'il fut cher
à la cour, agréable au Roi, accueilli avec joie et jubilation,
celui en qui *la grâce de Dieu ne fut* nullement *stérile*, lui qui
travailla si fidèlement, si efficacement, *plus que tous*[c] ceux
de son temps et de bien des générations passées ? Lui qui
fit fructifier si abondamment *le talent à lui confié*[f] ? Bref,
lui qui rapporta de si riches profits de son activité ? Mais
c'en est assez sur ce sujet, de peur que quelqu'un ne nous
reproche d'avoir dépassé les bornes de cette brièveté que
nous avons promise[3].

21. Dans le monastère de l'abbé dont
nous venons de parler, qui avait ainsi vu
d'avance sa naissance au ciel, la dernière
nuit que le père saint passa avec nous – il
allait partir le lendemain matin –, il
apparut au vénérable prieur[4] de cet abbé,

*Apparition de
Bernard au prieur
du monastère
susdit, la nuit
précédant sa mort*

lui fit ses adieux et lui dit : « Sache que je m'en vais désormais,
je ne resterai pas ici plus longtemps. » Lorsque celui-ci fit

accelerans abbas et Claramvallem veniens, ipso die abbatem sanctum, sicut dixerat, repperit iam migrasse.

22. <...>.

23. Proxima autem nocte postquam sacrum eius corpus sepulturae traditum fuerat, quantam adhuc pro filiis sollicitudinem gereret pater sanctus, et quomodo *suos quos in mundo dilexerat, in finem quoque diligeret*[a], evidenter
5 ostendit. Apparens enim cuidam fratri in multa gloria, et fulgore magno vestis ac vultus, et desiderantem tenere cito pertransiens, aiebat : « Quia pro quodam fratre simplice veni. » Audierunt hoc fratres et mirabantur, sed circa horam diei tertiam veritas comprobata est visionis. Defunctus est
10 enim quidam frater laudabilis admodum simplicitatis, et, sicut omnino credibile est, animam eius tanto duce felicem, qui pro eo se venire dixerat, secum tulit.

213 | Paucis quoque expletis diebus, alteri cuidam fratri magnifice satis apparens, et arguens de suo nos doluisse discessu,
15 post verba multae consolationis, et promissionem felicitatis aeternae in sua perseverantibus oboedientia et doctrina : « Hoc etiam scito », ait, « et dicito fratribus, cuiusdam vere sancti corpus, cuius et ego habeo vestem, in oratorio esse sepultum ». Dicebat autem episcopum Malachiam. Ipsius

---

23. a. Jn 13, 1 ≠

1. Le chapitre 22 a été ajouté par Geoffroy dans la rédaction B. Il relate la vision de Guillaume de Montpellier, moine de Grandselve, la nuit précédant la mort de Bernard : voir *Vp* IV, 5 (*supra*, p. 123, n. 2). Pour le texte latin de ce chap. 22, voir BREDERO, *Études, ASOC* 17/1-2, 1961, p. 58-59 (= *PL* 185, 363C – 364C) ; pour la traduction, voir Annexe II (*infra*, p. 320). Selon BREDERO (*Bernard de Clairvaux*, p. 47), Geoffroy dans ce récit a cité nommément Guillaume de Montpellier parce que celui-ci, qui

connaître cette vision à son abbé, l'abbé, faisant diligence et accourant à Clairvaux, trouva que ce jour-là même le saint s'en était déjà allé, comme il l'avait dit.

22[1]. <...>.

Deux apparitions posthumes de Bernard à Clairvaux. Son amitié pour l'archevêque Malachie O' Morgair

23. Or, la nuit qui suivit le jour où son corps sacré fut livré à la sépulture, le père saint montra à l'évidence quelle tendre sollicitude il aurait encore pour ses enfants et comment *il aimerait jusqu'à la fin les siens qu'il avait aimés dans ce monde*[a]. Entouré d'une gloire éblouissante, le visage et les vêtements étincelants, il apparut en effet à un frère et, comme celui-ci désirait le retenir, il passa outre prestement, en disant : « Je ne suis venu que pour un frère au cœur simple. » Les frères l'entendirent et s'en étonnaient, mais, vers la troisième heure du jour, la vérité de la vision fut prouvée. Car un frère d'une admirable simplicité mourut alors et, selon toute vraisemblance, celui qui avait dit être venu pour ce frère emmena avec lui son âme, heureuse de suivre un tel guide.

Quelques jours plus tard, il apparut aussi avec grande magnificence à un autre frère et, nous reprochant de nous être affligés de son départ, prodigua bien des paroles de consolation et la promesse du bonheur éternel pour ceux qui persévéreraient dans l'obéissance à ses enseignements. Il dit : « Sache aussi ceci et dis-le aux frères : le corps d'un homme vraiment saint, dont je porte le vêtement, est enseveli dans la chapelle. » Or, il faisait allusion à l'évêque Malachie[2]. Car

---

mourut en 1162, ne pouvait plus désormais être entendu comme témoin lors du procès de canonisation.

2. Malachie O' Morgair : cf. *Vp* II, 49 (*SC* 619, p. 510-511, n. 3) ; III, 1 (*supra*, p. 19, n. 3) ; IV, 21 (p. 164-167 et les notes).

20 enim tunicam, in qua sanctus ille feliciter obdormierat, ad
missarum sibi servaverat celebrationem, et moriturus in ea
sese iusserat sepeliri, sicut et sanctum illum in sua sepelierat
veste. Quod tamen verbum et ipsi fratri, et quampluribus
aliis usque ad hanc visionem prorsus erat ignotum. Felix
25 pontifex, cuius merita pater sanctus et vivens praedicave-
rat, et defunctus. Felix *caritas*, quae in morte *non excidit*[b].
Felix societas, quam nec illud divortium ceteris tam crudele
diremit. Gloriosi siquidem patres quemadmodum in vita sua
dilexerunt se, ita et in morte non sunt separati.

24. Nam et post dies circiter quadraginta abbas quidam
ex maioris Britanniae insula, sacrae illius societatis virtutem
feliciter experiri meruit in semetipso. Qui eodem tempore
cum ceteris coabbatibus suis ex more Cistercium petens,
5 in Claravalle remanserat, gemino quodam desperabiliter
occupatus incommodo, pleuresis scilicet et febris cotidianae.
Iamque eatenus longa vexatione defecerat, ut solum animae
eius exitum fratres, qui ei numquam deerant, observarent.

---

b. 1 Co 13, 8 ≠

1. Dans la recension B, Geoffroy a réintroduit ici un abrégé du panégyrique de Bernard qui clôt *Vp* III dans la recension A, et qu'il avait supprimé
ultérieurement : voir *Vp* III, 31 (*supra*, p. 110-111, n. 1). À la suite de cet
abrégé, trois manuscrits de la recension B présentent un ajout où l'on relate
l'apparition posthume de Bernard à un moine cistercien non identifié
pour l'exhorter à mener une vie plus fervente et mériter ainsi le bonheur
éternel : texte latin dans BREDERO, *Études, ASOC* 17/1-2, 1961, p. 59 et
n. 1. Dans ces trois manuscrits, cet ajout remplace la fin de *Vp* V, 23 telle
qu'on la lit ici dans la recension A *(Felix pontifex, cuius merita...)*. Pour
plus de détails à ce propos, voir notre Introduction (*SC* 619, p. 34-35, n. 2).

2. Allusion à l'ouvrage de saint Bernard : *Vie de saint Malachie*.

il avait gardé pour la célébration de la messe la tunique de celui-ci, dans laquelle ce saint s'était endormi avec bonheur ; et, sur le point de mourir, il avait ordonné qu'on l'ensevelît en elle, comme lui-même avait enseveli ledit saint dans sa propre robe. Mais ce fait était complètement ignoré du frère en question et d'un très grand nombre d'autres, jusqu'à cette vision[1]. Heureux pontife, dont le père saint, vivant[2] et mort, avait proclamé les mérites. Heureuse *charité*, qui *ne passa pas*[b] avec la mort. Heureuse amitié, que même cette séparation, si cruelle pour les autres, ne parvint pas à rompre. Car, de même que ces glorieux pères se sont aimés dans leur vie, ainsi ils n'ont pas été séparés dans la mort[3].

Guérison d'un abbé anglais à Clairvaux par l'action conjointe de Bernard et de Malachie après leur mort

24. Environ quarante jours plus tard, un abbé de Grande-Bretagne[4] mérita d'expérimenter avec bonheur en sa propre personne la vertu de cette sainte amitié. Cet homme, à l'époque dont nous parlons, tandis qu'il se rendait avec les autres abbés ses confrères à Cîteaux, selon la coutume[5], avait dû s'arrêter à Clairvaux, atteint d'un double mal sans espoir : une pleurésie et une fièvre quotidienne. Il était déjà tellement défaillant à cause de sa longue souffrance que les frères, qui ne l'avaient pas délaissé un instant, n'attendaient plus que le départ de son âme.

---

3. Écho de GRÉGOIRE LE GRAND, *Dial.* II, XXXIV, 2 (p. 234) : saint Benoît fait amener le corps de sa sœur Scholastique à son monastère du Mont Cassin et le fait déposer dans le tombeau qu'il s'était préparé pour lui-même, afin que « ceux dont l'esprit avait toujours été uni en Dieu ne fussent pas séparés même par la tombe » (*ibid.*, l. 11-13).

4. Personnage non identifié.

5. Il s'agit du chapitre général de l'ordre cistercien, qui rassemblait chaque année tous les abbés à Cîteaux.

Cumque animum eius angeret non tam desiderium vitae
10 praesentis quam absentium desolatio filiorum, quod peregre
moreretur, obnixe petiit ut ad tumulum sancti deportaretur
abbatis. Ubi cum orasset tota devotione qua potuit, beati
quoque episcopi Malachiae in aquilonali ipsius oratorii latere
positum cogitavit visitare sepulcrum, auxilium flagitare ; sed
15 fatigationem veritus, et quasi iam securus de incolumitate,
quod cogitaverat non implevit.

Die altera mane iterum fratres advocans, ut ad oratorium veniat opem sibi postulat exhiberi. Causantibus illis
(periculum siquidem verebantur) : « Omnimodis », inquit,
20 « oportet ut sancti Malachiae tumulum petam. Cum enim
nocte praeterita vix tenuiter obdormissem, expergefactus
subito audiebam vocem dicentem mihi : Sanatus iam ab
altera aegritudine tua, si ab altera vis sanari, episcopum
pete ».

25 Fecerunt illi ut ille voluit, et continuo factum est sicut
214 dictum erat | ad illum. Eadem die sanus factus, post pau-
cissimos dies iter arripuit et incolumis reversus est ad suos.

25. Tuum in hoc opere spiritum agnoscimus, dilectissime
pater, tuum zelum, tuam considerationem. Tuum hoc opus
sic deferre collegae tuo, ut hanc quoque ei communicares
qualemcumque gloriam, cum quo felicius apud *Dominum*
5 *gloriae*[a] gloriaris. Immo vero tui sunt haec omnia operis,
tui muneris, Deus noster. Tu enim omnem replesti ab
initio temporis terram praesentia tuae divinitatis, omnem

25. a. 1 Co 2, 8

Comme son esprit s'affligeait, non pas tant du regret de la vie présente que de la désolation de ses fils lointains, puisqu'il allait mourir en terre étrangère, il demanda instamment qu'on l'emmenât au tombeau du saint abbé. Après y avoir prié avec toute la ferveur dont il était capable, il eut la pensée de visiter aussi le sépulcre du bienheureux évêque Malachie, placé dans le côté nord de la chapelle, et d'implorer son secours ; mais, craignant sa grande fatigue, et presque assuré désormais de sa guérison, il ne donna pas suite à cette pensée.

Le lendemain matin, appelant de nouveau les frères, il les prie de l'aider à se rendre à la chapelle. Comme ils s'en excusaient (car ils redoutaient le risque), il déclara : « Il faut absolument que j'aille au tombeau de saint Malachie. Car la nuit dernière, après m'être légèrement assoupi, tout à coup réveillé j'ai entendu une voix qui me disait : Maintenant que tu es guéri de l'une de tes deux maladies, si tu veux être guéri de l'autre, va trouver l'évêque. »

Ils firent ce qu'il voulait, et aussitôt ce qui lui avait été annoncé se vérifia. Rendu à la santé le jour même, après très peu de jours il se mit en voyage et retourna sain et sauf chez les siens.

Action de grâce et prière de Geoffroy pour que la sainteté abonde toujours à Clairvaux

25. Nous reconnaissons ton esprit en cette manière de faire, père très aimé, ton zèle, ta délicatesse. Oui, c'est ta manière propre que de montrer une telle déférence à ton collègue, pour associer aussi à cette gloire, quelle qu'elle soit, celui avec qui tu es plus heureusement glorifié près du *Seigneur de la gloire*[a]. Ou plutôt, tout cela relève de ta manière de faire et de ton don à toi, ô notre Dieu. Car, dès le commencement du temps, tu as rempli toute la terre

aliquando repleturus gloria maiestatis : cuius tamen partes
interim quasdam, et aeterno praeelecta loca consilio excel-
10 lentius visitans, reples speciali gratia sanctitatis.

Fac, Domine, spirituali semper abundare frumento
Vallem, quam ut faceres re quam nomine clariorem, dignatus
es tam eximiae claritatis sideribus illustrare duobus. Custodi
domum, in qua tibi geminum hoc tam pretiosum depositum
15 custoditur. *Fiat nobis* denique *iuxta verbum tuum*[b], ut *ubi
est thesaurus tuus, ibi sit et cor tuum*[c], ibi *gratia et miseri-
cordia*[d], et respectus assiduae pietatis super omnes *in tuo
ibidem nomine congregatos*[e], *quod est super omne nomen*[f],
sicut et tu super omnia Deus benedictus in saecula. Amen.
20 Explicit vita sancti Bernardi primi Claraevallis abbatis.

b. Lc 1, 38 ≠   c. Mt 6, 21 ≠   d. 1 Tm 1, 2 ≠ ; 2 Tm 1, 2 ≠   e. Mt 18, 20
f. Ph 2, 9 ≠

1. Il s'agit bien sûr de Bernard et Malachie.

2. L'édition de la *Vita prima* par Mabillon (*Sancti Bernardi Opera
omnia*, vol. II, Parisiis 1690, col. 1160-1162), reprise par Migne, adjoint
ici un dernier long chapitre (n° 26, voir *PL* 185, 366A – 368C), où est
relatée l'apparition posthume de Bernard à Amaury Ier (1135-1174), fils
de Foulques V comte d'Anjou, roi de Jérusalem, et de la reine Mélisende,
lui-même roi de Jérusalem à partir de 1163. L'événement se produisit
pendant l'expédition d'Amaury en Égypte en 1168 contre les Turcs et
les Arabes guidés par le général kurde Chirküh – appelé ici, en latin,
Sarracon –, oncle de Saladin. La nuit précédant l'affrontement entre les
deux armées, Bernard apparaît en songe à Amaury, lui reproche ses péchés
et lui déclare qu'il n'est pas digne de porter dans le combat le fragment de
la vraie Croix qu'il garde suspendu à son cou. Effrayé, le roi se confesse à
Bernard, qui prend dans sa main la précieuse relique, bénit avec elle le roi et
lui prédit la victoire. Amaury demande à Bernard de lui rendre la relique,
mais celui-ci lui répond qu'il doit procurer par elle les bénédictions du ciel
à ses enfants ; alors le roi se réveille. Au lever du jour, le combat s'engage et
Amaury, encerclé par les Turcs, est sur le point d'être tué ou capturé. Alors,

de la présence de ta divinité, toi qui, un jour, la rempliras tout entière de la gloire de ta majesté ; en attendant, néanmoins, tu visites d'une façon privilégiée certaines de ses régions et certains lieux choisis d'avance dans ton éternel dessein, et tu les remplis d'une grâce spéciale de sainteté.

Fais, Seigneur, que toujours abonde en froment spirituel la Vallée que tu as daigné illustrer par deux astres d'une clarté si éclatante, pour la rendre plus claire encore de fait que de nom. Garde la maison où se garde pour toi ce double dépôt si précieux[1]. Enfin, *qu'il nous advienne, selon ta parole*[b], que *là où est ton trésor, là soit aussi ton cœur*[c], là soient *la grâce et la miséricorde*[d], et le regard de ta constante pitié sur tous *ceux qui y sont réunis en ton nom*[e], *qui est au-dessus de tout nom*[f], comme toi aussi, tu es au-dessus de tout , Dieu béni dans les siècles. Amen[2].

Cy finit la vie de saint Bernard premier abbé de Clairvaux.

---

se souvenant de sa vision, il promet à Dieu et à saint Bernard d'envoyer sa précieuse relique à Clairvaux. Aussitôt, il est secouru et délivré par un escadron de ses chevaliers et il obtient une éclatante victoire sur l'armée ennemie. Dans l'édition Mabillon-Migne, ce n° 26 est précédé par une note, où il est dit que ce chapitre, absent des éditions antérieures *(deest in vulgatis)* se trouve *in codice Vaticano n° 676*, où il clôt *Vp* V. Il s'agit du manuscrit Vatican lat. 676, qui contient *Vp* I-V aux f. 11-941. BREDERO *(Études, ASOC* 17/1-2, 1961, p. 26) le classe, dans sa liste des manuscrits de la recension B, parmi ceux du XVe siècle. Cependant, le grand érudit hollandais ne mentionne pas *Vp* V, 26 dans son relevé des variantes entre le texte de la recension A et celui de la recension B : signe manifeste qu'il regardait ce chapitre comme inauthentique, adjoint au livre V de la *Vita prima* par un copiste postérieur. Tel est aussi notre avis, parce que la prose assez plate de ce passage et son contenu romanesque ne sont guère conformes au style de Geoffroy d'Auxerre. De plus, l'événement raconté ici eut lieu en 1168, quand Geoffroy avait déjà achevé la rédaction de la recension B. Puisque la *Vita prima*, contrairement au schéma stéréotypé des biographies hagiographiques, se montre très discrète sur les miracles posthumes de Bernard, il est permis de penser qu'un copiste anonyme du XVe siècle a voulu suppléer, par ce récit, ce qui lui paraissait une lacune de l'ouvrage.

ANNEXE 1

PRÉFACE AUX LIVRES III-V

Par Geoffroy, qui fut moine de Clairvaux et secrétaire de saint Bernard, et plus tard abbé[1]

Des hommes éminents ont consigné, pour la gloire du Christ et l'édification de la multitude, la mémoire de notre très illustre père Bernard, abbé de Clairvaux. Ils ont certes trouvé une abondante matière, et ils ne l'ont pas rapportée intégralement, mais en partie, chacun selon ses possibilités et selon la connaissance plus sûre qu'il avait de la vérité des faits. Or, il semble à bien des gens que celui qui doit le moins garder le silence sur un tel homme, c'est l'enfant de sa sainteté, le fils de sa grâce, le nourrisson de sa bienveillance ; celui que la mort, et la mort seule, a pu arracher de son sein, où il était demeuré près de treize ans. Ce malheur, je ne dois m'en souvenir, ni ne puis en parler, sans pousser des sanglots. Plût au ciel, père saint, qu'en ce travail te plaise encore aujourd'hui cet enfant, comme il semblait te plaire

---

1. Notre traduction, d'après le texte latin de l'édition Mabillon-Migne, *PL* 185, 301C – 303A. Voir Introduction (*SC* 619, p. 27 et n. 4 ; p. 117 et n. 2) ; *Vp* III, 1 (*supra*, p. 18-19, n. 1).

autrefois et pendant plusieurs années ! Quel autre t'est aussi redevable que moi, quel autre t'a été aussi dévoué, quel autre a été autant tien ?

Elle a enfoncé sa dent, je l'avoue, elle a méchamment enfoncé sa dent la mort cruelle, mais elle n'a pas tout dévoré en même temps. Elle a amputé, non extirpé ; elle a pris sans pitié la portion qui lui revenait. Elle a ôté la possibilité de te voir, de t'entendre, et même de te servir corporellement ; mais elle ne m'a pas ravi l'assurance que, à présent encore, tu me protèges, elle n'a pas anéanti l'espérance de te revoir un jour ; enfin, elle n'a point arraché ce sentiment d'affection filiale enraciné si profondément dans ma mémoire du passé.

Au reste, certes – et je ne le sais que trop – je manque de la science et de l'éloquence adéquates, surtout pour un si grand œuvre. Mais pour célébrer tes hauts faits et proclamer dignement tes louanges, ni le génie d'Origène, ni la langue de Cicéron ne suffiraient. Toutefois, il ne faut pas désespérer qu'un lecteur avisé saura tirer fruit de tes actions plus que des feuilles sans valeur où sont consignées mes paroles ; ainsi, il goûtera la douceur des unes plus qu'il ne blâmera la sécheresse des autres, et il pensera moins à critiquer celles-ci avec malveillance qu'à se nourrir de celles-là avec bonheur. Car on a coutume de raconter avec plus de certitude et de sincérité ce qu'on a vu que ce qu'on a entendu ; et les liqueurs transvasées dans un troisième récipient s'aigrissent plus facilement. D'autre part, on boit aussi avec plus de plaisir l'eau puisée dans le bassin d'une fontaine, si petit soit-il, mais que la source jaillissante remplit sans cesse, que celle puisée dans un ruisseau qui en est déjà fort éloigné, ou même dans un fleuve qui coule à pleins bords. Aussi, sans toucher aux livres de ceux qui ont écrit sur les premières années ou même sur le milieu de la vie de notre bienheureux père, pour ne pas avoir l'air de bâtir sur les fondements posés par d'autres, notre récit porte surtout sur les événements dont j'ai été presque toujours le témoin oculaire. Parfois, j'y intercale aussi quelques faits, quoique peu nombreux, que j'ai appris par les frères dignes de toute confiance qui y assistaient. Cependant, le lecteur trouvera cet ouvrage divisé en trois livres. Le premier traite surtout de ce qui concerne expressément la personne, les mœurs et la doctrine de ce bienheureux père. Le second expose les nombreux miracles opérés par son entremise. Le troisième s'achève par le récit de sa sainte mort.

Le lecteur doit aussi être averti que dans la narration des faits j'ai tenu compte des rapports de similitude entre eux plutôt que de l'ordre chronologique. Car ni les miracles, ni certaines de ses actions ne sont relatés dans l'ordre où ils se sont accomplis ; mais parfois quelques-uns ont été insérés là où ils paraissaient trouver une place plus appropriée. En effet, toute composition étayée et illustrée d'exemples tirés du sujet même semble plus solide et est d'ordinaire tenue pour plus agréable, tel un monument soutenu par des colonnes bien proportionnées.

J'ai aussi transposé certains faits, soit pour les réunir à d'autres semblables, soit parce que ceux qui étaient d'un même genre se liaient mieux entre eux. Cela, cependant, je ne l'ai fait que dans les deux premiers livres. Quant au troisième, l'enchaînement de la narration suit, presque en tout, l'ordre chronologique.

ANNEXE 2

APPARITION DE BERNARD, LA NUIT DE SA MORT, AU FRÈRE GUILLAUME DE GRANDSELVE[1] (*Vp* V, 22)

Le frère Guillaume de Montpellier, dont nous avons fait mention aussi plus haut, fut un homme glorieux autrefois dans le monde, mais plus glorieux encore par sa fuite du monde. Devenu moine dans le monastère de Grandselve, il fit une visite au père saint avec la plus grande ferveur. Au moment de s'en retourner dans son monastère, il se plaignait avec larmes de ce qu'il ne le verrait jamais plus. « Ne crains pas, lui répondit l'homme de Dieu, tu me verras sans doute encore. » Ce Guillaume attendait l'accomplissement de cette promesse avec la plus grande ferveur, lorsque, la nuit même où le bienheureux père sortit de cette vie, il mérita de le voir lui apparaître dans le monastère de Grandselve, et de l'entendre lui dire : « Frère Guillaume ! » Et lui : « Me voici, seigneur. » « Viens avec moi », repartit Bernard. Ils allaient donc ensemble, et parvinrent à une montagne très élevée. Or, le saint lui demandait s'il savait où ils étaient arrivés. Mais lui avoua qu'il l'ignorait. « Nous voici au pied *du mont Liban*[2] – lui dit Bernard –. Et maintenant, reste ici ; quant à moi, *je vais*

---

1. Notre traduction, d'après le texte latin de l'édition Mabillon-Migne, *PL* 185, 363C – 364C. Voir *Vp* IV, 5 (*supra*, p. 122-123 et n. 1) ; V, 22, (*supra*, p. 308, n. 1).
2. Jg 3, 3 ; Si 50, 13 ≠.

gravir la montagne[1]. » Interrogé sur la raison pour laquelle il voulait monter, il répondit : « Je veux m'instruire. » Tout étonné, Guillaume dit : « De quoi veux-tu t'instruire, père, toi qui, je crois, n'as pas aujourd'hui ton égal en science ? » « Ici-bas, lui déclara le saint, il n'y a nulle science, nulle connaissance du vrai. C'est là-haut que se trouve la plénitude de la science[2], là-haut la vraie connaissance de la vérité[3]. » Et le quittant sur ces mots, il s'éleva sous ses yeux au plus haut de la montagne. Guillaume, pendant qu'il le regardait s'en aller, se réveilla, et aussitôt se présenta à son esprit cette parole qui du ciel retentit jadis aux oreilles de Jean : *Heureux les morts qui meurent dans le Seigneur*[4].

Le lendemain matin, lorsqu'il parla à son abbé et à ses frères, il leur disait que le père saint avait passé de cette vie dans l'autre. Eux notèrent le jour, s'enquirent avec grand soin du fait, et le trouvèrent tel qu'ils l'avaient entendu. Vivat, père saint ! Toi qui *as préparé en ton cœur des montées dans cette vallée de larmes*[5], tu es maintenant monté avec bonheur de Clairvaux[6] sur *le mont Liban*, montagne de blancheur éblouissante[7], plénitude de lumière, sublime clarté. Les mains innocentes et le cœur pur, tu t'es élevé sur la montagne du Seigneur, jusqu'aux richesses du salut ;

---

1. Ps 23, 3 ≠.
2. *Plenitudo scientiae* est une interprétation latine du nom des Chérubins à laquelle Bernard recourt à six reprises, par ex. en *Csi* V, 10 (*SBO* III, p. 474, l. 20).
3. Cf. *Csi* V, 6 (*SBO* III, p. 471, l. 4).
4. Ap 14, 13.
5. Ps 83, 6-7.
6. Raffiné jeu de mots en latin : *in valle lacrymarum... de Claravalle*, Clairvaux, la claire vallée.
7. En hébreu, le mot *Lebanôn* signifie « blanc ». Allusion peut-être aux sommets enneigés de cette chaîne de montagnes.

tu es parvenu aux trésors de la sagesse et de la science, où tu contemples d'un œil pur la vérité pure, où, avec tous les saints, tu n'as *qu'un seul maître, le Christ*[1] ; où *vous êtes tous désormais enseignés par Dieu*[2]. *Entraîne-nous sur tes pas*[3], nous t'en prions, et du haut de la montagne jette un regard de miséricorde sur ta vallée[4]. Assiste ceux qui peinent, viens au secours de ceux qui sont en danger, tend la main à ceux qui montent. Ce qui nous inspire confiance, c'est ta bonté, dont nous avons fait l'expérience depuis longtemps, et qui, loin d'être épuisée maintenant, est bien plutôt portée à son comble. De plus, la vision que nous allons ajouter ne contredit pas notre opinion.

1. Mt 23, 10 ≠.
2. Jn 6, 45 ≠.
3. Ct 1, 3 ≠.
4. Clairvaux.

INDEX

INDEX SCRIPTURAIRE

Les chiffres de droite renvoient aux livres et aux chapitres de l'œuvre. Les lettres minuscules qui suivent renvoient aux appels de notes. Les références en caractères *italiques* indiquent les allusions. Le signe ≠ veut dire que le texte biblique cité est légèrement différent de celui de l'édition Weber-Gryson de la Vulgate.

ANCIEN TESTAMENT

NOUVEAU TESTAMENT

INDEX ONOMASTIQUES

Nous indiquons le livre de la *Vita prima* (en chiffres romains) et le chapitre (en chiffres arabes) où se trouve, dans la traduction française, chaque nom avec, en exposant, le nombre de ses occurrences. Les noms figurant dans les titres ne sont pas repris dans l'index. Parmi les noms de personnes, nous n'avons pas repris les suivants, parce qu'omniprésents dans l'ouvrage : « Dieu » (*Deus*), « Seigneur » (*Dominus*), « Christ » (*Christus*), « Bernard » (*Bernardus*) de Clairvaux.

NOMS DE LIEUX BIBLIQUES

AUTRES NOMS DE LIEUX

Noms des personnes bibliques

AUTRES NOMS DE PERSONNES

INDEX DES CITATIONS DES
ŒUVRES DE BERNARD

Sont données dans la colonne de gauche les citations des œuvres de Bernard et dans la colonne de droite l'indication du livre et du chapitre de la *Vita prima* où elles se trouvent.

TABLE DES MATIÈRES

Portrait de Bernard (1) – Sobriété de Bernard. Son
amour de la méditation (2) – Visite de Bernard à Hugues,
évêque de Grenoble (3) – Visite de Bernard à la Grande
Chartreuse. Son indifférence à l'égard des réalités
extérieures (4) – Geoffroy justifie les nombreuses sorties
de Bernard. Sa tenue pauvre, mais toujours très propre, sa
réserve (5) – Talent d'orateur de Bernard (6) – Éloquence
enflammée et persuasive de Bernard. Sa familiarité avec
les Écritures (7) – Rayonnement de Bernard dans l'Église.
Son refus des dignités ecclésiastiques (8) – Geoffroy
justifie la prédication de la croisade, malgré l'échec final
de celle-ci (9) – Justification théologique de la croisade, un
miracle à l'appui (10) – Autre preuve que la prédication
de la croisade était voulue par Dieu (11) – Services que

de Bernard et le nom de son successeur (17) – Un frère apprend par une vision que la mort de Bernard aura lieu au temps de la cueillette des fruits nouveaux (18) – Autre vision annonçant la mort de Bernard (19) – Vision d'un abbé du voisinage. Éloge de Bernard (20) – Apparition de Bernard au prieur du monastère susdit, la nuit précédant sa mort (21) – Deux apparitions posthumes de Bernard à Clairvaux. Son amitié pour l'archevêque Malachie O'Morgair (23) – Guérison d'un abbé anglais à Clairvaux par l'action conjointe de Bernard et de Malachie après leur mort (24) – Action de grâce et prière de Geoffroy pour que la sainteté abonde toujours à Clairvaux (25)

SOURCES CHRÉTIENNES

Fondateurs : † H. de Lubac, s.j.
† J. Daniélou, s.j. ; † C. Mondésert, s.j.
Directeur : G. Bady
Directrice adj. : L. Mellerin

Dans la liste qui suit, dite « liste alphabétique », tous les ouvrages sont rangés par noms d'auteurs anciens et titres d'ouvrages anonymes, les numéros précisant pour chacun l'ordre de parution depuis le début de la collection.

Pour une information plus complète, une « liste numérique » est téléchargeable sur le site Internet, à l'adresse suivante : *https://sourceschretiennes.org*. Elle présente les volumes et leurs auteurs actuels d'après les dates de publication ; elle indique également les réimpressions et les ouvrages momentanément épuisés ou dont la réédition est préparée.

On peut se la procurer aussi au secrétariat des « Sources chrétiennes », 22 rue Sala, F-69002 Lyon (Tél. : 04 72 77 73 50 et Courriel : *sources.chretiennes@mom.fr*).

LISTE ALPHABÉTIQUE (1-632)

PROCHAINES PUBLICATIONS

ACHEVÉ D'IMPRIMER
EN FRANCE
EN OCTOBRE 2022
SUR LES PRESSES
DE
L'IMPRIMERIE F. PAILLART
À ABBEVILLE (80)

DÉPÔT LÉGAL : 4ᵉ TRIMESTRE 2022
Nᵒ. IMP. 17136